CW00832336

EVANGELIO ACUARIANO DE JESÚS,

EL CRISTO DE LA ERA DE PISCIS

Transcrito por Levi H. Dowling

Diseño de portada: Editorial Sirio, S.A.

© de la presente edición

EDITORIAL SIRIO, S.A.	Nirvana Libros S.A. de C.V.	Ed. Sirio Argentina
C/ Panaderos, 9	Calle Castilla, nº 229	C/ Castillo, 540
29005-Málaga	Col. Alamos	1414-Buenos Aires
España	México, D.F. 03400	(Argentina)

hojasdeluz@editorialsirio.com

I.S.B.N.: 84-96595-09-9
Depósito Legal: B-26.492-2006

Impreso en los talleres gráficos de Romanya/Valls
Verdaguer 1, 08786-Capellades (Barcelona)

Printed in Spain

Introducción

A LA PRESENTE EDICIÓN

La versión original de esta obra apareció por primera vez en las librerías norteamericanas en el año 1908, creando, como era de esperar, un gran revuelo entre el público. Para la inmensa mayoría aferrada a la letra de lo impreso en la Biblia, gran parte del contenido de este libro resultó poco menos que una blasfemia. Sin embargo, al mismo tiempo evocó una respuesta entusiasta en quienes buscaban en las palabras de Jesús un significado más profundo que el que les era presentado por la oficialidad cristiana de la época.

El Evangelio Acuariano de Jesús no era una "nueva revelación" que viniera a añadirse a las ya existentes, ni tampoco pretendía ser una traducción exacta de las palabras arameas de Jesús. Su énfasis no está en la letra sino en el espíritu. No en lo accesorio, sino en lo esencial. Su mensaje no es patrimonio exclusivo del cristianismo fundamentalista y ortodoxo sino que transmite, más bien, una enseñanza sublime que podemos considerar como el núcleo de todas las religiones válidas:

> *"Ningún hombre vive sólo para sí, porque toda cosa viviente está unida con lazos insolubles a toda otra cosa viviente. Si me preguntáis que es lo que el hombre debe estudiar, os contestaré: debe*

estudiarse a sí mismo, y cuando os hubiereis estudiado bien y me preguntéis que es lo siguiente que debe estudiarse, os contestaré: debe estudiarse a sí mismo... Quien conoce su ego inferior, conoce lo ilusorio del mundo, conoce que las cosas son transitorias; y quien conoce a su yo superior, conoce a Dios; conoce aquello que nunca cambia."

El Evangelio Acuariano de Jesús tampoco fue presentado como "la Palabra de Dios" ni mucho menos como algo infalible en lo que había que creer. De hecho es un texto que se alinea junto a los de Santa Brígida de Suecia o de Teresa Neuman, quienes igualmente recibieron y dejaron registrados pasajes de la vida de Jesús de Nazaret sin pretender que sus escritos debían ser considerados como unas nuevas "Sagradas Escrituras".

En el nivel histórico, el texto transcrito por Levi H. Dowling nos revela entre otra cosas, lo ocurrido en los "años perdidos" de Jesús, su estancia en la India y en diversos países de Oriente y su relación con diversos maestros de otras tradiciones, pero sobre todo, su cualidad de ser humano que se elevó a través de su esfuerzo y su sufrimiento hasta el nivel del Cristo.

En una época en que la figura de Jesús está tomado una nueva relevancia, nos ha parecido oportuno revivir esta interpretación poco conocida de su trascendente mensaje.

Los editores

INTRODUCCIÓN

POR EVA S. DOWLING

AMANUENSE DEL MENSAJERO Y DOCTORA EN FILOSOFÍA

Como se me han hecho muchas preguntas en relación con este libro, voy a contestar las más usuales, que son las siguientes:

1° –¿Qué es una era?
2° –¿Qué es la Era de Piscis?
3° –¿Qué es la Era de Acuario?
4° –¿Qué significa la palabra Cristo, tal como se usa en este libro?
5° –¿Qué relación hay entre Jesús de Nazaret y el Cristo?
6° –¿Quién fue Levi, el transcriptor de este libro?
7° –¿Qué son los Archivos o Registros Akáshicos?

I. ¿Qué es una era?

Nos dicen los astrónomos que el sol y sus planetas giran alrededor de un sol central que está a millones de millas de distancia, y que se requiere un poco menos de veintiseis mil años para lograr una revolución completa. Denominan a esta órbita

«El Zodíaco» y la dividen en doce partes designadas por los signos que son familiarmente conocidos como «Aries, Tauro, Géminis, Cáncer, Leo, Virgo, Libra, Escorpión, Sagitario, Capricornio, Acuario y Piscis». Nuestro sistema solar tarda un poco más de dos mil cien años para pasar de un signo a otro. A esto se lo denomina una era o edad. A causa de lo que los astrónomos llaman «la precesión de los equinoccios», el movimiento del sol a lo largo de los signos del Zodíaco se hace en orden inverso al que he mencionado. Con relación al tiempo exacto en el que comienza una era los astrónomos no están de acuerdo, pero estaría fuera de lugar dar aquí las razones de sus diversas opiniones. Con todo, los críticos están de acuerdo en que el sol entró en el signo de Tauro en los días del histórico Adán, comenzando así la Edad Táurica; en que entró en el signo Aries hacia la época de Abraham, cuando comenzó la Edad Aria, y en que entró en el signo Piscis hacia el comienzo del Imperio romano, comenzando así la Era de Piscis, más o menos al principio de la cual vivió Jesús de Nazaret.

II. ¿Qué es la Era de Piscis?

La Edad o Era de Piscis se corresponde aproximadamente con la Era Cristiana. Piscis significa «peces». El signo es conocido como signo de agua. La Edad de Piscis ha sido pues característicamente la edad del agua y del pez. Al establecer sus grandes instituciones, Juan el Precursor y Jesús instituyeron el rito del bautismo del agua que, en una forma u otra, han conservado todas las iglesias cristianas hasta nuestros días. El agua es símbolo de purificación. Jesús, antes de ser bautizado, dijo al Precursor: «Todos los hombres deben lavarse con agua como símbolo de la purificación del alma». (*Evangelio Acuariano*, 64,7).

El pez fue un símbolo de los cristianos. En los primeros siglos de la Era Cristiana este animal fue usado en todo lugar como símbolo. Didrón, en su admirable libro *Iconografía Cristiana*, dice: «El pez según la opinión general de los anticuarios, fue símbolo de Jesús Cristo. Está esculpido en un gran número de monumentos cristianos y más especialmente en los sarcófagos antiguos. Lo hallamos también en medallas, junto con el nombre del Señor, en piedras, camafeos e iconos. Se usaba también como amuleto que se suspendía del cuello de los niños. Lo vemos en vidrios y vasos antiguos y en lámparas esculturales. Las fuentes bautismales eran generalmente adornadas con peces. En el centro de la mesa, en los cuadros de la Última Cena, entre los panes, cuchillos y tazas del banquete, se colocaba un plato con un pez». En los escritos de Tertuliano leemos: «Somos pececitos en Cristo, nuestro Gran Pez». En verdad que los últimos dos mil años, que aproximadamente se corresponden con la Era de Piscis, han sido de agua, de usos varios de este elemento, de construcción de canales, de dominio de navegación del mar, de los lagos y de los ríos de toda la tierra.

III. ¿Qué es la Era de Acuario?

La humanidad se encuentra hoy en el filo entre las Eras de Piscis y Acuario. Acuario es conocido como signo de aire. Esta nueva edad es ya notable por sus grandes inventos relacionados con el aire. Hoy los hombres navegan en el aire como los peces en los mares, y mandan su pensamiento y su palabra a través del aire a todo lo largo y ancho de la tierra con la rapidez del rayo. La palabra «Acuario» viene del latín *aqua*, agua.

Acuario es el aguador. Es el undécimo signo del Zodíaco. Se representa por un hombre que lleva en la mano derecha un cántaro de agua. Jesús se refirió al comienzo de la Edad Acuariana cuando dijo: «Y entonces el hombre que lleva el cántaro caminará cruzando un arco del cielo; el signo y la señal del hijo del hombre se levantará en el cielo de Oriente. Los sabios levantarán sus cabezas y sabrán que la redención de la tierra está cerca (*Evangelio Acuariano*, 157, 29-30). La Edad de Acuario es eminentemente espiritual. Grandes masas humanas pueden comprender ahora el lado espiritual de las enseñanzas de Jesús, porque estamos entrando en un estado adelantado de conciencia espiritual. De ahí, pues, que con mucha propiedad se haya titulado este libro *El Evangelio Acuariano (Espiritual) de Jesús, el Cristo de la Era de Piscis*.

Un acontecimiento importante.- El paso de una a otra edad es un acontecimiento importante en el mundo de los querubines y de los serafines. Entre los escritos de Levi hemos encontrado un documento notable que describe el paso del dominio de la Edad de Piscis a la Acuariana, si bien no podemos determinar si es una relación de hechos o una visión profética. Lo reproducimos seguidamente:

EL FILO DE LAS EDADES

«En espíritu fui llevado al plano de Akasha. Estuve solo, en pie, dentro del círculo del sol.

»Y allí encontré el resorte secreto que abre la puerta de la sabiduría y de una comprensión con el corazón.

»Entré entonces y supe.

»Vi a los veinticuatro querubines y serafines que guardan el círculo del sol, los poderosos a quienes los maestros proclamaron hace tanto tiempo "Los veinticuatro ancianos".

»Oí los nombres de cada querubín y de cada serafín, y aprendí que cada signo del Zodíaco está gobernado por dos: un querubín y un serafín.

»Y entonces estuve en pie en el filo en que se juntan dos edades. La Edad Pisceana había pasado, la Edad Acuariana había apenas comenzado.

»Vi a los espíritus guardianes de la Edad Pisceana: el querubín es Ramasa y Vacabiel es el serafín.

»Estos cuatro grandes espíritus del Dios TRINO y UNO aparecieron en pie en el filo, y en la presencia del Trío Sagrado: el Dios de Poder, el Dios de Sabiduría y el Dios de Amor, fue transferido al cetro del Dominio: del Poder, de la Sabiduría y del Amor.

»Oí las instrucciones del Dios Trino y Uno, pero no puedo revelarlas ahora.

»Del querubín y del serafín de Piscis oí la historia de la Edad Pisceana y cuando tomé la pluma para escribir, Ramasa dijo: "Ahora no, hijo mío, ahora no. Pero puedes escribirlo para los hombres cuando hayan aprendido las Leyes Sagradas de la Fraternidad, de la Paz en la Tierra y de la Buena Voluntad hacia toda cosa viviente".

»Y entonces oí al querubín y al serafín acuarianos proclamar el Evangelio (doctrina) de la edad que comenzaba, la Edad de la Sabiduría del Hijo del Hombre.

»Y cuando la corona fue levantada de la cabeza de Ramasa y colocada en la de Archer de la Edad Acuaria, y cuando el Cetro Real fue transferido del serafín Vacabiel al serafín Sakmaquiel, hubo un profundo silencio en los espacios del cielo.

»Y entonces la Diosa Sabiduría habló, y con las manos extendidas derramó las bendiciones del Santo Aliento sobre los Gobernantes de Acuario.

»No me es permitido escribir las palabras que habló; pero me es permitido decir el Evangelio de la edad que viene, que Archer dijo cuando recibió la corona.

»Y puedo musitar a los hombres el canto de alabanza que el serafín Sakmaquiel cantó cuando recibió el Cetro Real de la Edad que acababa de nacer.

»Este Evangelio diré, y este canto cantaré en toda la tierra y a todas las gentes, las tribus y las lenguas de la tierra».

IV. ¿Que significa la palabra «Cristo» tal como se usa en este libro?

La palabra Cristo se deriva del griego *kristos* y significa ungido. Es idéntica a Mesías. El vocablo «Cristo», en sí mismo, no se refiere a ninguna persona en particular: todo ungido es un Cristo. Cuando esta palabra va precedida del artículo «El», señala a una persona determinada, que no es otra que uno de los miembros de la Trinidad, el Hijo, que tuvo la gloria con el Padre–Madre, antes que los mundos se hubieran formado. Según las enseñanzas de todos los antiguos maestros, este Hijo es el Amor, de modo que Cristo es Amor, y el Amor es Dios, ya que Dios es Amor. Otro escrito notable, encontrado en el portafolio Akáshico de Levi, da la idea más clara posible del Cristo, o Amor de Dios. Se presume que este manuscrito es una transcripción directa del Archivo Akáshico y su importancia justifica que lo mostremos a continuación.

EL CRISTO

«Antes de la Creación, el Cristo caminaba con el Padre Dios y con la Madre Dios en Akasha.

»El Cristo es el hijo, el hijo único del Dios Omnipotente, del Dios de la Fuerza, y del Dios Omnisciente, del Dios del Pensamiento; y el Cristo es Dios, el Dios de Amor.

»Sin el Cristo no hay luz. Por amor se manifestó toda vida, de modo que por medio de él se hicieron todas las cosas y nada fue hecho en la formación de los mundos y en el poblar de los mundos, sin el Cristo.

»Cristo es el LOGOS (palabra) del Infinito, y sólo por medio de la palabra se manifiestan la Fuerza y el Pensamiento.

»El Hijo es llamado Cristo, porque el Hijo, el Amor, el Amor Universal, fue puesto aparte, destinado a ser el Creador, el Amo, el Señor, conservador y redentor de todas las cosas, de todo lo que es y de todo lo que será.

»Por el Cristo tomaron sus sitios en sus planos de vida el protoplasma, la tierra, la planta, la bestia, el hombre, el ángel y el querubín.

»Por el Cristo ellos se conservan. Y si caen, es el Amor el que los levanta, y si se venden al error, es el amor el que los redime.

»El Cristo, el Amor Universal, penetra todos los espacios del Infinito, de manera que no hay límites para el Amor.

»A cada mundo, estrella, luna, sol, fue enviado un espíritu maestro procedente de este Amor Divino. Y todos ellos fueron plenamente ungidos con el aceite de la ayuda (servicio) y cada uno de ellos llegó a ser un Cristo.

»Plenamente glorioso en su majestad, es Cristo quien extiende el ropaje puro y blanco del amor sobre todos los planos de la tierra: es el Cristo de la tierra, del cielo y de los sepulcros.

»Con el curso del tiempo, el protoplasma, la tierra, la planta, la bestia vendieron al error sus derechos congénitos. Pero el Cristo estuvo presente para redimirlos.

»Oculto en el sitio más sagrado de todo el Infinito se encuentra bajo llave el rollo que contiene la expresión de los propósitos de Dios, del Dios Trino y Uno, y allí leemos:

»"La Perfección es la finalidad de la vida. La semilla es perfecta en su vida embrionaria, pero está destinada a desarrollarse, a crecer".

»Estas semillas que fueron los pensamientos de Dios, sus visualizaciones, fueron depositadas en el útero de cada plano; semillas de protoplasma, de tierra, de planta, de bestia, de hombre, de ángel, de querubín, y los que sembraron las semillas, por intermedio de Cristo, les ordenaron que crecieran y que, al final de finales, por el esfuerzo de años innumerables, regresaran al gran granero del pensamiento, cada una perfecta en su especie.

»Y en las bendiciones sin confines del Amor, el hombre fue hecho el amo, el Señor del protoplasma, de la tierra, de la planta, de la bestia; y el Cristo proclamó: "El Hombre tendrá pleno dominio sobre todo lo que esté en esos planos de vida". Y así fue.

»Y quien dio este señorío al hombre declaró que tenía que ejercerlo por medio del amor.

»Pero el hombre se volvió cruel y así perdió su poder de gobierno. Entonces el protoplasma, la planta, la tierra, la bestia llegaron a ser enemigos del hombre. El hombre perdió su herencia, pero el Cristo estuvo presente para redimirle.

»Pero el hombre había perdido la conciencia de lo que era derecho: ya no pudo comprender lo ilimitado del Amor. Ya no pudo ver sino el egoísmo y las cosas del ego, pero el Cristo estuvo presente para buscar al extraviado y salvarle.

»Con la finalidad de que pudiera estar cerca del hombre en todos los caminos de la vida, para que el hombre pudiese comprender el espíritu poderoso del Amor, el Espíritu de la tierra, el Cristo de esta tierra, se manifestó a los ojos y a los oídos humanos encarnándose en personas puras, preparadas por muchas generaciones para ser morada adecuada del Amor. Así el Cristo manifestó el poder salvador del Amor. Pero los hombres pronto lo olvidaron, de modo que el Cristo tuvo que manifestarse una y otra vez. Y desde que la semilla llamada hombre fue depositada en esta tierra y tomó forma corpórea, el Cristo se ha manifestado en forma corpórea al comienzo de cada edad, al comienzo de cada era.»

V. ¿Qué relación hay entre Jesús de Nazaret y el Cristo?

Los ortodoxos cristianos nos dicen que Jesús de Nazaret y el Cristo son uno; que el verdadero nombre de este personaje fue Jesucristo. Nos dicen que este hombre de Galilea fue el Dios Eterno mismo encarnado en forma humana para que los hombres puedan ver su gloria. Esta doctrina es opuesta a las enseñanzas del mismo Jesús y de sus apóstoles. Los maestros acuarianos en consejo han formulado una respuesta a esta pregunta, tan completa que la reproducimos en su totalidad:

«Jesús fue un judío ideal nacido en Belén de Judea. Su madre fue una bella judía, llamada María. En su infancia, Jesús difirió de los demás niños solamente en que, en sus pasadas encarnaciones, había vencido las propensiones carnales hasta el punto en que podía ser tentado como los demás, pero no cedía. Pablo estuvo en lo justo cuando dijo: "Fue tentado en todo como nosotros, pero no pecó"» (Hebreos, IV-15).

«Jesús sufrió como sufren los demás hombres y llegó a la perfección por el sufrimiento, porque éste es el único camino hacia la perfección. Su vida fue un ejemplo de logros por el camino de las cruces y el tratamiento cruel. Pablo tuvo razón otra vez cuando dijo: "Llegó a ser aquel por quien y para quien todas las cosas existen, llevando muchos hijos a la gloria, para hacer perfecto al capitán de la salvación, perfecto por medio del sufrimiento"» (Hebreos, II -10).

«En muchos aspectos Jesús fue un niño admirable, pues durante siglos de intensa preparación llegó al punto en el que mereció ser redentor, salvador del mundo. Desde la infancia fue dotado de superior sabiduría y fue consciente del hecho de su competencia para guiar a la humanidad a los planos superiores de la vida espiritual. Pero también fue consciente del hecho de que, para adquirir el dominio, tenía que pasar por pruebas, tentaciones, bofetadas y sufrimientos, y empleó toda su vida en perfeccionarse. Después de su muerte, su entierro y su resurrección, apareció en forma materializada a la Hermandad Silenciosa, en el Templo de Heliópolis en Egipto, y dijo: "Mi vida humana fue dedicada totalmente a sintonizar mi voluntad con la voluntad de Dios; cuando esto se hizo, mis tareas terrenas llegaron a su fin.

»Sabéis que toda mi vida fue un gran drama para los hijos de los hombres, un ejemplo para ellos. Viví para mostrar las posibilidades del hombre. Lo que yo he hecho todo hombre puede hacerlo, y lo que yo soy todo hombre lo será"» (*Evangelio Acuariano*, 178, 43-46).

«Jesús fue el nombre del hombre y fue el único nombre apropiado para uno de su clase. Esta palabra significa Salvador.

»La palabra Cristo significa "ungido" y es un título oficial. Significa "El Amo del Amor". Cuando decimos "Jesús, el Cristo", nos referimos al hombre y a su oficio, exactamente como cuando decimos Eduardo rey o Lincoln el presidente. Eduardo no siempre fue rey, ni Lincoln presidente, ni Jesús fue siempre Cristo; Jesús se ganó el título de Cristo por medio de una vida intensa. En el *Evangelio Acuariano*, capítulo 55, encontramos la relación de los acontecimientos que culminaron con su cristianismo, es decir, con su recepción del grado de Cristo. Allí fue coronado por las más altas autoridades de la tierra. Cristo Rey o, en otras palabras, "El Amo del Amor", cuando esta ceremonia terminó, entró en el acto en el ministerio de Judea y de Galilea. Reconoced los hechos de que Jesús fue un hombre y que Cristo fue Dios, lo que establece el hecho de que Jesús el Cristo fue el Dios-Hombre de las edades.

»Jesús mismo aclaró este punto, de modo que tenemos el testimonio, al respecto, del mismo Nazareno. Un día, hablando en Betania a un grupo de personas que le aclamaban Rey, dijo:

»"No fui llamado a sentarme en un trono para gobernar como gobierna el César; y bien podéis decir a los gobernantes de los judíos que en manera alguna reclamo ese trono.

»Los hombres me llaman el Cristo, y Dios me ha reconocido ese título. Pero el Cristo no es un hombre. El Cristo es el Amor Universal, y el Amor es Rey.

»Este Jesús no es sino un hombre preparado por tentaciones vencidas, por múltiples pruebas, para ser el templo a través del cual el Cristo pueda manifestarse a los hombres.

»Así pues, oídme, vosotros hombres de Israel. No miréis mi lado corpóreo, pues ése no es el Rey. Mirad al Cristo interior que tiene que formarse dentro de cada uno de vosotros, como se ha formado en mí.

»Cuando hayáis purificado vuestros corazones por la fe, el Rey entrará en ellos y veréis su faz"» (*Evangelio Acuariano*, 68, 10-14).

VI. ¿Quien fue Levi, el transcriptor de este libro?

Respecto a la persona de Levi, no nos es dado escribir gran cosa. Baste decir que fue un ciudadano de Estados Unidos y que desde muy niño fue un estudiante profundo de las religiones del mundo. Cuando no era sino un niño se impresionó con la sensitividad de los éteres más sutiles, y llegó a sentir y por tanto a creer que en un cierto modo eran placas preparadas como en fotografía para impresionar en ellas sonidos, vibraciones y aun pensamientos. Con avidez entró, pues, el estudio profundo de las vibraciones etéreas resuelto a solucionar por sí mismo los grandes misterios cósmicos. Cuarenta años empleó en estudios y meditación silenciosa, llegando a encontrarse entonces en un estado de superconciencia que le permitió entrar en el plano cósmico de los éteres sutiles y llegar a familiarizarse con sus misterios. Entonces llegó a darse cuenta de que las visualizaciones de su infancia habían estado basadas en realidades cósmicas y que cada pensamiento de cada cosa viviente queda archivado.

En su manuscrito *El Filo de las Edades*, parte del cual reproducimos ya en esta introducción, encontramos el siguiente encargo dado a Levi por Visel, la Diosa de la Sabiduría o del Santo Aliento.

Encargo a Levi

«Y entonces Visel, la Santa, avanzó y dijo:

»"Oh, Levi, hijo de hombre; óyeme, porque tú eres llamado a ser el mensajero de la edad que comienza, la edad de bendición espiritual.

»Obedece, oh hijo de hombre, pues los hombres deben conocer al Cristo, al Amor de Dios porque el Amor es el soberano bálsamo para todas las heridas de los hombres, el remedio para todos sus males.

»Y el hombre debe ser dotado de Sabiduría, de Poder y de un Corazón que comprenda.

»He aquí el Akasha. He aquí las Galerías, Archivos de Visel, donde están escritos todo pensamiento, toda palabra y toda obra de ser viviente.

»Las necesidades del hombre son múltiples y los hombres deben conocer sus necesidades».

»Oye pues, Levi, mis palabras; anda a las Galerías místicas y lee, y allí encontrarás un mensaje para el mundo, para todo hombre, para todo ser viviente.

»Insuflo sobre ti ahora el Santo Aliento, y tú discernirás y conocerás las enseñanzas que estos libros, Archivos de Dios, guardan para los hombres de esta nueva edad.

»Esta edad será una edad de esplendor y de luz, porque es la edad hogar del Santo Aliento; y el Santo Aliento testificará de nuevo para Cristo, el Logos del Amor Eterno.

»Al comienzo de cada edad este Logos se manifiesta en forma corpórea para que los hombres puedan ver y conocer y comprender un Amor que no es estrecho ni circunscrito».

»Doce veces en cada revolución del sol este Amor de Dios se manifiesta en forma corpórea en los planos terrestres, y tú puedes leer en Akasha las enseñanzas maravillosas que estos Cristos han enseñado a los hombres; pero tú no publicarás las enseñanzas de los Cristos de los tiempos antiguos.

»Ahora, Levi, conductor del mensaje para la Edad Espiritual, toma la pluma y escribe. Escribe la historia completa del Cristo que construyó sobre la Roca Sólida del lejano círculo del sol; del Cristo que los hombres han conocido como Enoc, el Iniciado.

»Escribe de sus trabajos como Profeta, como sacerdote y como vidente; escribe de su vida de pureza y de amor, y de cómo así transmutó su cuerpo carnal en cuerpo divino sin descender a través de las puertas de la muerte.

«Y puedes escribir la historia de Melquisedeck, el Cristo que vivió cuando Abraham vivía, y que indicó a los hombres el camino hacia la vida por medio del sacrificio; que dio su vida en sacrificio voluntario por los hombres».

»Y puedes escribir la historia del Príncipe de la Paz, del Cristo que nació en Belén y que caminó por todos los senderos de la vida que el hombre tiene que recorrer.

»Fue despreciado, rechazado y ultrajado, fue escupido, crucificado y enterrado en una tumba; pero revivió y se levantó como el conquistador de la muerte para demostrar al hombre los poderes que en él hay.

»Mil veces dijo a los hombres: 'vine a demostrar los poderes del hombre. Lo que yo he hecho todos los hombres pueden hacerlo, y lo que yo soy todos los hombres lo serán'.

»Estas historias del Cristo serán suficientes, pues ellas contienen la verdadera filosofía de la vida, de la muerte y de la resurrección de los muertos.

»Ellas muestran el viaje en espiral del alma hasta que el hombre de la tierra y Dios sean uno para siempre"».

Profecías sobre Levi

Hace unos dos mil años, Elías, que dirigía una escuela de profetas en Zoan, Egipto, se refirió a Levi como sigue:

«Los hombres de esta era comprenderán muy poco las acciones de la Pureza y del Amor, pero no se olvidará una sola palabra, porque en el Libro de los Recuerdos de Dios queda escrito cada pensamiento, palabra y obra. Y cuando el mundo esté preparado para recibirlos, he aquí que Dios enviará a un mensajero para abrir ese Libro y copiar, de sus sagradas páginas, todas las palabras de Pureza y Amor. Entonces todos los hombres de la tierra leerán las palabras de la vida en el idioma de su tierra de origen, y los hombres verán la luz. Y el hombre volverá a ser uno con Dios (*Evangelio Acuariano*, 7, 25-28).

Parece innecesario hacer más referencias a la persona de Levi. Poco importa quién o qué sea él. Lo importante es su obra impecable: la transcripción de *El Evangelio Acuariano de Jesús, el Cristo de la Era de Piscis*, que lleva en todo él el sello del Nazareno. Ningún hombre sino el más grande Maestro que ha venido a este mundo ha hecho vibrar como él las cuerdas divinas del Poder, de la Sabiduría y del Amor en la forma característica de las páginas de este libro.

VII. ¿Qué son los Archivos Akáshicos?

Akasha es una palabra sánscrita, que significa «la sustancia primaria», de la que se formaron todas las cosas. Según la filosofía acuariana, ésta es la primera etapa de la cristalización del espíritu. Todo es sustancia primordial o vibración espiritual. La materia no es sino espíritu vibrando a baja frecuencia, «llegando a coagularse», como lo expresa un maestro. Este Akasha o sustancia primaria es de finura tan exquisita y tan extremadamente sensible que la más imperceptible vibración del éter en cualquier lugar del mundo produce en ella una impresión indeleble. Esta sustancia primaria no está circunscrita a lugar alguno del universo, sino que es omnipresente. En verdad es la «Mente Cósmica» de que hablan los filósofos. Cuando la mente del hombre está en sintonización, en acorde exacto, con la Mente Cósmica, el hombre adquiere un reconocimiento consciente de las impresiones akáshicas y puede reunirlas y transcribirlas en cualquier idioma que le sea familiar. En el Uno Infinito manifestado, encontramos los atributos de Fuerza, Inteligencia y Amor. Pero el hombre puede llegar a sintonizar bien con uno de estos atributos y no con los otros. Puede llegar a sintonizar con la Fuerza, sin entrar en los dominios de la Inteligencia; o puede ser totalmente absorbido por el Amor y hallarse a gran distancia de la Fuerza o de la

Inteligencia, o estar plenamente en la conciencia del Santo Aliento (Suprema Inteligencia Dios-Madre) y no sintonizar en absoluto ni con la Fuerza ni con el Amor, sino únicamente con la Inteligencia Suprema, con la Mente Creadora Cósmica, con Dios-Madre. A ésta los sabios orientales la han denominado el *Archivo Akáshico* y maestros hebreos la han llamado el *Libro de los Recuerdos de Dios*. De este Archivo o Registro Akáshico puede obtenerse cualquier conocimiento.

Hay tres clases de conocimiento o conciencia:

1°. Conocimiento o conciencia de la Omnipotencia de Dios y del hombre.
2°. Conocimiento o conciencia del Cristo o Amor Cósmico.
3°. Conocimiento o conciencia de la Inteligencia Suprema, Sabiduría o Santo Aliento.

Tengamos en mente que conocimiento o conciencia de una de estas tres fases no implica conocimiento o conciencia de las otras. De hecho, con frecuencia encontramos personas saturadas de Amor que son completamente ignorantes, que no tienen la más pequeña concepción de las leyes físicas o espirituales, y que no muestran comunión alguna con la Sabiduría, el Gran Maestro, el Espíritu Santo, que es el Santo Aliento. Y hallamos hombres que son todo Fuerza (Dios Padre), pero que no han sentido jamás ni Sabiduría ni Amor Cósmicos.

Los Archivos Akáshicos. Los registros imperecederos de la vida, conocidos como Archivos Akáshicos, están enteramente en los dominios de la Inteligencia Suprema o Mente Cósmica, Dios-Madre. Quien los lea debe, pues, estar en perfecta comunión, en sintonización delicadísima, con esa Inteligencia o Espíritu Santo o Santo Aliento, como los antiguos llamaban a la Mente Cósmica, de modo que cada vibración del pensamiento sea sentida instantáneamente en cada una y en todas las fibras de su ser.

Diferenciación. Ahora bien, si el espacio está cargado de vibraciones–pensamientos de toda clase, ¿cómo puede quien lea los Archivos Akáshicos diferenciar y recoger solamente los pensamientos y los acontecimientos de la vida de tal o cual persona o grupo de personas? Ocurre que cada individuo tiene una vibración suya y distinta, y cuando el que lee comprende en su plenitud la Ley del Discernimiento, todo su ser se sintoniza de modo que sólo recibe un ritmo, un tono particular, siendo imposible que otro tono, otro ritmo, haga la más mínima impresión en él. Esto puede comprenderse con la ayuda de la radio o del telégrafo inalámbrico.

Muchos años tardó Levi en aprender esta Ley de Diferenciación y en sintonizarse nítidamente con los tonos y ritmos de Jesús de Nazaret, de Enoc, de Melquizedec y de sus colaboradores. Pero, dirigido por el espíritu de la Inteligencia Suprema o Mente Cósmica, llegó a triunfar en la creación de sensaciones internas, hasta tal punto que hoy siente instantáneamente y en todo su ser las más imperceptibles vibraciones procedentes de cualquiera de esos grandes centros y, desde luego, su interpretación en palabras es fiel y verdadera en lo más mínimo.

El Hombre

«¿Qué es el hombre para que tú te preocupes de él, o el hijo del hombre para que tú te dignes visitarlo?» Ésta fue la pregunta ansiosa de David, el salmista hebreo, cuyo Octavo Salmo está dedicado por entero a la contemplación del hombre, la producción cumbre de la naturaleza. Entre las muchas transcripciones del Archivo Akáshico hechas por Levi, hemos encontrado una, cuyo título es *El Hombre*, en la que se describe gráficamente su descenso a la densidad de la forma corpórea y su retorno final a la vibración pura, a la unidad eterna con Dios. No podemos resistirnos a copiarla íntegramente en esta introducción.

«No hubo un tiempo en que el hombre no estuviera.

»Si la vida del hombre hubiera tenido principio, tendría que tener fin.

»Los pensamientos de Dios no pueden ser amurallados. Ninguna mente finita o intelectual puede comprender lo infinito.

»Todo lo finito es mutable. Todo lo finito cesa de ser porque hubo un tiempo en que no existió.

»Los cuerpos y las almas de los hombres son finitos y por lo mismo o han de transmutarse o ha de llegar un día en que no existirán más.

»Pero el hombre no es ni su cuerpo ni su alma. Es Espíritu, parte del Espíritu Cósmico.

»El Fiat Creador dio al hombre, al ego humano, al espíritu hombre, un alma para que pueda actuar en el plano intelectual consciente y un cuerpo para actuar en el plano físico de las manifestaciones corpóreas.

»¿Por qué el Fiat Creador dio al espíritu hombre un alma para que pueda actuar en el plano intelectual consciente?.

»Oídme ahora, vosotros, mundos, dominios, poderes y tronos.

»Oídme ahora, vosotros, querubines, serafines, ángeles y hombres.

»Oídme ahora, vosotros, protoplasma, tierra, planta y bestia.

»Oídme ahora, vosotros, seres que os arrastráis por la tierra, peces que os deslizáis en las aguas, aves que voláis.

»Oídme ahora, vosotros, vientos que sopláis, truenos y rayos del firmamento.

»Oídme ahora, vosotros, espíritus del fuego, del agua, de la tierra y del aire.

»Oídme ahora, vosotros, todo lo que es y lo que será porque es Sabiduría la que habla desde el plano Supremo de la vida espiritual.

»El hombre es un pensamiento de Dios. Los pensamientos de

Dios son infinitos. No se miden en el tiempo porque todo lo que se mantiene en el plano en el que hay tiempo tiene principio y por lo mismo tendrá fin.

»Los pensamientos de Dios son desde el pasado interminable hasta los días sin fin del futuro. Y así es el hombre, el hombre espíritu.

»Pero el hombre, como todo otro pensamiento de Dios, no fue sino semilla, una semilla dentro de la cual se contenían las potencias de Dios, exactamente como toda semilla de planta de la tierra contiene en lo más profundo de sí misma los atributos de cada una de las partes de esa planta especial.

»Así pues, el hombre espíritu, como semilla de Dios, contiene en lo más profundo de sí mismo los atributos de cada una de las partes de Dios.

»Ahora bien, las semillas son perfectas, tan perfectas como perfecto sea quien les dio origen, pero no están desarrolladas en el plano de las formas manifestadas.

»El niño en el útero es tan perfecto como lo es su madre.

»El hombre, la semilla, debe ser sembrado hondamente en un suelo que le permita crecer y desarrollarse, exactamente como el capullo se desarrolla en una flor.

»La semilla humana que procedió del corazón de Dios mismo fue designada para ser el señor del plano del alma y del plano de las cosas que tienen forma corpórea.

»Y así pues Dios, el Sembrador de todo lo que es, arrojó esta semilla humana en el suelo del alma, y creció y el hombre llegó a ser alma viviente. Así llegó a ser el señor de todo el reino del alma.

»Y oídme ahora todas las criaturas: el plano del alma no es sino el éter del plano espiritual vibrando a mediana frecuencia, y es en el ritmo lento de este plano que las esencias de la vida se manifiestan: los perfumes, los olores, las sensaciones y todo lo que es emoción y amor.

»Y estos atributos del alma llegan a ser la belleza del cuerpo.

»En el plano del alma el hombre tiene que aprender una multitud de enseñanzas, y allí mora por muchas edades hasta que las haya aprendido.

»En las fronteras del plano del alma el éter comenzó a vibrar aun con menos frecuencia y entonces las esencias tomaron cuerpo; los perfumes, los olores, las sensaciones y el amor se vistieron con formas corpóreas y el hombre tomó apariencia física.

»Y como el hombre perfecto tiene que pasar por todos los caminos de la vida, se manifestó en él la naturaleza carnal, una naturaleza que brotó de las cosas carnales.

»Sin enemigos, el soldado nunca conoce su fortaleza. El pensamiento debe desarrollarse por el ejercicio de la fortaleza.

»Y así esta naturaleza carnal pronto llegó a ser el enemigo con el que el hombre tuvo que luchar para que llegue a conocer y a ser la fortaleza de Dios en manifestación.

»Que toda cosa viviente se pare y escuche.

»El hombre es el Señor de todos los planos de manifestación: del protoplasma, del mineral, de la planta, de la bestia. Pero él abandonó sus derechos inherentes simplemente para complacer a su Ego Inferior, su Ego Carnal.

»Pero el hombre recobrará su estado perdido, su herencia, si bien el recobro será una lucha que no es posible describir.

»Sufrirá penas y pruebas múltiples. Pero que sepa él que el querubín y el serafín que gobiernan las estaciones del sol, y los espíritus del Dios Omnipotente que gobiernan los astros solares son sus protectores y sus guías, que le conducirán a la victoria.

»El hombre será plenamente salvado, redimido, perfeccionado, por sus sufrimientos en los planos físicos y del alma.

»Cuando el hombre haya conquistado el plano físico, su forma corpórea habrá cumplido su misión, por lo que desaparecerá y no existirá más.

»Entonces, encontrará innumerables enemigos a los que deberá vencer, uno a uno.

»Así, la esperanza será siempre su faro. El alma humana no fracasará porque Dios la guía y así su victoria es segura.

»El hombre no puede morir. El hombre espíritu es uno con Dios. Mientras Dios viva el hombre no puede morir.

»Cuando el hombre haya vencido a todos los enemigos del alma, la semilla habrá germinado plenamente, se habrá transformado en el Santo Aliento.

»Entonces la forma alma habrá cumplido su misión y el hombre no la necesitará más.

»Y entonces el hombre habrá alcanzado la bienaventuranza de la perfección y habrá llegado a ser uno con Dios».

EVANGELIO ACUARIANO DE JESÚS,

EL CRISTO DE LA ERA DE PISCIS

SECCIÓN I

ALEPH

Nacimiento e infancia de María, madre de Jesús

CAPÍTULO I

Palestina. Nacimiento de María, fiesta en casa de Joaquín. María es bendecida por los sacerdotes. Una profecía sacerdotal. María vive en el templo. Se desposa con José.

1. Reinaba César Augusto y Herodes Antipas era gobernador de Jerusalén.

2. La tierra de Palestina comprendía tres provincias: Judea, Samaria y Galilea.

3. Joaquín era maestro de la ley judía, y era un hombre rico; vivía en Nazaret de Galilea y su esposa era Ana, de la tribu de Judá.

4. De ellos nació una niña, y se alegraron mucho. Le pusieron el nombre de María.

5. Joaquín celebró una fiesta en honor de la niña; pero no invitó a los ricos, a los que reciben honores y a los importantes, sino que llamó a los pobres, a los inválidos, a los cojos y a los ciegos, y a cada uno le dio vestido, comida o cualquier otra cosa que necesitaran.

6. Y dijo: «El Señor me ha dado estas riquezas; por su gracia soy su administrador, y si no doy a sus hijos cuando lo necesitan, Él hará que estas riquezas se conviertan en una maldición».

7. Cuando la niña tuvo tres años, sus padres la llevaron a

Jerusalén y en el templo recibió las bendiciones de los sacerdotes.

8. El sumo sacerdote era profeta y vidente, y cuando vio a la niña dijo:

9. «Escuchad, esta niña será madre de un profeta venerado, maestro de la ley, y morará en este santo templo del Señor».

10. Y María moró en el templo del Señor; e Hillel, jefe del Sanedrín, le enseñaba todos los preceptos de los judíos y ella se regocijaba en la ley de Dios.

11. Cuando María llegó a la edad adulta, se desposó con José, hijo de Jacob, carpintero de Nazaret.

12. José era un hombre recto, un esenio muy devoto.

SECCIÓN II

BETH

Nacimiento e infancia de Juan el Precursor y de Jesús

CAPÍTULO 2

Zacarías e Isabel. Mensajes proféticos de Gabriel a Zacarías, Isabel y María. Nacimiento de Juan. Profecía de Zacarías.

1. Cerca de Hebrón, en las montañas de Judá, vivían Zacarías e Isabel.

2. Eran piadosos y justos, y leían la ley cada día. Leían a los profetas y los salmos que hablaban del que iba a venir para redimir a los hombres con su poder, y ellos esperaban a ese rey.

3. Zacarías era sacerdote y servía en el templo de Jerusalén.

4. Y sucedió un día que, cuando Zacarías estaba ante el Señor quemando incienso en el Lugar Santo, vino Gabriel y apareció ante él.

5. Zacarías tuvo miedo; pensó que un gran mal estaba a punto de sobrevenir a los judíos.

6. Pero Gabriel le dijo: «Hombre de Dios, no temas. Te traigo a ti y a todo el mundo un mensaje de buena voluntad y paz en la tierra.

7. »Escucha, el Príncipe de la Paz, el rey que buscas, vendrá pronto.

8. »Tu mujer te dará un hijo, un hijo santo, de quien el profeta escribió.

9. »Escucha, te envío de nuevo a Elías antes de la venida del Señor; él allanará las montañas, llenará los valles hasta la cima y preparará el camino para aquel que viene a redimir.

10. »Desde el principio de los tiempos, tu hijo ha llevado el nombre de Juan, que significa misericordia del Señor; su nombre es Juan.

11. »Será honrado a los ojos de Dios, no beberá vino y desde su nacimiento estará lleno del Santo Aliento».

12. Y Gabriel se acercó a Isabel mientras ella estaba en el silencio de su hogar y le refirió todas las palabras que había dicho a Zacarías en Jerusalén.

13. Cuando hubo acabado el servicio que tenía asignado, el sacerdote fue a su casa y se regocijó con Isabel.

14. Pasaron cinco meses; Gabriel fue al hogar de María en Nazaret y le dijo:

15. «¡Salve María, salve! Eres bendita una vez en el nombre de Dios, bendita dos veces en el nombre del Santo Aliento, bendita tres veces en el nombre de Cristo; pues has sido hallada digna: tendrás un hijo que será llamado Enmanuel.

16. »Su nombre es Jesús, pues él salva a la gente de sus pecados».

17. Cuando José acabó con su tarea diaria, María le contó todo lo que Gabriel le había hablado, y juntos se regocijaron, pues creyeron que el hombre de Dios había hablado palabras de verdad.

18. María se apresuró a contarle a Isabel las promesas de Gabriel; y juntas se regocijaron.

19. María permaneció en casa de Zacarías e Isabel durante noventa días, y luego volvió a Nazaret.

20. A Zacarías e Isabel les nació un hijo, y Zacarías exclamó:

21. «Bendito sea sobre todas las cosas el nombre de Dios, pues Él ha derramado una fuente de bendiciones sobre Israel, su pueblo.

22. »Sus promesas se han cumplido, pues él ha realizado las palabras que los santos profetas dijeron tiempo atrás».

23. Y Zacarías miró al niño Juan y dijo:

24. «Serás llamado profeta del Santo; irás delante de Él y prepararás su camino.

25. »Y darás a Israel un Conocimiento de Salvación; predicarás un evangelio de arrepentimiento y de perdón de los pecados.

26. »Escucha, pronto vendrá a nosotros desde lo alto la Estrella

de la Mañana, para alumbrar el camino a aquellos que se hallan en la oscuridad de la tierra de las sombras y para guiar nuestros pasos por caminos de paz».

CAPÍTULO 3

Nacimiento de Jesús. Los maestros veneran al niño. Los pastores se regocijan. Zacarías e Isabel visitan a María. Jesús es circuncidado.

1. Se acercaba el tiempo en que Jesús debía nacer y María ansiaba ver a Isabel, así que ella y José se dirigieron a las montañas de Judá.

2. Y cuando llegaron a Belén, el día tocaba ya a su fin y debieron quedarse a pasar la noche.

3. Pero Belén estaba atestada de gente que iba a Jerusalén; las posadas y las casas estaban llenas de huéspedes, y José y su esposa no pudieron encontrar para descansar otro lugar que una cabaña donde se guardaban los animales, y allí durmieron.

4. A medianoche se oyó un llanto; un niño había nacido en una cabaña entre los animales. Nació el prometido hijo del hombre.

5. Y unos extraños tomaron al pequeño, lo cubrieron con las humildes ropas que María había preparado y lo pusieron en un pesebre en el que solían comer los animales.

6. Tres personas vestidas con ropas blancas como la nieve entraron, se acercaron al niño y dijeron:

7. «Toda la fuerza, sabiduría y amor estén contigo, Enmanuel».

8. En las montañas de Belén había muchos rebaños de ovejas guardados por pastores.

9. Los pastores eran hombres piadosos, dedicados a la oración, y esperaban que llegara un gran libertador.

10. Y cuando el prometido llegó, un hombre con ropas blancas como la nieve se les apareció, y ellos retrocedieron llenos de temor. Pero el hombre se acercó y les dijo:

11. «¡No temáis! Os traigo una buena nueva. A medianoche, en una cueva de Belén, ha nacido el profeta y el rey que habéis esperado durante tanto tiempo».

12. Todos los pastores se alegraron, pues sentían que las montañas estaban llenas de mensajeros de la luz que decían:

13. «Gloria a Dios en los cielos; paz en la tierra y bienaventuranza a los hombres».

14. Y los pastores se apresuraron a ir a la cueva de Belén para ver y honrar a aquel a quien los hombres habían llamado Enmanuel.

15. Cuando llegó la mañana, una pastora que vivía cerca preparó un aposento para María, José y el niño; y permanecieron allí durante muchos días.

16. José envió un mensajero a Zacarías e Isabel para decirles que el niño había nacido en Belén.

17. Zacarías e Isabel tomaron al pequeño Juan y llegaron a Belén llenos de gozo.

18. María e Isabel contaron todas las cosas maravillosas que habían ocurrido y los demás se les unieron en alabanza a Dios.

19. El niño fue circuncidado, según la costumbre de los judíos, y cuando preguntaron a la madre por el nombre de su hijo, ella respondió: «Su nombre es Jesús, como declaró el hombre de Dios».

Capítulo 4

Consagración de Jesús. María ofrece sacrificios. Simeón y Ana profetizan. Ana es reprendida por adorar al niño. La familia vuelve a Belén.

1. María llevó a su hijo al templo de Jerusalén cuando contaba cuarenta días de edad, y allí fue consagrado por el sacerdote.

2. Ofreció sacrificios purificadores para sí misma, como era costumbre entre los judíos: un cordero y dos palomas jóvenes.

3. Un judío piadoso llamado Simeón servía a Dios en aquel templo.

4. Desde su niñez había esperado la llegada de Enmanuel y había rogado a Dios que no muriera hasta que sus ojos hubieran visto al Mesías vivo.

5. Cuando vio al niño Jesús, se regocijó y exclamó: «Ahora estoy listo para irme en paz, pues he visto al rey».

6. Tomó al niño en brazos y dijo: «Escuchad, este niño traerá una espada para mi pueblo, Israel, y para todo el mundo; pero romperá la espada y las

naciones nunca más conocerán la guerra.

7. »Veo la cruz del Maestro en la frente de este niño; con esta señal conquistará el mundo».

8. En el templo había también una viuda, de ochenta y cuatro años de edad, que nunca se iba de allí, pues adoraba a Dios noche y día.

9. Y cuando vio al niño Jesús, exclamó: «¡He aquí a Enmanuel! ¡Contemplad la señal de la cruz del Mesías en su frente!».

10. Y se arrodilló para adorarle como a Dios entre nosotros, Enmanuel; pero apareció un maestro vestido de blanco y le dijo:

11. «Espera, buena mujer; mira bien lo que haces, no puedes adorar a hombre alguno; eso es idolatría.

12. »Este niño es hombre, hijo de hombre, y merece toda alabanza, pero tú sólo adorarás y darás culto a Dios; sólo a Él debes servir».

13. La mujer se levantó, postró su cabeza en agradecimiento y adoró a Dios.

14. Y María tomó al niño Jesús y volvió a Belén.

Capítulo 5

Tres magos honran a Jesús. Herodes se alarma y convoca el consejo de los judíos. Se entera de que los profetas han anunciado la venida de un rey. Decide matar al niño. María y José toman a Jesús y huyen a Egipto.

1. Más allá del río Éufrates vivían los magos; eran sabios que leían el lenguaje de los astros y habían adivinado que una gran alma había nacido, pues habían visto su estrella sobre Jerusalén.

2. Entre esos magos había tres que anhelaban ver al maestro de la edad venidera; tomaron regalos muy valiosos y se dirigieron al Oeste en busca del rey recién nacido para honrarle.

3. Uno llevó oro, símbolo de la nobleza; otro mirra, símbolo del dominio y el poder; y el tercero incienso, símbolo de la sabiduría.

4. Cuando los magos llegaron a Jerusalén, la gente se quedaba extrañada y se preguntaba quiénes eran y para qué iban a ese lugar.

5. Y cuando ellos preguntaban: «¿Dónde está el rey que ha

nacido?», parecía que el trono mismo de Herodes se tambalease.

6. Y Herodes envió a un mensajero para que llevara a los magos a la corte.

7. Cuando llegaron, preguntaron de nuevo: «¿Dónde está el rey que acaba de nacer?». Y dijeron: «Cuando estábamos al otro lado del Éufrates, vimos que su estrella se elevaba y hemos venido a honrarle».

8. Herodes palideció de temor. Pensó que quizá aquellos sacerdotes estaban conspirando para restaurar el reino de los judíos, y se dijo: «Quiero saber más sobre este niño que ha nacido para ser rey».

9. Y dijo a los magos que se quedaran en la ciudad algún tiempo, y él les diría todo lo que supiera sobre ese rey.

10. Llamó a consejo a todos los maestros de la ley judíos y les preguntó: «¿Qué han dicho los profetas judíos sobre este rey?».

11. Los maestros de la ley judíos le respondieron diciendo: «Los profetas predijeron hace mucho tiempo que vendría alguien a gobernar las tribus de Israel y que este Mesías nacería en Belén».

12. Y siguieron diciendo: «el profeta Miqueas escribió: "¡Oh Belén de Judea!, eres un lugar pequeño entre las montañas, pero de ti saldrá el que ha de gobernar Israel, mi pueblo; sí, en verdad, alguien que vivió en el pasado, en tiempos muy remotos"».

13. Entonces Herodes llamó de nuevo a los magos y les refirió lo que habían dicho los maestros de la ley judía, y luego los mandó hacia Belén.

14. Y les dijo: «Id y buscad, y si encontráis al niño rey, volved y contádmelo todo, para que yo pueda ir a honrarle».

15. Los magos se fueron y encontraron al niño con María en la casa de un pastor.

16. Y le honraron; le ofrecieron valiosos regalos y le dieron oro, incienso y mirra.

17. Estos magos podían leer los corazones de los hombres, y se dieron cuenta de la maldad que albergaba el corazón de Herodes; supieron que había jurado matar al rey recién nacido.

18. Así pues, contaron este secreto a los padres del niño y les

aconsejaron que huyeran para alejarse del peligro.

19. Y luego los magos volvieron de regreso a su hogar, pero no pasaron por Jerusalén.

20. José tomó al niño Jesús y a su madre por la noche y huyeron a la tierra de Egipto, donde residieron con Elías y Salomé en la antigua Zoán.

CAPÍTULO 6

Herodes se entera de la supuesta misión de Juan. Los niños de Belén son despiadadamente asesinados por orden de Herodes. Isabel escapa con Juan. Zacarías es asesinado por no poder decir dónde se esconde su hijo. Muere Herodes.

1. Como los magos no regresaban para hablarle del rey que había nacido, Herodes estaba enfurecido.

2. Sus cortesanos le hablaron de otro niño que había en Belén, que había nacido para ser el precursor y preparar a la gente para recibir al rey.

3. Esto enfureció al rey todavía más; llamó a sus guardias y les ordenó que fueran a Belén y mataran al niño Juan, así como a Jesús, que había nacido para ser rey.

4. Y les dijo: «Para que no haya equivocación y estemos seguros de que mueren éstos que aspiran a mi trono, matad a todos los niños varones de la ciudad que no hayan cumplido dos años de edad».

5. Los guardias partieron e hicieron lo que Herodes les había ordenado.

6. Isabel no sabía que Herodes quería matar a su hijo. Ella y Juan seguían en Belén, pero cuando lo supo, tomó al niño y huyó a las montañas.

7. Los guardias asesinos iban tras ella y estaban ya muy cerca, pero ella conocía las cuevas secretas que había en todas aquellas montañas y rápidamente se escondió en una. Allí permanecieron ella y el niño hasta que los guardias se fueron.

8. Cumplida su sangrienta tarea, los guardias volvieron y contaron al rey lo sucedido.

9. Le dijeron: «Sabemos que hemos matado al niño rey, pero no pudimos encontrar a Juan, su precursor».

10. El rey se puso furioso con sus guardias porque no habían logrado matar al niño Juan, y los metió en una torre, donde fueron encadenados.

11. Y mandó a otros guardias a Zacarías, padre del precursor, mientras servía en el Lugar Santo, para decirle que el rey quería saber dónde estaba su hijo.

12. Pero Zacarías no lo sabía y respondió: «Yo soy un sacerdote de Dios, un siervo del Santo Lugar; ¿cómo voy a saber adónde lo han llevado?».

13. Cuando los guardias volvieron y refirieron al rey lo que había afirmado Zacarías, se enfureció y dijo:

14. «Volved y decid a ese astuto sacerdote que está en mis manos y si no dice la verdad, si no revela el lugar donde se esconde su hijo Juan, morirá».

15. Los guardias volvieron y contaron al sacerdote lo que el rey había dicho.

16. Y Zacarías señaló: «Sólo puedo dar mi vida en señal de verdad, y si el rey derrama mi sangre, el Señor salvará mi alma».

17. Los guardias regresaron y refirieron al rey las palabras de Zacarías.

18. Zacarías se encontraba haciendo oración ante el altar del Santo Lugar.

19. Entonces se le acercó un guardia y le atravesó con un puñal; Zacarías cayó y murió junto a las cortinas del santuario del Señor.

20. Y llegada la hora de la salutación, pues Zacarías acostumbraba a bendecir diariamente a los sacerdotes, ese día no apareció.

21. Y después de esperar mucho tiempo, los sacerdotes fueron al Lugar Santo y hallaron su cuerpo muerto.

22. Y en todo el país se sintió una pena muy honda.

23. Herodes estaba sentado en su trono, sin moverse; cuando llegaron los cortesanos encontraron al rey muerto. Sus hijos reinaron en su lugar.

SECCIÓN III

GIMEL

Enseñanza a María e Isabel en Zoán

CAPÍTULO 7

Reina Arquelao. María e Isabel, con sus hijos en Zoán, son instruidas por Elías y Salomé. Lección introductoria de Elías. Les habla de un intérprete.

1. Reinaba en Jerusalén el hijo de Herodes, Arquelao. Era un rey cruel y egoísta, que condenaba a muerte a todos aquellos que no le honraban.

2. Llamó a consejo a los hombres más sabios y les preguntó sobre el niño que aspiraba a su trono.

3. Los hombres del consejo dijeron que Juan y Jesús estaban muertos y él se quedó tranquilo.

4. José, María y su hijo se hallaban en Egipto, en la tierra de Zoán, y Juan estaba con su madre en las montañas de Judá.

5. Elías y Salomé enviaron apresuradamente unos mensajeros para encontrar a Isabel y Juan. Los hallaron y los llevaron a Zoán.

6. María e Isabel se maravillaron de su liberación.

7. Elías dijo: «No es nada extraño; no hay nada extraordinario, pues hay una ley que gobierna todos los acontecimientos.

8. »Desde los primeros tiempos fue establecido que estaríais con nosotros y seríais instruidas en esta escuela sagrada».

9. Elías y Salomé condujeron a María e Isabel a la cueva

sagrada cerca de la cual solían enseñar.

10. Elías dijo a María e Isabel: «Podéis consideraros sumamente benditas, pues habéis sido elegidas madres de hijos esperados durante mucho tiempo.

11. »Su misión es poner sobre roca firme los fundamentos sobre los que se asentará el templo del hombre perfecto, uno que nunca será destruido.

12. »Medimos el tiempo por edades cíclicas y la puerta que antecede a cada edad se considera una piedra angular en el camino de la humanidad.

13. »Ha pasado una era; la puerta a la siguiente era se abre a su tiempo. Ésta es la edad de la preparación del alma, la edad del reino de Enmanuel, de Dios en el hombre.

14. »Y éstos, vuestros hijos, serán los primeros en anunciar la buena nueva y predicar el evangelio de buena voluntad a los hombres y la paz en la tierra.

15. »Su tarea es enorme, pues los hombres no aman la luz, sino la oscuridad, y cuando la luz brilla en la oscuridad, no comprenden.

16. »A estos hijos los llamamos Reveladores de la Luz, pero es preciso que ellos posean la luz antes de que la puedan revelar.

17. »Vosotras debéis instruir a vuestros hijos, encender sus almas con amor y santo temor, y hacerlos conscientes de su misión para con los hijos de los hombres.

18. »Enseñadles que Dios y el hombre eran uno, pero que por pensamientos, palabras y obras carnales, el hombre se apartó de Dios y se pervirtió.

19. »Enseñadles que el Santo Aliento puede hacerlos uno de nuevo, restaurando la armonía y la paz.

20. »Y que nada puede hacerlos uno con Dios excepto el amor; decid que Dios ama tanto al mundo que ha revestido a su hijo de carne para que el hombre pueda comprender.

21. »El único Salvador del mundo es el amor, y Jesús, hijo de María, viene a manifestar ese amor a los hombres.

22. »Pero el amor no puede manifestarse hasta que se le haya preparado el camino, y no hay nada que pueda romper las rocas, rebajar las altas montañas

y llenar la profundidad de los valles excepto la pureza.

23. »Sin embargo, los hombres no comprenden la pureza de la vida y por eso esa pureza debe encarnarse.

24. »Tú, Isabel, eres bienaventurada porque tu hijo es la pureza hecha carne que ha de preparar el camino al amor.

25. »Los hombres de esta era comprenderán muy poco las acciones de la Pureza y del Amor, pero no se olvidará una sola palabra, pues en el Libro de los Recuerdos de Dios queda escrito cada pensamiento, palabra y obra.

26. »Y cuando el mundo esté preparado para recibirlos, he aquí que Dios enviará a un mensajero para abrir ese libro y copiar, de sus sagradas páginas, todas las palabras de Pureza y Amor.

27. »Entonces todos los hombres de la tierra leerán las palabras de la vida en el idioma de su tierra de origen y los hombres verán la luz, caminarán en la luz y serán la luz.

28. »Y el hombre volverá a ser uno con Dios».

CAPÍTULO 8

Enseñanzas de Elías. Unidad de vida. Los dos egos. El diablo. El amor, salvador del hombre. El David de la luz. El Goliat de la oscuridad.

1. Otra vez Elías reunió a sus discípulos en el bosque sagrado y dijo:

2. «Ningún hombre vive sólo para sí, porque toda cosa viviente está unida con lazos a toda otra cosa viviente.

3. »Bienaventurados son los puros de corazón, porque ellos amarán y no reclamarán amor a cambio.

4. »No harán a otros hombres lo que no quieran que otros hombres les hagan a ellos.

5. »Hay dos egos: el ego superior y el ego inferior.

6. »El ego superior es el espíritu humano vestido de alma, hecho en la forma de Dios.

7. »El ego inferior es el ego carnal, el cuerpo de deseos, es el reflejo del ego superior, desfigurado por los éteres enturbiados de la forma corpórea.

8. »El ego inferior es una ilusión y por lo mismo transitorio;

el ego superior es Dios en el hombre y por lo mismo nunca cambiará.

9. »El ego superior es la encarnación de la verdad; el ego inferior es el reverso de la verdad, y siendo así manifiesta la falsedad.

10. »El ego superior es justicia, merced, amor y derecho; el ego inferior es lo que el ego superior no es.

11. »El ego inferior genera odio, calumnia, lascivia, asesinatos, robos y todo aquello que hace daño; el ego superior es la madre de las virtudes y las armonías de la vida.

12. »El ego inferior es resuelto en prometer, pero pobre en resultados, bendiciones y paz; ofrece placer, goce y ganancias satisfactorias, pero da intranquilidad, miseria y muerte.

13. »Da a los hombres manzanas hermosas a la vista y agradables al olfato; pero dentro están llenas de amargura y bilis.

14. »Si me preguntáis que es lo que el hombre debe estudiar, os contestaré: a sí mismo, y cuando os hayáis estudiado bien y me preguntéis que es lo siguiente que debe estudiarse, os contestaré: a sí mismo.

15. »Quien conoce su ego inferior conoce lo ilusorio del mundo, sabe que las cosas son transitorias; y quien conoce a su yo superior conoce a Dios; conoce bien las cosas que nunca cambian.

16. »Tres veces bienaventurado es el hombre que hace suyas propias la Pureza y el Amor; ha sido redimido de los peligros del yo soy inferior y él mismo es su yo soy superior.

17. »El hombre busca la salvación del mal, que él imagina como un monstruo perteneciente a otro mundo, y hace dioses que no son sino demonios disfrazados; todopoderosos, pero llenos de celos, odios y lascivias.

18. »Tiene que comprar sus favores con costosos sacrificios de frutos y de vidas de aves, animales y hombres.

19. »Pero estos dioses no tienen oídos para oír, ni ojos para ver, ni corazón para comprender, ni poder para salvar.

20. »Ese mal es un mito; esos dioses están hechos de aire y están vestidos con la sombra de un pensamiento.

21. »El único diablo del que el hombre debe redimirse es su ego, su yo inferior. Si el hombre quiere encontrar al diablo, deberá buscarlo dentro de sí mismo: su nombre es ego.

22. »Si el hombre quiere encontrar a su salvador, deberá buscarlo dentro de sí mismo; y cuando el ego demonio ha sido destronado, el Salvador, el Amor será exaltado al trono del poder.

23. »El David de la luz es Pureza, que mata al fuerte Goliat de la oscuridad y que sienta al salvador, al Amor, en el trono».

CAPÍTULO 9

Enseñanzas de Salomé. El hombre y la mujer. Filosofía de los estados de ánimo humanos. El Dios Trino y Uno. Los Siete. El Dios Tao.

1. Salomé enseñó la lección de ese día. Dijo: «Todos los tiempos no son iguales. Hoy las palabras del hombre pueden tener gran poder; mañana la mujer enseñará mejor.

2. »En todos los caminos de la vida el hombre y la mujer caminarán juntos; el uno sin el otro no es sino la mitad; cada uno tiene su trabajo que hacer.

3. »Pero todas las cosas nos enseñan; cada una tiene su tiempo y su estación propios. El sol y la luna tienen enseñanzas para los hombres; pero cada uno enseña cuando le llega su tiempo.

4. »Las enseñanzas del sol caen en los corazones humanos como caen las hojas en un arroyo, si se las da en la estación de la luna; y lo mismo ocurre con las enseñanzas de la luna y de todas las estrellas.

5. »Hoy un hombre camina en la depresión, descorazonado y oprimido; mañana ese mismo hombre se siente pleno de alegría.

6. »Hoy los cielos parecen llenos de bendiciones y esperanza; mañana la esperanza ha volado, y todo plan y todo propósito se disuelven en la nada.

7. »Hoy un hombre quiere maldecir la tierra sobre la que camina; mañana está lleno de amor y de alabanzas.

8. »Hoy un hombre odia, desprecia, envidia y siente celos hasta del niño a quien ama; mañana ha surgido por encima de

su ego carnal y sólo respira alegría y buenos deseos.

9. »Mil veces se pregunta el hombre por qué estas alturas y estos abismos, estos corazones luminosos y estas tristezas han de encontrarse en todas las vidas.

10. »No sabe que en todas partes hay maestros, ocupados en la tarea que Dios les ha asignado, llevando la verdad a todos los corazones humanos.

11. »Pero ésta es la verdad, y todo hombre recibe la lección que necesita».

12. María dijo: «Hoy me siento muy exaltada; mis pensamientos y toda mi vida parecen elevados. ¿Por qué estoy tan inspirada?».

13. Y Salomé respondió: «Éste es un día de exaltación, un día de alabanza y de adoración, un día en que, hasta cierto punto, podemos comprender a nuestro Padre Dios.

14. »Por eso, estudiemos a Dios, el Uno, el Tres, el Siete.

15. »Antes que los mundos se formaran, todas las cosas fueron Uno; simplemente Espíritu, Aliento Universal.

16. »Y el Espíritu respiró y lo que no había sido manifestado llegó a ser el Fuego y el Pensamiento del cielo, el Padre-Dios y la Madre-Dios.

17. »Y cuando el Fuego y el Pensamiento del cielo respiraron al unísono, su Hijo, su Hijo único, nació. Este Hijo es el Amor, a quien los hombres llaman el Cristo.

18. »Al Pensamiento del cielo los hombres le llaman el Santo Aliento.

19. »Y entonces el Dios Trino y Uno respiró y he aquí que siete espíritus se presentaron ante el trono. Éstos son los Elohims, los espíritus creadores del universo.

20. »Y éstos son los que dijeron: "Hagamos al hombre", y el hombre fue hecho a su imagen y semejanza.

21. »En los primeros tiempos del mundo los moradores del lejano Oriente dijeron: "Tao es el nombre del Aliento Universal"; y en los libros antiguos leemos:

22. »"El gran Tao no tiene forma manifiesta, y sin embargo hizo y mantiene los cielos y la tierra.

23. »El gran Tao no tiene ninguna pasión, y sin embargo él es

la causa de que el sol, la luna y las estrellas se eleven y se oculten.

24. »El gran Tao no tiene nombre, y sin embargo hace crecer todas las cosas; y hace que llegue en su momento la época de la siembra y la época de la cosecha

25. »El gran Tao fue Uno; el Uno se convirtió en Dos; el Dos llegó a ser Tres; el Tres se transformó en Siete que llenó el universo con sus manifestaciones.

26. »Y el gran Tao da a todos, a los buenos y a los malos, la lluvia, el rocío, el brillo del sol y las flores; a todos alimenta con su riqueza cósmica".

27. »Y en el mismo viejo libro leemos con respecto al hombre: "Él tiene un espíritu que lo une al gran Tao y un cuerpo de deseos que surge de la tierra de la carne".

28. »Ahora bien; el espíritu ama la pureza, el bien y la verdad, mientras el cuerpo de deseos ama el ego egoísta; el alma es el campo de batalla en que los dos luchan.

29. »Y bienaventurado es el hombre cuyo espíritu triunfa y cuyo ego inferior se purifica, cuya alma se limpia, adaptándose a ser la cámara del consejo de manifestaciones del gran Tao».

30. Y así terminó la lección de Salomé.

Capítulo 10

Lección de Elías. La religión brahmánica. Vida de Abraham. Libros sagrados de los judíos. La religión persa.

1. Ésta fue la enseñanza de Elías: en los tiempos antiguos las gentes de Oriente fueron adoradores de Dios, el Uno, a quien llamaban Brahma.

2. Sus leyes eran justas; ellos vivían en paz, veían la luz interna, caminaban por el sendero de la sabiduría.

3. Pero los sacerdotes se levantaron con propósitos carnales y cambiaron la ley de modo que se acomodara a su mente carnal; impusieron graves cargas a los pobres y se rieron de las leyes de justicia; y, así, los brahmanes llegaron a corromperse.

4. Pero en la oscuridad de la época unos pocos grandes maestros se mantuvieron inmóviles;

amaban el nombre de Brahma y fueron grandes faros de luz ante el mundo.

5. Y conservaron inviolada la sabiduría de su santo Brahma, y podéis leer esta sabiduría en sus libros sagrados.

6. Y Brahma fue conocido en Caldea. Un piadoso brahmán llamado Terah vivía en Ur; su hijo era devoto de la fe brahmánica, de modo que fue conocido con el nombre de Abraham, y fue elegido para ser el padre de la raza humana hebrea.

7. Ahora bien, Terah tomó a su mujer, a sus hijos y todos sus rebaños, y los llevó a Hasan en el Oeste; y allí murió Terah.

8. Y Abraham tomó los rebaños y con su familia viajó todavía más al Oeste.

9. Y cuando llegó a los robles de Morah, en la tierra de Canaán, levantó sus tiendas y allí moró.

10. Una hambruna invadió la tierra y Abraham tomó a su familia y sus rebaños y llegó a Egipto. En las llanuras fértiles de Zoan colocó su tienda y se alojó.

11. Los hombres todavía indican el lugar donde Abraham vivió al otro lado de la llanura.

12. ¿Me preguntáis por qué Abraham fue a Egipto? Ésta es la cuna de todos los iniciados; todos los secretos pertenecen a la tierra de Egipto. Ésta es la razón por la cual todos los maestros van allí.

13. En Zoan, Abraham enseñó su ciencia de las estrellas y en aquel sagrado templo aprendió la sabiduría de los sabios.

14. Y cuando todas sus enseñanzas fueron aprendidas, tomó a su familia y sus rebaños y regresó a Canaán. En la llanura de Mamré colocó su tienda y allí murió.

15. Y las memorias de su vida, de sus trabajos y de sus hijos, así como de todas las tribus de Israel se conservan en los libros sagrados de los judíos.

16. En Persia Brahma fue conocido y temido. Los hombres le veían como el Uno, la causa sin causa de todo lo que es, y fue tan sagrado para ellos como el gran Tao lo había sido para los moradores del lejano Oriente.

17. La gente amaba la paz y gobernaba la justicia.

18. Pero en Persia, como en otras tierras, los sacerdotes se alzaron llenos de egoísmo y de

deseos personales, ofendiendo a la Fuerza, la Inteligencia y el Amor.

19. La religión se corrompió, y pájaros, bestias y seres que se arrastran fueron elegidos dioses.

20. En el transcurso del tiempo, se encarnó un alma superior, a quien los hombres llamaron Zarathustra.

21. Él vio elevarse al Espíritu sin causa, y también vio la debilidad de los dioses hechos por los hombres.

22. Habló y toda Persia le oyó cuando dijo: «Un Dios, una nación y un templo». Entonces los altares de los ídolos cayeron, y Persia se redimió.

23. Pero los hombres ven a sus dioses con ojos humanos y Zarathustra dijo:

24. «El más grande de los Espíritus que está en pie cerca del trono es el Ahura Mazda, que se manifiesta en el brillo del sol».

25. Y todas las gentes vieron a Ahura Mazda en el sol, y cayeron y le adoraron en los templos del sol.

26. Persia es la tierra de los magos donde viven los sacerdotes que vieron la estrella levantada para señalar el lugar donde nació el Hijo de María, y fueron los primeros en saludarle como el Príncipe de Paz.

27. Los preceptos y las leyes de Zarathustra se conservan en el Avesta, que podéis leer y comprender.

28. Pero debéis saber que las palabras son nada hasta que se las viva, hasta que las enseñanzas en ellas contenidas formen parte de la mente y del corazón.

29. La verdad es una, pero nadie la conoce hasta que él mismo es la verdad. En un libro antiguo se dice:

30. «La verdad es el poder germinador de Dios; puede transmutar la totalidad de la vida en ella misma; y cuando toda la vida llega a ser verdad, entonces el hombre es verdad».

CAPÍTULO 11

Las enseñanzas de Elías. El budismo y los preceptos de Buda. Los misterios de Egipto.

1. Y volvió a enseñar Elías y les dijo: «Los sacerdotes hindúes llegaron a corromperse. Brahma

fue olvidado en las calles y los derechos humanos fueron pisoteados en el polvo.

2. »Entonces una mente poderosa vino, el Buda de la luz, quien abandonó la riqueza y todos los honores del mundo, y encontró el Silencio en los bosques y en las cuevas apartadas; y fue bendecido.

3. »Enseñó un evangelio de vida más alta, y enseñó al hombre cómo honrar al hombre.

4. »No tenía doctrina de dioses que enseñar; simplemente conocía al hombre y así su credo fue de justicia, amor y rectitud.

5. «Éstas son unas pocas palabras que Buda habló:

6. »"El odio es algo cruel. Si los hombres te odian, no lo tomes en cuenta; tú puedes convertir el odio de los hombres en amor, en piedad y en buena voluntad. La misericordia es tan inmensa como todos los cielos.

7. »Hay bien suficiente para todos. El bien destruye el mal; con hechos generosos avergonzamos la avaricia; con la verdad enderezamos las líneas torcidas que diseña el error, porque el error no es sino la verdad torcida, yendo por caminos erróneos.

8. »Y el dolor sigue a aquel que habla y actúa por obra de pensamientos malos, exactamente como la rueda sigue el pie de aquel que tira del carro.

9. »Es más grande el hombre que se conquista a sí mismo que aquel que mata mil hombres en la guerra.

10. »Es hombre noble aquel que es lo que cree que otros hombres deberían ser.

11. »A aquel que os hace mal devolvedle el amor más puro, y él cesará de haceros mal; porque el amor purifica el corazón de aquel que es amado, tanto como purifica el corazón de aquel que ama".

12. »Las palabras de Buda se conservan en los libros sagrados de la India; meditadlas porque son parte de las instrucciones del Santo Aliento.

13. »Egipto es la tierra de las cosas secretas.

14. »Los misterios de las edades están encerrados en nuestros templos y nuestros tabernáculos.

15. »Los maestros de todos los tiempos y de todos los climas vienen aquí a aprender; y cuando vuestros hijos hayan

crecido hasta ser hombres, concluirán todos sus estudios en las escuelas de Egipto.

16. »He dicho lo suficiente. Cuando el sol se levante mañana, nos reuniremos otra vez».

Capítulo 12

Enseñanzas de Salomé. La oración. Terminación de las enseñanzas de Elías. Resumen del curso de tres años de estudios. Las discípulas regresan a sus hogares.

1. Cuando el sol de la mañana se levantó, los maestros y sus alumnas se dirigieron al bosque sagrado.

2. Salomé fue la primera que habló, y dijo: «Mirad el sol. Él manifiesta el poder de Dios que nos habla a través del sol, de la luna y de las estrellas.

3. »A través de la montaña, de la colina y del valle; a través de la flor, de la planta y del árbol.

4. »Dios canta para el hombre a través de las aves, los instrumentos musicales y la voz humana; nos habla a través del viento, de la lluvia y del trueno. ¿Por qué no hemos de postrarnos y adorarle?

5. »Dios habla a los corazones en soledad, y los corazones deben hablarle, en soledad. Esto es la oración.

6. »No es oración gritarle a Dios, ponerse en pie, sentarse y arrodillarse y decirle todo acerca de los pecados de los hombres.

7. »No es oración decirle al Uno Santo cuán grande es, cuán bueno es, cuán fuerte y compasivo es.

8. »Dios no es hombre, al que pueda comprarlo la alabanza del hombre.

9. »La oración es el deseo ardiente de que toda vida sea luz; de que todo acto sea coronado por el bien, de que todo ser viviente prospere con nuestra ayuda.

10. »Una acción noble, una palabra de ayuda es oración; es una oración ferviente y efectiva.

11. »La fuente de la oración se halla en el corazón; por pensamientos, no por palabras, el corazón se eleva a Dios, donde es bendecido. Hagamos oración».

12. Y oraron, sin pronunciar una palabra; pero en ese Silencio

santo todo corazón fue bendecido.

13. Entonces habló Elías. Dijo a María e Isabel: «Nuestras palabras han terminado. No necesitáis morar aquí más tiempo; la hora ha sonado; el camino está despejado, podéis regresar a vuestra tierra.

14. »Un formidable trabajo os ha sido asignado: dirigiréis las mentes que dirigirán al mundo.

15. »Vuestros hijos han sido elegidos para guiar a los hombres en el pensamiento, la palabra y la acción correctas.

16. »Para mostrarles la maldad del error; para sacarlos de la adoración del ego inferior y de todas las cosas pasajeras, haciéndolos conscientes del yo que vive con Cristo en Dios.

17. »En preparación para su labor vuestros hijos caminarán por senderos espinosos.

18. »Sufrirán pruebas y tentaciones terribles como los otros hombres; su carga no será ligera, y se agotarán y desmayarán.

19. »Y conocerán lo que es el hambre y lo que es la sed, y sin causa serán mofados, aprisionados y maltratados.

20. »Irán a muchas tierras, y se sentarán a los pies de muchos maestros, porque tienen que aprender como los demás hombres.

21. »Ya hemos dicho lo suficiente. Las bendiciones de los Tres y de los Siete, que están ante el trono, descansarán sobre vosotras por siempre».

22. Así terminaron las enseñanzas de Elías y Salomé. Durante tres años enseñaron a las discípulas, y si sus enseñanzas se escribieran en un libro, éste sería un libro admirable. Esto es tan sólo un resumen de todo lo que ellos dijeron.

23. María, José e Isabel, junto con Jesús y su Precursor, se dirigieron de vuelta a su tierra. No fueron a Jerusalén porque reinaba Arquelao.

24. Viajaron por el mar Muerto, y cuando llegaron a Engedi, en sus colinas descansaron en el hogar de Joshua, pariente cercano de ellos; y allí se alojaron Isabel y Juan.

25. Mas José, María y su hijo se fueron por el camino del Jordán, y después de unos días llegaron a su hogar en Nazaret.

SECCIÓN IV

DALETH

Infancia y primera educación de Juan el Precursor

CAPÍTULO 13

Isabel en Engedi. Enseña a su hijo. Juan llega a ser discípulo de Mateno, quien le revela el significado del pecado y la ley del perdón.

1. Isabel era bienaventurada, pasaba su tiempo con Juan, y le dio las enseñanzas que Elías y Salomé le habían dado a ella.

2. Juan se deleitaba en la naturaleza que rodeaba a su hogar y en las enseñanzas que aprendía.

3. En las colinas había muchas cuevas. En la cueva de David que estaba cerca de allí, vivía el ermitaño de Engedi.

4. Este ermitaño era Mateno, sacerdote de Egipto, maestro del templo de Sakara.

5. Cuando Juan tuvo siete años de edad, Mateno lo llevó al desierto y se alojaron en la cueva de David.

6. Mateno le enseñó, y Juan se emocionaba con lo que el maestro le decía, y día tras día Mateno le enseñaba los misterios de la vida.

7. Juan amaba el desierto; amaba a su maestro y sus comidas sencillas. Su alimento se basaba en frutas, nueces, miel salvaje y pan de algarrobo.

8. Mateno era israelita, y atendía todas las fiestas judaicas.

9. Cuando Juan tuvo nueve años, Mateno le llevó a la gran fiesta de Jerusalén.

10. El malvado Arquelao había sido depuesto y desterrado a tierras lejanas a causa de su

egoísmo y su crueldad, y Juan no tuvo miedo.

11. Juan se deleitó con la visita a Jerusalén. Mateno le explicó todo lo relativo al servicio religioso de los judíos, el significado de sus sacrificios y sus ritos.

12. Juan no comprendía cómo podían perdonarse los pecados matando animales y aves y quemándolos delante del Señor.

13. Mateno dijo: «El Dios de los cielos y de la tierra no requiere sacrificios. Estas costumbres son ritos crueles, son herencias de los adoradores de ídolos de otras tierras.

14. »Ningún pecado se borra jamás por sacrificios de animales, de aves o de hombres.

15. »El pecado es el lanzamiento del hombre a los campos de la maldad. Si uno quiere liberarse de sus pecados, tiene que desandar sus pasos y encontrar el camino fuera de los fangales de la maldad.

16. »Retornad y purificad vuestros corazones por medio del amor y de la rectitud, y seréis perdonados.

17. »Ésta es la esencia del mensaje que el Precursor dará a los hombres».

18. «¿Qué es el perdón?», preguntó Juan.

19. Mateno dijo: «Es el pago de las deudas. Un hombre que hace algo malo contra otro hombre nunca puede ser perdonado hasta que enderece lo que ha hecho mal.

20. »Los Vedas dicen que nadie puede enderezar una cosa mal hecha sino aquel que la concibió mal hecha».

21. Juan dijo: «Si esto es así, ¿dónde está el poder de perdonar sino en el hombre mismo?».

22. Mateno le respondió: «La puerta está abierta de par en par: tú ves el camino del retorno del hombre a lo correcto, el perdón de sus pecados».

CAPÍTULO 14

Enseñanzas de Mateno. La doctrina de la Ley Universal. El poder del hombre para elegir y conseguir. Los beneficios de los antagonismos. Antiguos libros sagrados. El lugar de Juan y Jesús en la historia del mundo.

1. Mateno y su pupilo Juan estaban hablando de los libros sagrados de los tiempos antiguos y de los preceptos de oro que contenían, cuando Juan exclamó:

2. «Estos preceptos de oro son sublimes. ¿Qué necesidad tenemos de otros libros sagrados?».

3. Mateno le respondió: «Los Espíritus del Uno Santo hacen que todas las cosas vayan y vengan a su debido tiempo.

4. »El sol tiene su tiempo para ocultarse, la luna para levantarse, para crecer y para menguar, las estrellas para ir y venir, la lluvia para caer, los vientos para soplar.

5. »La semilla tiene su tiempo y la cosecha el suyo; el hombre nace y muere.

6. »Estos Espíritus poderosos producen el nacimiento de las naciones; las amamantan hacia el poder más grande, y cuando su tarea ha terminado las amortajan y las colocan en sus tumbas.

7. »Los acontecimientos de la vida de una nación son muy variados, lo mismo que en la vida de los hombres, y temporalmente no siempre son placenteros; pero en el final la verdad aparece y todo lo que ocurre es lo mejor.

8. »El hombre fue creado para una misión noble, pero no pudo hacérsele libre, lleno de sabiduría, verdad y poder.

9. »Si fuera presionado, confinado a estrechuras de las que no pudiera liberarse, sería un juguete, una mera máquina.

10. »Los espíritus creadores dieron al hombre voluntad, y por ella tiene el poder de elección.

11. »Puede conquistar las más grandes alturas o hundirse en los abismos más profundos, porque lo que él decida conseguir tiene el poder de alcanzarlo.

12. »Si desea fortaleza tiene en sí poder para adquirir fortaleza; pero tiene que vencer resistencias para conquistar su ideal:

ninguna fortaleza se adquiere jamás en el ocio y el abandono.

13. »Así, el hombre se halla en un torbellino de conflictos múltiples, de los que debe desenredarse.

14. »En cada conflicto el hombre adquiere fortaleza; con cada conquista es capaz de ascender a alturas mayores; cada día le trae nuevos deberes y nuevas preocupaciones.

15. »El hombre ni es llevado sobre abismos peligrosos ni es ayudado para vencer a sus enemigos. Él es su propio ejército, su espada y su escudo; él es el capitán de sus propias huestes.

16. »Los santos no hacen sino alumbrarle el camino. El hombre nunca se ha quedado sin un faro de luz que le guíe.

17. »Siempre ha tenido una lámpara encendida en su mano, para que pueda ver las cosas peligrosas, los torrentes turbios y los abismos traidores.

18. »Los santos han creído conveniente que cuando los hombres necesitan más luz, una gran alma venga a la tierra para dársela.

19. »Antes de los días de los Vedas el mundo tuvo muchos libros sagrados para alumbrar el camino; y cuando el hombre necesitó una luz mayor, aparecieron los Vedas, el Avesta y los libros del gran Tao para mostrarle el camino hacia alturas mayores.

20. »Y en el lugar debido apareció la Biblia hebrea, con su ley, sus profetas y sus salmos para iluminar al hombre.

21. »Mas los años han pasado y el hombre necesita una luz mayor.

22. »Y ahora la Estrella de la Mañana en la altura comienza a brillar; y Jesús es el mensajero encarnado que debe mostrar esa luz a los hombres.

23. »Y tú, mi pupilo, has sido elegido para presagiar el día que se acerca.

24. »Pero para eso tienes que guardar la pureza de corazón que ahora posees y has de encender tu lámpara directamente en los carbones que se queman en el altar del Uno Santo.

25. »Entonces tu lámpara se transmutará en llama sin fronteras, y serás una antorcha viva cuya luz brillará donde quiera que viva el hombre.

26. »Sin embargo, en las edades futuras, el hombre escalará mayores alturas, y luces todavía más intensas vendrán.

27. »Y entonces, finalmente, un alma maestra poderosa vendrá a la tierra a iluminar el camino hacia el trono del hombre perfecto».

CAPÍTULO 15

Muerte y entierro de Isabel. Enseñanzas de Mateno. El misterio de la muerte. La misión de Juan. Institución del rito del bautismo. Mateno se lleva a Juan a Egipto y lo coloca en el templo de Sakara, donde permanece dieciocho años.

1. Cuando Juan tenía doce años de edad, murió su madre, y los vecinos colocaron su cuerpo en una tumba, entre sus parientes, en el cementerio de Hebrón, cerca de la tumba de Zacarías.

2. Juan se afligió profundamente, y lloró. Mateno le dijo: «No está bien que llores por causa de la muerte.

3. »La muerte no es enemiga del hombre, es un amigo que, cuando el trabajo de su vida se ha hecho, simplemente corta el cordón que une el barco humano a la tierra, para que pueda navegar en mares más tranquilos.

4. »Ninguna lengua puede describir lo que vale una madre. La tuya fue probada y buena. Pero no se fue hasta que su tarea estuvo hecha.

5. »La llamada de la muerte es siempre para lo mejor, porque estamos solucionando problemas allí tanto como aquí, y uno puede estar seguro de encontrarse donde mejor se solventen sus problemas.

6. »Es sólo el egoísmo lo que nos hace desear que regresen a la tierra las almas que han partido.

7. »Así, deja que tu madre descanse en paz. Deja que su noble vida sea fortaleza e inspiración para ti.

8. »Una crisis en tu vida ha llegado. Debes tener un concepto claro del trabajo que has de hacer.

9. »Los sabios te han llamado precursor. Los profetas te han visto y han dicho: "Elías ha regresado".

10. »Tu misión aquí es la de precursor, porque debes ir delante de la faz del Mesías preparando su vía, y hacer que los pueblos estén listos para recibir a su Rey.

11. »Estar listos significa pureza de corazón: sólo el puro de corazón puede reconocer a su Rey.

12. »Para enseñar a los hombres a ser puros de corazón tienes que ser tú mismo puro de corazón, de palabra y de acción.

13. »En tu infancia se hizo el voto y llegaste a ser Nazareno. No te rasurarás ni la cara ni la cabeza; no probarás ni vinos ni bebidas alcohólicas.

14. »Los hombres necesitan un prototipo para sus vidas; les agrada ser guiados, no guiar.

15. »El hombre que se pone en pie en el cruce de los caminos y apunta a las vías sin ir él mismo por ellas es un apuntador. Una señal de madera puede hacer lo mismo.

16. »El maestro anda el camino; en cada paso deja su huella claramente estampada, para que todos puedan verla y estar seguros de que él, el Maestro, pasó por allí.

17. »Los hombres comprenden la vida interior por lo que ven y hacen. Vienen a Dios por medio de ceremonias y ritos.

18. »De ahí que cuando tú hagas saber a los hombres que sus pecados se lavan por pureza en la vida, habrás establecido un rito simbólico.

19. »Lava en agua los cuerpos de las gentes que resuelvan alejarse del pecado y esforzarse para conseguir la pureza de la vida.

20. »Este rito de purificación es un rito preparatorio y quienes así se purifican forman la Iglesia de la Pureza.

21. »Y tu dirás: "Oídme, hombres de Israel: reformaos y lavaos; llegad a ser hijos de la pureza, y seréis perdonados".

22. »Este rito de purificación y esta iglesia son simplemente símbolos de la limpieza del alma por purificación de la vida y del reino del alma, que no tiene demostraciones externas, sino que es la iglesia interna.

23. »Nunca señalarás el camino y dirás a las gentes que hagan lo que tú nunca has hecho, sino que irás primero y así mostrarás a los demás el camino.

24. »Enseñarás que el hombre debe lavarse; y como debes avanzar el primero en el camino, lavarás tu cuerpo como símbolo de purificación del alma».

25. Juan preguntó: «¿Por qué tengo que esperar? ¿No puedo ir y comenzar ya?».

26. Mateno dijo: «Está bien», y ambos descendieron adonde se juntan dos brazos del Jordán, exactamente donde las huestes de Israel cruzaron cuando por primera vez entraron en Canaán. Y allí se alojaron durante algún tiempo.

27. Mateno enseñó al Precursor, y le mostró el significado íntimo del rito de purificación y cómo lavarse a sí mismo, así como a las multitudes.

28. Y en el río Jordán Juan fue lavado; e inmediatamente volvió al desierto.

29. El trabajo de Mateno en las colinas de Engedi había terminado, por lo cual él y Juan descendieron a Egipto y no descansaron hasta llegar al desierto de Sakara, en el valle del Nilo.

30. Mateno fue maestro en este templo de la Hermandad durante muchos años, de modo que cuando habló sobre la vida de Juan y su misión entre los hijos de los hombres, el hierofante recibió con goce al Precursor, que fue llamado el Hermano Nazareno.

31. Dieciocho años vivió y trabajó Juan en el templo. Y allí se conquistó a sí mismo, llegó a ser maestro y aprendió los deberes del Precursor.

SECCIÓN V

EL

Infancia y primera educación de Jesús

CAPÍTULO 16

El hogar de José. María enseña a su hijo. Los abuelos de Jesús dan una fiesta en su honor. Jesús tiene un sueño. Interpretación de su abuela. Su regalo de cumpleaños.

1. El hogar de José estaba en el camino de Marmión en Nazaret; allí María transmitía a su hijo las enseñanzas que le dieron Elías y Salomé.

2. Y Jesús amaba en gran medida los himnos védicos y el Avesta; pero más que todo gustaba de leer los salmos de David y las palabras pungentes de Salomón.

3. Los libros judaicos de profecías eran su deleite. Cuando cumplió siete años ya no necesitó leer los libros porque había memorizado cada palabra.

4. Joaquín y su mujer, abuelos de Jesús, dieron una fiesta en honor del niño, y todos los parientes cercanos fueron invitados.

5. Y Jesús, en pie ante los huéspedes, dijo: «He tenido un sueño, en el que me he visto en pie ante un mar, sobre una playa de arena.

6. »Las olas del mar eran altas; una tormenta se desataba en lo profundo.

7. »Alguien de arriba me dio una vara mágica. La tomé, con ella toqué la arena, y cada grano de arena vino a ser una cosa viviente; la playa toda era una masa de belleza y canto.

8. »Toqué las aguas a mis pies y se convirtieron en árboles, en flores y en aves canoras; y todo ser alababa a Dios.

9. »Y alguien habló. No vi al que habló pero oí su voz, que decía: "No hay muerte"».

10. Ana, la abuela, que amaba al niño, pasó la mano sobre la cabeza de Jesús y dijo: «Te vi en pie en la orilla del mar; vi que tocaste las arenas y las olas; vi que se tornaron en cosas vivientes y entonces supe el significado del sueño.

11. »El mar de la vida tiene altas crestas; las tormentas son grandes. La masa humana es ociosa, indiferente, como las arenas muertas de la playa.

12. »La Verdad es la vara mágica; con ella tocas a las multitudes, y cada hombre llega a ser un mensajero de santa luz y de la vida.

13. »Tocas las olas del mar de la vida; sus tormentas cesan y los vientos mismos se convierten en cantos de alabanza.

14. »No hay muerte, porque la vara mágica de la Verdad puede cambiar los huesos más secos en cosas vivientes, sacar de los pozos más estancados las flores más hermosas, y tornar en armonía y alabanza las notas más discordantes».

15. Joaquín dijo: «Hijo mío, hoy pasas la séptima piedra del camino de tu vida, pues cumples los siete años. Como recuerdo de este día, te daremos lo que quiera que desees. Elige, pues, lo que te dé más placer».

16. Y Jesús dijo: «No quiero regalos porque estoy satisfecho. Si pudiera hacer felices a muchos niños en este día, estaría muy complacido.

17. »Ahora bien, hay en Nazaret muchos niños y niñas con hambre que estarían muy felices comiendo con nosotros en esta fiesta y participando de los placeres de este día.

18. »El don más precioso que podrías darme sería tu permiso para ir, encontrar a los necesitados y traerlos aquí para que participen de nuestra fiesta».

19. Joaquín dijo: «Está bien. Anda, encuentra a los niños y a las niñas necesitados, y tráelos aquí. Prepararemos bastante para todos».

20. Jesús no esperó; corrió, corrió, entró en cada cabaña, en cada cuarto oscuro de la población,

y sin desperdiciar palabras dio su mensaje a todos.

21. Y en breve tiempo ciento sesenta niños y niñas harapos e infelices le siguieron por el camino de Marmión.

22. Los invitados abrieron paso y el comedor se llenó con los huéspedes de Jesús, y Jesús y su madre ayudaron a servir.

23. Y hubo comida suficiente para todos, y todos estuvieron contentos; así, el regalo en el cumpleaños de Jesús fue un sublime ejemplo de bondad.

CAPÍTULO 17

Jesús habla con el rabino de la sinagoga de Nazaret. Critica la estrechez del pensamiento judaico.

1. El rabino Baraquia, de la sinagoga de Nazaret, ayudaba a María en la educación de su hijo.

2. Una mañana, terminado el servicio de la sinagoga, el rabino, sentándose pensativo preguntó a Jesús: «¿Cuál es el más grande los diez mandamientos?».

3. Y Jesús dijo: «No creo que ninguno de los diez mandamientos sea más grande. Veo un hilo de oro que corre a través de ellos, que los ata fuertemente y que hace de todos ellos uno.

4. »Este hilo es el amor, que está presente en cada palabra de todos los diez mandamientos.

5. »Quien está lleno de amor no puede hacer otra cosa que adorar a Dios, porque Dios es amor.

6. »Quien esta lleno de amor no puede matar, no puede dar falso testimonio, no puede codiciar, no puede sino honrar a Dios y al hombre.

7. »Quien está lleno de amor no necesita mandamientos de ninguna clase».

8. Y el rabino Baraquia dijo: «Tus palabras están sazonadas con la sal de la sabiduría que viene de arriba. ¿Quién fue el maestro que te reveló esta verdad?».

9. Y Jesús respondió: «No sé que maestro alguno me haya revelado esta verdad. Me parece que la verdad no ha estado nunca oculta; que ella siempre ha estado visible, porque la verdad es una y es omnipresente.

10. »Si abrimos las ventanas de nuestras mentes, la verdad entrará en ellas y hará allí su

hogar, porque la verdad encuentra camino a través de cualquier puerta abierta».

11. El rabino preguntó: «¿Qué mano hay suficientemente fuerte para abrir las ventanas y las puertas de la mente, a fin de permitir que la verdad entre?».

12. Y Jesús contestó: «Me parece que el amor, el hilo de oro que ata los diez mandamientos en uno, es suficientemente fuerte para abrir cualquier puerta humana, de modo que la verdad pueda entrar y producir la comprensión con el corazón».

13. En la velada Jesús y su madre estaban sentados solos, y Jesús dijo:

14. «Parece que el rabino piensa que Dios es parcial en su tratamiento de los hijos de los hombres; que los judíos son los únicos favoritos y más bendecidos entre todos los hombres.

15. »No veo cómo Dios puede tener favoritos y ser justo.

16. »¿No son los samaritanos, los griegos y los romanos tan hijos del Uno Santo como lo son los judíos?

17. »Pienso que los judíos han construido una muralla alrededor de ellos y que no ven nada al otro lado.

18. »No saben que las plantas también florecen en otros lugares; que las épocas de la siembra y de la cosecha pertenecen a todos, no sólo a los judíos.

19. »Seguramente sería bueno destruir esas barreras, de modo que los judíos puedan ver que Dios tiene otros hijos que son por igual en gran medida bendecidos.

20. »Quiero irme de Judea y encontrar a mis hermanos en otras tierras de mi patria».

Capítulo 18

Jesús en una fiesta en Jerusalén. Se aflige por las crueldades de los sacrificadores. Recurre a Hillel, quien simpatiza con él. Se queda en el templo un año.

1. Tenía lugar la gran fiesta de los judíos, y José, María, su hijo y muchos parientes fueron a Jerusalén. El niño tenía diez años.

2. Y Jesús observó a los matarifes sacrificar corderos y aves,

y quemarlos en el altar en el nombre de Dios.

3. Su tierno corazón se estremeció ante ese despliegue de crueldad. Preguntó al sacerdote de servicio: «¿Cuál es el objetivo de este degüello de bestias y aves? ¿Por qué quemáis su carne delante del Señor?».

4. El sacerdote respondió: «Éste es el sacrificio por nuestros pecados. Dios nos ha ordenado hacer estas cosas y nos ha dicho que con estos sacrificios se borran nuestros pecados».

5. Y Jesús preguntó: «¿Serías tan bondadoso de decirme cuándo proclamó Dios que los pecados se borran por sacrificios de cualquier clase?

6. »¿No dijo David que Dios no requería sacrificios por el pecado; que es el pecado mismo el que atrae ante su faz ofrendas quemadas, como ofrendas por el pecado? ¿No dijo Isaías lo mismo?».

7. El sacerdote replicó: «Niño, te estás excediendo. ¿Sabes tú por ventura más acerca de las leyes de Dios que todos los sacerdotes de Israel? No es éste el sitio donde los muchachos deban venir a exhibir sus vivezas».

8. Pero Jesús no se satisfizo; se fue a Hillel, jefe del Sanedrín, y le dijo:

9. «Desearía hablar contigo, maestro. Estoy conturbado con el servicio de la fiesta pascual. Yo había pensado que el templo era la casa en la que moraban el amor y la verdad.

10. »¿Oyes el balido de los corderos, el clamor de las palomas que están matando los hombres? ¿Hueles la fetidez de la carne que se quema?

11. »¿Puede el hombre a la vez ser bondadoso y justo y estar lleno de crueldad?

12. »Un Dios que se deleita en sacrificios, en sangre y en carne que se quema no es mi Padre Dios.

13. »Quiero encontrar un Dios de amor, y tú, mi maestro, eres sabio y seguramente puedes decirme dónde encontrar al Dios de Amor».

14. Pero Hillel no tuvo respuesta que dar al niño. Su corazón estaba vibrando de compasión. Sólo lo atrajo a sí, colocó la mano sobre la cabeza del niño y lloró.

15. Y dijo: «Hay un Dios de Amor, y tú vendrás conmigo y

cogidos de la mano marcharemos adelante y encontraremos al Dios de Amor».

16. Y Jesús dijo: «¿Por qué necesitamos ir? Pensaba que Dios está en todo lugar. ¿No podemos purificar nuestros corazones, arrojar de nosotros la crueldad y todo pensamiento malo, y hacer de nosotros un templo donde pueda morar el Dios de Amor?».

17. El maestro del Sanedrín sintió como si él fuera el niño y delante de él estuviera el maestro que dominaba la más alta ley.

18. Y se dijo a sí mismo: «Seguramente este niño es un profeta enviado de Dios».

19. Entonces Hillel buscó a los padres y les pidió que permitieran que Jesús morara con él y aprendiera los preceptos de la ley, así como todas las enseñanzas de los sacerdotes del templo.

20. Sus padres consintieron y Jesús moró en el templo de Jerusalén, e Hillel le enseñó cada día.

21. Y cada día el maestro aprendía de Jesús muchas enseñanzas de la vida más elevada.

22. Un año permaneció el niño con Hillel en el templo y luego regresó a su hogar de Nazaret y allí trabajó como carpintero con José.

Capítulo 19

Jesús a los doce años en el templo. Discute con los doctores de la ley. Lee un libro de profecías a ruego de Hillel y las interpreta.

1. Otra vez tuvo lugar la gran fiesta de Jerusalén, y José, María y el hijo de ellos acudieron a ella. El niño tenía entonces doce años.

2. Y en Jerusalén había judíos y fieles de muchos países.

3. Y Jesús se sentó entre los sacerdotes y los doctores en el salón del templo.

4. Abrió un libro de profecías y leyó:

5. «Desgraciada, desgraciada Ariel, la ciudad donde David moró. Desmantelaré a Ariel y ella gemirá y llorará.

6. »Y acamparé contra ella y a su alrededor con huestes hostiles.

7. »Y la degradaré y ella hablará desde la tierra; con voz apagada como la de un espíritu, sus palabras serán sólo murmullos.

8. »E innumerables enemigos, como granos de arena, caerán sobre ella súbitamente.

9. »El Señor de los ejércitos la visitará con truenos, tempestad y tormentas, con terremotos y llamas devoradoras.

10. »Mirad, toda esta gente me ha abandonado. Se me acercan y con los labios me honran; pero sus corazones están lejos de mí y el temor que me tienen es el que los hombres les han inspirado.

11. »Soplaré con aliento hostil sobre mi pueblo de Israel; la sabiduría de sus sabios se perderá; la comprensión de sus hombres prudentes no se encontrará.

12. »Mi pueblo trata de ocultar sus intenciones al Señor, para que no puedan verse sus obras. Pretenden encubrir sus obras en la oscuridad de la noche y dicen: "¿Y ahora quién nos ve? ¿Y ahora quién nos conoce?".

13. »¡Pobres tontos! ¿Puede una cosa decir de su Hacedor: "Él no es nada y yo me hice a mi mismo"?

14. »¿O puede la olla hablar y decirle al alfarero: "No tienes habilidad; no sabes hacer jarros"?

15. »Pero esto no será para siempre; un tiempo vendrá en que el Líbano sea una tierra fructífera y los fértiles campos se transformarán en bosques.

16. »Y en ese día los sordos oirán las palabras de Dios, los ciegos leerán el Libro de los Recuerdos de Dios.

17. »Y los que sufren serán aliviados y tendrán abundancia de goce, todo necesitado será provisto y ocurrirá que los tontos serán sabios.

18. »El pueblo regresará, y santificará al Uno Santo y en su corazón de corazones le reverenciarán».

19. Cuando Jesús hubo leído, puso el libro en un lado y dijo: «Maestros de la ley: ¿queréis aclararnos las palabras del profeta?».

20. Hillel, que estaba entre los doctores de la ley, se puso en pie y dijo: «Tal vez nuestro profeta que acaba de leer la palabra quiera ser su intérprete».

21. Y Jesús dijo: «El Ariel del profeta es nuestra propia Jerusalén.

22. »Por obra de egoísmos y de crueldades, este pueblo llegará a ser fétido a los Elohims.

23. »El profeta desde lejos vio estos días y de ellos también escribió.

24. »Nuestros doctores, legisladores, sacerdotes y escribas oprimen al pueblo mientras ellos viven en el lujo.

25. »Los sacrificios y las ofrendas de Israel no son sino abominación para Dios. El único sacrificio que Dios requiere es el de uno mismo.

26. »Por razón de esta injusticia y de esta crueldad de hombre a hombre, el Uno Santo ha hablado de esta población.

27. »Mirad: yo lo destruiré, sí, será destruido y no existirá más hasta que venga el que posee todos los derechos.

28. »En todo el mundo hay una sola ley de rectitud y quien transgrede esa ley sufre pesares, porque Dios es justo.

29. »Israel ha ido lejos por el camino errado; no ha tenido miramiento por la justicia y los derechos del hombre, y Dios demanda que Israel se reforme y vuelva a las vías de la santidad.

30. »Y si nuestro pueblo no escucha la voz de Dios, naciones vendrán y saquearán Jerusalén; destruirán vuestro templo y nuestro pueblo irá al cautiverio en tierras extranjeras.

31. »Pero esto no será para siempre, aunque se esparcirán a todo lo largo y ancho, y rodarán aquí y allá entre las naciones de la tierra, como ovejas sin pastor que las guíe.

32. »Llegará un tiempo en el que Dios volverá a traer las huestes cautivas, e Israel regresará y morará en paz.

33. »Y después de muchos años el templo se reconstruirá y uno a quien Dios honrará, uno en quien los puros de corazón se deleitarán, vendrá, glorificará la casa de Dios y reinará con rectitud».

34. Cuando Jesús hubo terminado, se fue. Todos estaban asombrados y decían: «Seguramente éste es el Cristo».

Capítulo 20

Después de la fiesta. Viaje de regreso. Jesús perdido. Sus padres lo buscan y lo hallan en el templo. Vuelve con ellos a Nazaret. Simbolismo de las herramientas del carpintero.

1. La gran fiesta de la pascua había terminado y los de Nazaret regresaron a sus hogares.

2. Llegaron a Samara, y ahí María preguntó: «¿Dónde está mi hijo?». Nadie había visto al niño.

3. Y José le buscó entre los parientes que estaban en camino a Galilea, pero ellos tampoco le habían visto.

4. Entonces José, María y un hijo de Zebedeo regresaron y le buscaron por toda Jerusalén sin encontrarle.

5. Y fueron a los patios del templo y preguntaron: «¿Habéis visto a Jesús, un niño de cabello claro, rubio, de profundos ojos azules, de doce años de edad?».

6. Los guardianes contestaron: «Sí, está discutiendo con los doctores de la ley».

7. Y entraron y le encontraron como los guardianes les habían indicado.

8. Y María dijo: «¿Por qué, Jesús, tratas así a tus padres? Mira que te hemos buscado durante dos días. Temíamos que te hubiera ocurrido algo grave».

9. Y Jesús preguntó: «¿No sabéis que debo atender los asuntos de mi Padre?».

10. Y dando la mano a cada uno de los doctores de la ley, fue en círculo diciéndoles: «Confío en que nos veremos otra vez».

11.Y se marchó con sus padres camino de Nazaret y cuando llegó a su hogar trabajó con José como carpintero.

12. Un día, mientras acarreaba sus herramientas de trabajo dijo:

13. «Estas herramientas me recuerdan aquellas que usamos en el taller de la mente donde el pensamiento crea las cosas y construye el carácter.

14. »Usamos la escuadra para medir todas nuestras líneas, para enderezar los sitios torcidos del camino y para cuadrar nuestra conducta.

15. »Usamos el compás para trazar círculos alrededor de

nuestras pasiones y deseos a fin de mantenerlos dentro de los límites de la rectitud.

16. »Empleamos el hacha para cortar las partes nudosas, inútiles y feas y para dar simetría al carácter.

17. »Usamos el martillo para empujar hacia delante la verdad y para martillarla de modo que entre a formar parte de todas las partes.

18. »Utilizamos el cepillo para pulir las superficies ásperas y desiguales en la juntura, y los maderos y las tablas que han de construir el templo de la verdad.

19. »El formón, la cuerda, la plomada y el serrucho, todos tienen su uso en el taller de la mente.

20. »Y finalmente esta escalera con su trinidad de peldaños: fe, esperanza y amor; con ella ascendemos a la cúpula de la pureza de la vida.

21. »Y por la escalera de doce peldaños, ascendemos hasta alcanzar el pináculo, objetivo final en cuya construcción usamos la vida: el Templo del Hombre Perfecto».

SECCIÓN VI

VAU

Vida y obra de Jesús en la India

CAPÍTULO 21

Ravana ve a Jesús en el templo y queda cautivado. Hillel le habla acerca del niño. Ravanna encuentra a Jesús en Nazaret y da una fiesta en su honor. Ravanna llega a ser el protector de Jesús, y se lo lleva a la India a que estudie la religión brahmánica.

1. Un príncipe real de la India, Ravanna de Orissa, estaba en la fiesta judaica.

2. Ravanna era rico y justo y, en su búsqueda de la sabiduría en Occidente, se desplazaba con un séquito de sacerdotes brahmánicos.

3. Cuando Jesús se puso en pie ante los sacerdotes judíos y leyó y habló, Ravanna le oyó y quedó asombrado.

4. Y cuando inquirió quién era Jesús, de dónde venía y qué era, el jefe Hillel le dijo:

5. «A este niño le llamamos la Estrella de la Mañana, porque ha venido trayendo a los hombres la luz, la luz de la vida, para iluminar la vida humana y para redimir a su pueblo, Israel».

6. E Hillel narró a Ravanna todo lo relativo al niño, acerca de las profecías concernientes a él, de las maravillas de la noche en que nació, de la visita de los sacerdotes magos.

7. De la manera en que fue protegido de la ira de los malvados; de su fuga a Egipto, y de cómo entonces trabajaba con su

padre, como carpintero en Nazaret.

8. Ravanna estaba fascinado, y averiguó el camino a Nazaret para poder ir y honrarle como al hijo de Dios.

9. Y con su brillante séquito hizo el viaje y llegó a Nazaret de Galilea.

10. Encontró al objeto de su viaje ocupado en construir muebles para los hijos de los hombres.

11. Y cuando por primera vez vio a Jesús, le encontró subiendo una escalera de doce peldaños y llevando en las manos un compás, una escuadra y un hacha.

12. Ravanna dijo: «Saludo al hijo más favorito del cielo».

13. Y en la posada. Ravanna dio una fiesta a toda la población, en la que fueron Jesús y sus padres los huéspedes de honor.

14. Durante algunos días Ravanna fue huésped en el hogar de José, en el camino de Marmión, y trató de descubrir el secreto de la Sabiduría del niño, pero fue demasiado grande para él.

15. Y pidió entonces que se le permitiera ser el protector del niño y que se le concediera llevarle a Oriente, donde podría aprender la sabiduría de los brahmanes.

16. Jesús anhelaba ir para aprender. Después de muchos días sus padres dieron el consentimiento.

17. Entonces, con el corazón lleno de gozo, Ravanna emprendió el viaje hacia el sol naciente con su comitiva, y después de muchos días cruzaron el Sinaí y llegaron a la provincia de Orissa y al palacio del príncipe.

18. Los sacerdotes brahmánicos dieron la bienvenida alegre al príncipe, y con benevolencia recibieron al niño judío.

19. Y Jesús fue aceptado como alumno en el templo de Jagannath, donde aprendió los Vedas y las leyes mánicas.

20. Los maestros brahmánicos se maravillaron de la claridad de las concepciones del niño y con frecuencia quedaban asombrados de las explicaciones que les daba acerca del significado de sus leyes.

CAPÍTULO 22

La amistad de Jesús y Lamas. Jesús explica a Lamas el significado de la Verdad, el Hombre, el Poder, la Comprensión, la Sabiduría, la Salvación y la Fe.

1. Entre los sacerdotes de Jagannath había uno que amaba al niño judío.

2. Un día, mientras Jesús y Lamas caminaban solos por la playa de Jagannath, Lamas dijo: «Mi maestro judío, ¿qué es la verdad?».

3. Y Jesús respondió: «La Verdad es lo único incambiable.

4. »En todo lugar hay dos cosas: verdad y falsedad. Verdad es lo que es. Falsedad es lo que parece ser.

5. »Ahora bien, la verdad es algo, y no tiene causa y sin embargo es la causa de todo.

6. »La falsedad es nada, y, sin embargo es la manifestación de algo.

7. »Todo lo que ha sido hecho será deshecho; lo que ha tenido principio tiene que terminar.

8. »Todo lo que es visible al ojo humano es manifestación del algo y por lo mismo es nada; de modo que tiene que terminar.

9. »Lo que vemos no es sino un reflejo que aparece mientras los éteres vibran de cierta manera, y cuando las condiciones se alteran, desaparece.

10. »El Santo Aliento es la Verdad. Es lo que fue, lo que es y lo que será siempre. No puede ni cambiar ni terminar».

11. Lamas dijo: «Has contestado de manera correcta. Ahora bien, ¿qué es el hombre?».

12. Y Jesús dijo: «El hombre es una mezcla extraña de verdad y falsedad.

13. »El hombre es Aliento hecho carne; de modo que verdad y falsedad están unidas en él. Y luchan entre ellas hasta que la nada desaparece y el hombre se convierte en Verdad».

14. Y Lamas le preguntó: «¿Qué tienes que decir respecto al Poder?».

15. Y Jesús dijo: «El Poder es manifestación. Es el resultado de fuerzas. Por lo tanto es nada, es ilusión y nada más. La Fuerza es incambiable. Pero el Poder se transforma con los cambios de los éteres.

16. »Fuerza es la Voluntad Cósmica. El Poder es esa voluntad manifestada y dirigida por el Aliento.

17. »Hay poder en los vientos. Poder en las olas. Poder en el rayo. Poder en el brazo humano. Poder en el ojo.

18. »Los éteres producen estos cincos poderes. Y el pensamiento de los Elohims, del ángel, del hombre o de otros seres que puedan pensar es el que dirige esa fuerza. Cuando el Poder ha realizado su labor, desaparece».

19. Otra vez Lamas le pregunto: «¿Y qué tienes que decir respecto a la Comprensión?».

20. Y Jesús contestó: «La Comprensión es la roca sobre la que el hombre se construye a sí mismo. Es la gnosis del algo y de la nada, de la falsedad y de la verdad.

21. »Es el conocimiento del ego inferior; la sensación de los poderes del hombre mismo».

22. De nuevo Lamas preguntó: «¿Qué tienes que decir con respecto a la Sabiduría?».

23. Y Jesús dijo: «La Sabiduría es la conciencia de que el hombre es algo y de que Dios y el hombre son uno.

24. »De que la nada, nada es; de que el poder es meramente ilusión; de que los cielos, la tierra y los infiernos no están ni arriba, ni alrededor, ni abajo, sino dentro; todos ellos, ante la luz, vienen a ser nada, y Dios es todo».

25. Lamas dijo: «Respóndeme, te lo ruego: ¿Qué es la fe?».

26. Y Jesús dijo: «La fe es la seguridad de la omnipotencia de Dios y del hombre, la certeza de que el hombre algún día alcanzará la vida divina.

27. »La salvación es la escalera que va del corazón del hombre al corazón de Dios.

28. »Tiene tres peldaños: creer es el primero; lo que el hombre piensa que tal vez es verdad.

29. »La fe es el siguiente; lo que el hombre sabe que es verdad.

30. »El goce es el último, que es el hombre mismo, la verdad.

31. »La creencia se pierde con la fe, y la fe se pierde con el gozo; y el hombre se salva cuando alcanza la vida divina, cuando él y Dios son uno».

Capítulo 23

Jesús y Lamas entre los sudras y visyas. En Benarés Jesús viene a ser discípulo de Udraka. Las enseñanzas de Udraka.

1. Jesús, junto con su amigo Lamas, viajaron a través de toda la región de Orissa y del valle del Ganges, buscando sabiduría entre los sudras, los visyas y los maestros.

2. Benarés del Ganges era una ciudad rica en cultura y en ella se alojaron los dos maestros muchos días.

3. Y Jesús buscó cómo aprender el arte curativo, de modo que vino a ser discípulo de Udraka, el más grande de los curadores hindúes.

4. Udraka le enseñó los usos de las aguas, de las plantas y de las tierras, del calor y del frío, del brillo solar y de la sombra, de la luz y la oscuridad.

5. Y le dijo: «Las leyes de la naturaleza son leyes de salud, de modo que quien vive de acuerdo con ellas nunca enferma.

6. »La transgresión de estas leyes es el pecado. Quien peca enferma.

7. »Quien obedece las leyes, mantiene un equilibrio en todas sus partes, asegurando así verdadera armonía. Y la salud es armonía, como enfermedad es discordancia.

8. »Todo lo que restaura la armonía en todas las partes del hombre es medicina y asegura la salud.

9. »El cuerpo es un clavicordio. Cuando las cuerdas se relajan o se templan demasiado, el instrumento sale fuera de tono y el hombre enferma.

10. »Todo en la naturaleza ha sido hecho para satisfacer las necesidades del hombre. De ahí que todo se encuentre en los arcanos medicinales.

11. »Y, cuando el clavicordio humano está fuera de sintonización, puede buscarse el remedio en toda la vasta amplitud de la naturaleza: para cada una de las dolencias de la carne existe una curación.

12. »Desde luego, la voluntad del hombre es el supremo remedio. Por el ejercicio constante de la voluntad, el hombre puede templar la cuerda que está relajada y la nota que está demasiado baja, o relajar la cuerda

que esté templada o la nota que esté demasiado alta, y así, por acto de su voluntad, puede curarse a sí mismo.

13. »Cuando el hombre alcanza el nivel en el que tiene fe en Dios, en la naturaleza y en sí mismo, llega a conocer la Palabra de Poder. Entonces, su palabra es bálsamo para toda herida, es curación para toda enfermedad.

14. »El que cura es el hombre que llega a inspirar fe. La lengua puede hablar para que oiga el oído externo; pero para alcanzar tocar el alma es preciso que el alma se hable a sí misma.

15. »Está lleno de fuerza aquel cuya alma es amplia y puede entrar en otra alma, inspirando esperanza a los desesperados y fe a los que han perdido las tres grandes fes: en Dios, en la naturaleza y en el hombre.

16. »Para aquellos que no salen del plano de la vida visible, no hay bálsamo universal.

17. »Pero como existen mil cosas que producen inarmonía y por lo tanto enferman al hombre, existen mil cosas que pueden dar el tono adecuado al clavicordio y curar.

18. »Lo que es medicina para uno es veneno para otro. Lo que a uno cura puede matar a otro.

19. »A uno puede curarle una hierba; a otro un vaso de agua.

20. »La virtud de la mano o la respiración pueden curar a miles. Pero es el amor el supremo sanador.

21. »Muchas de las cuerdas rotas en la vida, y muchas de las aflicciones que torturan el alma son producidas por espíritus malos del aire a los que el hombre no puede ver y que lo inducen, en su ignorancia, a violar las leyes de la naturaleza y de Dios.

22. »Estos poderes actúan como demonios; hablan y hacen al hombre pedazos y lo lanzan a la desesperación».

23. Y éste es el extracto de lo que dijo este gran sanador. Y Jesús inclinó la cabeza en reconocimiento ante la sabiduría de esta alma maestra, y prosiguió su camino.

CAPÍTULO 24

La doctrina brahmánica de castas. Jesús la repudia y enseña la igualdad humana. Esto ofende a los sacerdotes, que lo arrojan del templo. Mora con los sudras y les enseña.

1. Cuatro años permaneció el niño judío en el templo de Jagannath.

2. Un día, mientras estaba sentado entre los sacerdotes, les dijo: «Os ruego que me digáis vuestros puntos de vista en lo relativo a las castas; ¿por qué decís que a los ojos de Dios todos los hombres son iguales?».

3. Un maestro se puso en pie y dijo: «El Uno Santo, al que denominamos Brahmán, hizo al hombre a su gusto, y el hombre no tiene por qué quejarse de esto.

4. »En el comienzo de la vida humana, Brahmán habló y cuatro hombres comparecieron ante él.

5. »De la boca de Parabrahmán procedió el primero. Fue el hombre blanco, semejante a Brahmán.

6. »Es el más alto y el exaltado. Está por encima de toda necesidad y no necesita trabajar.

7. »Es el sacerdote de Brahmán, el Uno Santo, el que actúa en todos los asuntos terrenos.

8. »El segundo hombre fue rojo; procedió de la mano de Parabrahmán, y se le llamó shatriya.

9. »Y fue creado para ser rey, gobernante y guerrero. Su deber era proteger a los sacerdotes.

10. »Y de todas las partes interiores de Parabrahmán procedió el tercer hombre, al que se denominó visya.

11. »Es el hombre amarillo, cuyo deber es arar la tierra y guardar las aves y los rebaños.

12. »Y de los pies de Parabrahmán procedió el cuarto hombre, al que se denominó sudra, que es el hombre negro y que tiene la más baja posición.

13. »El sudra es el sirviente de los hombres. No tiene derecho alguno que nadie tenga que respetar. No se le permite oír ni leer los Vedas y, para él, alzarse a ver la cara de los sacerdotes o del rey le significa la muerte. Y sólo la muerte puede terminar con su estado de esclavitud».

14. Y dijo Jesús: «Entonces Parabrahmán no es un Dios de

Justicia y de Rectitud, ya que con su misma mano fuerte ha exaltado a unos y ha humillado a otros».

15. Y no les dijo más, sino que elevando los ojos al cielo, afirmó:

16. «Mi Dios Padre que has sido, que eres y que serás por siempre; que sostienes en tus manos la balanza de la justicia y de la rectitud.

17. »Que con lo ilimitado de tu amor has hecho a todos los hombres iguales. El blanco, el negro, el amarillo y el rojo pueden mirar su faz y decirle: "Padre Dios nuestro".

18. »Tú, Padre de la raza humana, alabo sea tu nombre».

19. Los sacerdotes se irritaron con las palabras que Jesús habló, se lanzaron sobre él, lo capturaron y estuvieron a punto de hacerle daño.

20. Pero Lamas levantó la mano y dijo: «Sacerdotes de Brahmán, tened cuidado. No sabéis lo que hacéis. Esperad hasta que conozcáis al Dios que este joven adora.

21. »He visto a este joven en meditación y le he visto rodeado de una luz más refulgente que la luz del sol. Tened cuidado, porque su Dios puede ser más poderoso que Brahmán.

22. »Si Jesús habla la verdad, si tiene razón, no podéis forzarle a desistir. Si está en un error y vosotros estáis en lo justo, sus palabras nada producirán, ya que la justicia es el poder que al final prevalece».

23. Con esto, los sacerdotes se refrenaron de hacer daño a Jesús. Pero uno de ellos habló y dijo:

24. «¿Por ventura este joven insensato no ha hecho violencia en este sagrado lugar a Parabrahmán? La ley es clara y dice: "Quien vilipendiara el nombre de Brahmán morirá"».

25. Lamas intercedió por la vida de Jesús. Entonces los sacerdotes cogieron un azote de cuerdas y le arrojaron del lugar.

26. Jesús se fue, y encontró albergue con los negros y los amarillos, los sirvientes y los que cultivaban la tierra.

27. A ellos les habló primero de la doctrina de la igualdad, de la Fraternidad humana y de la Paternidad de Dios.

28. La gente sencilla le oía con deleite, y aprendía a orar: Padre nuestro que estás en los Cielos.

Capítulo 25

Jesús enseña a los sudras y a los campesinos. Relata la parábola de un noble y de sus hijos injustos. Hace conocer las potencialidades de todo hombre.

1. Cuando Jesús vio a los sudras y a los campesinos que en grandes multitudes se le acercaban a oír sus palabras, les habló diciéndoles:

2. «Un noble poseía una vasta hacienda. Tenía cuatro hijos, que deseaba crecieran fuertes, dependiendo de sí mismos y haciendo uso de todos los talentos que poseían.

3. »Les dio a cada uno una parte de su gran riqueza, y los despidió para que fueran por sus caminos.

4. »El mayor era egoísta, ambicioso, astuto y de rápido pensamiento.

5. »Y se dijo a sí mismo: "Yo soy el mayor. Mis hermanos deben ser mis sirvientes".

6. »Y entonces llamó a sus hermanos, a uno de ellos lo hizo rey, le dio una espada y le encargó defender la hacienda.

7. »A otro le dio el uso de las tierras, de los pozos y de los manantiales, de las aves y de los rebaños, y le ordenó cultivar los campos y llevarle lo más selecto de sus ganancias.

8. »Y al último le dijo: "Tú eres el más joven. Toda la hacienda está ya asignada. Tú no tienes arte ni parte en cosa alguna de lo que hay".

9. »Entonces tomó una cadena y sujetó a su hermano a una roca desnuda del desierto. Y le dijo:

10. »"Has nacido esclavo. No tienes derechos. Tienes que contentarte con tu suerte, porque no hay alivio para ti hasta que te mueras o te vayas de aquí".

11. »Y cuando hubieron transcurrido unos años, llegó el día del ajuste de cuentas. El noble llamó a sus hijos.

12. »Y cuando supo que uno de ellos, el mayor, se había apropiado de toda la hacienda, y había hecho esclavos a sus hermanos...

13. »Le agarró, despedazó sus hábitos sacerdotales y lo metió en un calabozo donde tendría que estar hasta que hubiese

pagado por todos los errores cometidos.

14. »Y entonces, como si se tratara de juguetes, arrojó por los aires el trono y la armadura del rey maniquí, rompió su espada y lo metió en un calabozo.

15. »Y luego llamó al agricultor y le preguntó por qué no había rescatado de sus duras cadenas a su hermano cautivo en el desierto.

16. »Y como el hijo no contestara, el padre se apropió de las aves y de los rebaños, de los pozos y manantiales.

17. »Y mandó a su hijo agricultor a vivir en las arenas del desierto, hasta que hubiera pagado por todos sus errores cometidos.

18. »Y entonces se fue y encontró a su hijo más joven cruelmente encadenado, y con sus propias manos rompió las cadenas y dejó que su hijo se fuera en paz.

19. »Y cuando sus hijos hubieron pagado sus deudas, llegaron otra vez y se pusieron en pie ante el foro de la justicia.

20. »Todos ellos habían aprendido su lección y lo habían hecho bien. Y otra vez el padre dividió la hacienda.

21. »Dio a cada uno una porción igual y les ordenó que reconociesen la ley de la equidad y la justicia y que viviesen en paz».

22. Entonces un sudra habló y preguntó: «¿Podemos nosotros, los esclavos, que somos degollados como las bestias por cualquier capricho de los sacerdotes, esperar que alguien venga a romper nuestras cadenas y a liberarnos?».

23. Y Jesús dijo: «El Uno Santo ha dicho que todos sus hijos serán libres, y toda alma es hija de Dios.

24. »Los sudras serán tan libres como los sacerdotes; los campesinos caminarán dándose la mano con los reyes; porque todo el mundo reconocerá la hermandad humana.

25. »¡Oh hombres, despertad! ¡Sed conscientes de vuestros poderes, pues quien tiene voluntad no necesita ser esclavo!

26. »Vivid como deseéis que viva vuestro hermano; desarrollaos diariamente como la flor, porque la tierra es vuestra y el cielo es vuestro, y Dios os traerá lo que es vuestro».

27. Y todo el gentío gritaba: «¡Muéstranos el camino para que, como la flor, podamos desarrollarnos, y podamos llegar a lo que es nuestro!».

Capítulo 26

Jesús en Katak. El carro de Jagannath. Jesús revela a las multitudes lo vacío de los ritos brahmánicos y cómo ver a Dios en uno mismo. Les enseña la divina ley del sacrificio.

1. En todas las ciudades de Orissa enseñó Jesús. En Katak, a la margen del río, enseñó y miles le siguieron.

2. Un día pasó por allí un carro de Jagannath tirado por veintenas de hombres frenéticos, y Jesús dijo:

3. «Mirad que pasa una forma sin espíritu, un cuerpo sin alma, un templo sin fuego en el altar.

4. »Este carro de Krishna está vacío. Krishna no está allí.

5. »Este carro no es sino un ídolo de gente embriagada con el vino de las cosas carnales.

6. »Dios no vive en el ruido de las palabras. No hay camino hacia él por intermedio de ídolos, ni de altares.

7. »El lugar de Dios es el corazón del hombre, donde habla con voz tan queda y pequeña que no puede escucharlo sino el que está en relajación».

8. Y las multitudes gritaban: «Enséñanos a conocer al Uno Santo que habla en el corazón, al Dios de la voz queda y pequeña».

9. Y Jesús dijo: «El Santo Aliento no es visible al ojo físico, ni los hombres pueden ver a los espíritus del Uno Santo.

10. »Pero el hombre fue hecho a imagen de ellos de modo que quien mira la faz humana mira la faz de Dios que dentro de él habla.

11. »Y cuando el hombre honra al hombre, honra a Dios, y lo que el hombre hace por el hombre lo hace por Dios.

12. »Y recordad que cuando el hombre, con su pensamiento, con su palabra o con sus acciones, hace daño a otro hombre, está procediendo erradamente con relación a Dios.

13. »Si habéis de servir al Dios que habla dentro del corazón, servid a vuestros más próximos y a los que no son parientes, a los forasteros que llegan a vuestras ciudades, a los que tratan de causaros un daño.

14. »Ayudad a los pobres y a los débiles; no hagáis daño a nadie; no codiciéis lo que no es vuestro.

15. »Entonces por vuestra garganta hablará el Uno Santo, sonreirá a través de vuestras lágrimas, iluminará vuestras faces con el goce, llenará vuestros corazones con la paz».

16. Y las multitudes preguntaban: «¿A quién debemos llevar regalos? ¿Dónde debemos ofrecer nuestros sacrificios?».

17. Y Jesús respondió: «Nuestro Padre Dios no demanda desperdicios innecesarios de plantas, granos, palomas y corderos.

18. »Lo que quemamos en cualquier templo es un desperdicio. Nada bendito puede venir a quien arranca alimentos a las bocas hambrientas para destruirlos por el fuego.

19. »Cuando queráis ofrecer sacrificios a vuestro Dios, tomad vuestros regalos de granos o de carnes; no los deis a los sacerdotes, sino colocadlos sobre la mesa de los pobres.

20. »De allí se levantará un incienso que subirá a los cielos y retornará a vosotros en forma de bendiciones.

21. »Haced pedazos vuestros ídolos. Ellos no tienen oídos. Incendiad los altares de vuestros sacrificios.

22. »Haced del corazón humano vuestro altar y quemad allí vuestros sacrificios con el fuego del amor».

23. Las multitudes estaban fascinadas y querían adorar a Jesús como a un Dios. Pero Jesús les dijo:

24. «Yo soy simplemente vuestro hermano, un hombre que ha venido a mostraros el camino hacia Dios. No adoréis al hombre. Adorad a Dios, al Uno Santo».

CAPÍTULO 27

Jesús asiste a una fiesta en Behar. Predica un sermón revolucionario sobre la igualdad humana. Relata la parábola de las espigas quebradas.

1. La fama de Jesús como maestro se extendía por toda la tierra y la gente llegaba de cerca y de lejos a oír sus palabras de verdad.

2. En Behar, en el río sagrado de los brahmanes, enseñó durante muchos días.

3. Y Ach, un hombre rico de Behar, dio una fiesta en honor de su huésped, e invitó a todos los vecinos.

4. Muchos llegaron y entre ellos había ladrones, extorsionadores y cortesanas. Y Jesús se sentó entre ellos y enseñó. Pero los que le seguían se apesadumbraron mucho por verle sentado entre ladrones y cortesanas.

5. Y reprendiéndole le dijeron: «Rabino, maestro de los sabios, éste es un día muy desafortunado para ti.

6. »Volarán las noticias de que has estado con cortesanas y ladrones, y los hombres te esquivarán como se esquiva a un áspid».

7. Y Jesús, contestándoles, les dijo: «Un maestro nunca se esconde por asuntos de reputación o fama.

8. «Ésas son burbujas que sólo duran un día. Surgen y se hunden como botellas vacías que descienden por un arroyo. Son ilusiones y pasarán.

9. »Son los indicios de lo que piensan los que no tienen sesos; son el ruido que las gentes producen; y los hombres superficiales juzgan el mérito por el ruido.

10. »Dios y las mentes maestras humanas juzgan a los hombres por lo que son y no por lo que parecen ser; no por su reputación y su fama.

11. »Estas cortesanas y estos ladrones son hijos de mi padre Dios; sus almas son tan preciosas ante Sus ojos como las nuestras o como las de los sacerdotes brahmánicos.

12. »Y ellos están solucionando sus problemas de la vida tal como vosotros, que os enorgullecéis de vuestra respetabilidad y de vuestros valores morales, estáis solucionando los vuestros.

13. »Y algunos de ellos han solucionado problemas mucho más árduos que los que habéis enmendado vosotros.

14. »Sí; ellos son pecadores y reconocen su culpa, mientras que vosotros sois culpables, pero sois suficientemente astutos, pues cubrís vuestra culpa con una corteza pulimentada.

15. »Supongamos que vosotros, los que despreciáis a estas cortesanas, a estos borrachos y a estos ladrones, los que decís que sois puros en el corazón y en la vida, los que sois tan superiores a lo que ellos son, os pusierais en pie para que los hombres puedan saber exactamente lo que sois.

16. »El pecado se halla en el deseo, no en el acto.

17. »Vosotros codiciáis las riquezas de otras gentes; miráis formas encantadoras y en el fondo de vuestros corazones tenéis lujuria con ellas.

18. »Practicáis diariamente el engaño, y deseáis oro, honores y fama, exclusivamente para vosotros.

19. »El hombre codicioso es un ladrón, el que siente lujuria es como una mujer pública. Y si hay alguno de vosotros que no sea nada de esto, que hable».

20. Nadie habló: los acusadores se mantuvieron en silencio.

21. Y Jesús dijo: «Las pruebas de este día son todas en contra de los acusadores.

22. »El puro de corazón no acusa. El vil de corazón que quiere ocultar su culpa con la cortina santa de la piedad está siempre aborreciendo al borracho, al ladrón y a la cortesana.

23. »Este aborrecimiento y este desprecio es un sarcasmo, porque si se pudiera arrancar los ropajes de oropel de la reputación, encontraríamos que el profesor de voz tonante se goza en su lascivia y en muchas formas de pecado secreto.

24. »El hombre que pasa su vida arrancando las malezas de otras gentes no puede tener tiempo para arrancar las suyas propias, y todas las flores selectas de la vida pronto se ahogan y mueren, y nada queda sino espinos y malezas».

25. Y Jesús contó una parábola y dijo: «Mirad que un campesino tenía grandes terrenos y granos maduros, y al observar notó

que muchas espigas de trigo se habían doblado y quebrado.

26. »Y al enviar a los segadores les dijo: "No salveis espiga alguna de trigo que se haya quebrado.

27. »Id y quemad las espigas quebradas".

28. »Y después de muchos días fue a medir sus granos, pero no encontró nada.

29. »Y entonces llamó a los cosechadores y les preguntó: "¿Dónde están mis granos?".

30. »Y ellos, contestando, dijeron: "Hicimos como nos mandaste, recogimos y quemamos todas las espigas quebradas y nada quedó que pueda ponerse en el granero"».

31. Y Jesús dijo: «Si Dios salvara solamente a aquellos que no se hayan quebrado, que sean perfectos a sus ojos, ¿quién se salvaría?».

32. Y sus acusadores doblaron avergonzados las cabezas y se fueron.

CAPÍTULO 28

Udraka da una fiesta en honor de Jesús. Jesús habla de la Unidad de Dios y de la hermandad de la vida. Critica el sacerdocio. Es el huésped de un campesino.

1. Benarés es la ciudad sagrada de los brahmanes, y allí Jesús enseñó; Udraka fue su anfitrión.

2. Udraka dio una fiesta en honor de su huésped, a la que asistieron muchos sacerdotes y escribas de la aristocracia hindú.

3. Y Jesús dijo: «Con sumo placer os hablo de la vida: de la hermandad de la vida.

4. »El Dios Universal es Uno y al mismo tiempo es más que Uno. Todas las cosas son Dios. Todas las cosas son Uno.

5. »Por el suave aliento de Dios toda la vida está eslabonada en una, de modo que si tocáis una fibra de una cosa viviente, enviáis un estremecimiento del centro a las fronteras más distantes de la vida.

6. »Y cuando trituráis bajo vuestro pie el gusano más insignificante, hacéis temblar el trono de Dios y ocasionáis que la

espada de la justicia tiemble en su vaina.

7. »El ave canta sus cantos para los hombres y los hombres vibran en unísono para ayudarle a cantar.

8. »La hormiga construye su hogar, la aveja su panal, la araña teje su tela y las flores respiran para los hombres un espíritu en sus suaves perfumes, que les da fortaleza para trabajar.

9. »Ahora bien, los hombres, las aves, las bestias y los insectos son deidades hechas carne; y si es así ¿cómo se atreve el hombre a matar ser alguno?

10. »La crueldad es lo que hace que el mundo esté fuera de razón. Cuando los hombres hayan aprendido que al hacer daño a cualquier cosa se hacen daño a sí mismos, seguramente no matarán, ni harán que sufra dolor ser alguno que Dios haya hecho».

11. Un legislador preguntó: «Te ruego, Jesús, que nos digas quién es este Dios del que nos hablas. ¿Dónde están sus sacerdotes, sus templos, sus tabernáculos?».

12. Y Jesús dijo: «El Dios de quien hablo se halla en todo lugar. No puede circunscribírsele con murallas, ni limitársele con fronteras de ninguna clase.

13. »Todos adoran a Dios, el Uno; pero no todos lo ven de la misma manera.

14. »Este Dios Universal es Voluntad, Sabiduría y Amor.

15. »No todos ven a Dios como trino. Uno lo ve como el Dios del pensamiento, otro como el Dios del Amor.

16. »El ideal de un hombre es su Dios, de modo que, al evolucionar un hombre, evoluciona su Dios. El Dios de un hombre hoy no es mañana su Dios.

17. »Las naciones de la tierra ven a Dios desde puntos de vista diferentes, por lo cual no parece que sea el mismo para todos.

18. »El hombre llama Dios a las partes de Dios que ve, y para él esas partes son todo Dios; cada nación ve una parte de Dios, y cada nación tiene un nombre para Dios.

19. »Vosotros brahmanes, lo llamáis Parabrahmán; en Egipto es Thoth; Zeus es su nombre en Grecia; Jehová en hebreo, pero en todo lugar Él es la causa, la Raíz sin raíz de la que han crecido todas las cosas.

20. »Cuando los hombres llegan a tener miedo a Dios y lo consideran su enemigo, visten a otros hombres con ropas raras y los llaman sacerdotes.

21. »Y les encargan aplacar la ira de Dios con oraciones; y cuando fracasan en ganar su favor por medio de sus oraciones, les encargan comprarle por medio de sacrificios de animales o aves.

22. »Cuando el hombre ve a Dios como uno con él, como Padre-Dios, ya no necesita intermediarios ni sacerdotes que intercedan.

23. »El hombre va entonces directamente a él y le dice: "Mi Padre-Dios" y entonces descansa su mano en la mano misma de Dios y todo está bien.

24. »Y esto es Dios, cada uno de vosotros es sacerdote, pero sólo para sí mismo. Y Dios no quiere sacrificios de sangre.

25. »Simplemente dad vuestra vida en servicio y en sacrificio a la totalidad de la vida, y Dios estará satisfecho».

26. Y cuando Jesús acabó de decir esto se hizo a un lado. Las gentes estaban asombradas, pero disputaban entre sí.

27. Unos decían: «Está inspirado por el santo Brahmán». Otros afirmaban: «Está loco». Y otros: «Está poseso, habla como hablan los diablos».

28. Pero Jesús no se quedó. Entre los invitados había uno que era campesino y un alma generosa, un investigador de la verdad que se deleitaba con las palabras de Jesús, y con él se fue Jesús y se alojó en su casa.

CAPÍTULO 29

Ajainín, sacerdote de Lahore, va a Benarés a ver a Jesús, y mora en el templo. Jesús rehúsa una invitación a visitar el templo. Ajainín le visita durante la noche en la casa del campesino y acepta su filosofía.

1. Entre los sacerdotes del templo de Benarés estaba, como huésped, un sacerdote de Lahore, llamado Ajainín.

2. Por boca de los mercaderes oyó Ajainín hablar del joven judío, de sus palabras de sabiduría, y entonces se vistió y se fue de Lahore a ver al joven y a oirle hablar.

3. Los sacerdotes brahmánicos no aceptaban la verdad que Jesús enseñaba y estaban muy enojados por lo que había dicho en la fiesta de Udraka.

4. Pero nunca habían visto al joven y mucho deseaban escuchar lo que decía, de modo que le invitaron a que los visitara y fuese huésped del templo.

5. Pero Jesús les dijo: «La luz es muy abundante y brilla para todos; si queréis ver la luz, venid a la luz.

6. »Si queréis oír el mensaje que el Uno Santo me ha encargado dar a los hombres, venid a mí».

7. Y cuando los sacerdotes supieron la respuesta de Jesús, se enfurecieron.

8. Pero Ajainín no participó de su ira, sino que mandó a otro mensajero, con regalos costosos, a la casa del campesino, en la que moraba Jesús, con el siguiente mensaje:

9. «Te ruego, Maestro, que escuches mis palabras; la ley brahmánica prohíbe que sacerdote alguno salga de su residencia para ir a la residencia de alguien de bajo rango; pero tú puedes venir a nosotros.

10. »Estoy seguro de que los sacerdotes estarán encantados de escucharte. Te ruego, pues, que vengas y que comas hoy con nosotros».

11. Y Jesús dijo: «El Santo Aliento considera a los hombres iguales; la morada de mi anfitrión es suficientemente buena para cualquier reunión de los hijos de los hombres.

12. »Si la soberbia de casta os mantiene alejados, no merecéis la luz. Mi padre Dios no se preocupa de las leyes de los hombres.

13. »Os devuelvo vuestros regalos. No se puede comprar con oro y otras dádivas preciosas el conocimiento del Señor».

14. Estas palabras de Jesús enojaron aun más a los sacerdotes, quienes comenzaron a planear cómo podrían enviarlo fuera de su tierra.

15. Ajainín no participó en su conspiración y en sus planes, sino que, abandonando el templo por la noche, se fue al lugar donde Jesús moraba.

16. Y Jesús le dijo: «No hay noche donde brilla el sol; no tengo secretos que contarte; todo secreto queda revelado en la luz».

17. Ajainín le dijo: «He venido de muy lejos, de Lahore, para aprender la sabiduría antigua y ese reino del Uno Santo del que tú hablas.

18. »¿Dónde está ese reino? ¿Dónde está el rey? ¿Quiénes son sus súbditos? ¿Cuáles son sus leyes?».

19. Y Jesús dijo: «Este reino no está lejos, pero el hombre no puede verlo con ojos mortales, ya que se halla dentro del corazón.

20. »Es ocioso buscar al rey en la tierra, en el mar o en el firmamento; no le hallaréis allí, y sin embargo está en todo lugar. Es el Cristo de Dios; es el Amor Universal.

21. »El portón de sus dominios no es alto, de modo que el que ha de entrar tiene que arrodillarse. No es ancho, de modo que nadie que lleve bultos carnales puede pasar.

22. »El ego inferior tiene que transformarse en el ego espiritual; el cuerpo debe ser lavado en los arroyos vivientes de la pureza».

23. Ajainín preguntó: «¿Puedo ser súbdito de ese rey?».

24. Y Jesús dijo: «Tú mismo eres un rey y puedes entrar por el portón y ser el súbdito del Rey de los Reyes.

25. »Pero tienes que despojarte de las ropas sacerdotales, tienes que cesar de servir por riquezas, tienes que dar tu vida y todo lo que posees, en servicio gustoso para los hijos de los hombres».

26. Y Jesús no dijo más. Ajainín se fue, si bien no pudo comprender la verdad que Jesús había hablado, vio lo que no había visto nunca.

27. Jamás había explorado el plano de la fe; pero en su corazón las semillas de la fe y de la fraternidad universal habían encontrado buen terreno.

28. Y en el viaje de regreso a su casa le acometió algo como un sueño y pasó a través de la noche oscura; al despertarse encontró que el Sol de la Rectitud se había levantado: había encontrado al Rey.

29. Jesús moró en Benarés muchos días y enseñó.

CAPÍTULO 30

Jesús recibe la noticia de la muerte de su padre. Escribe una carta a su madre. La envía por medio de un comerciante.

1. Un día, mientras Jesús estaba a orillas del Ganges ocupado en su trabajo, una caravana que venía de Occidente se detuvo cerca.

2. Y uno, aproximándose a Jesús, le dijo: «Venimos a ti de tu tierra nativa y te traemos ingratas noticias.

3. »Tu padre ya no está en este mundo. Tu madre sufre y nadie puede confortarla. Se pregunta si estás todavía vivo o no; añora verte una vez más».

4. Y Jesús dobló la cabeza en pensamiento y en silencio; y luego escribió. De lo que escribió, éste es el resumen:

5. «Madre mía, la más noble de las mujeres. Un hombre que ha venido de mi tierra nativa me ha traído la noticia de que mi padre no está ya más en la carne, de que tú sufres y de que estás desconsolada.

6. »Madre mía, todo está bien. Está bien con mi padre y está bien contigo.

7. »Su trabajo en el plano de la tierra ha terminado y ha sido noblemente hecho.

8. »En todos los caminos de la vida los hombres no pueden acusarle de farsa, de falta de honradez, de propósito erróneo.

9. »Aquí, en este plano ha concluido muchas grandes tareas, y se ha ido de aquí preparado para solucionar los problemas del plano del alma.

10. »Nuestro padre Dios está con él ahora, como estuvo con él aquí; y allí su ángel guarda sus pasos para que no yerre.

11. »¿Por qué has de llorar? Las lágrimas no pueden conquistar el sufrimiento. No hay poder en el luto para rehacer un corazón despedazado.

12. »El plano del sufrimiento es ociosidad. El alma ocupada nunca puede sufrir, no tiene tiempo para sufrir.

13. »Cuando el sufrimiento viene en tropel al corazón, simplemente olvidémonos de nosotros mismos; sumerjámonos profundamente en alguna obra de amor, y el sufrimiento desaparece.

14. »La tuya es obra de amor. El mundo tiene hambre de amor.

15. »Deja, pues, que el pasado se vaya con el pasado; elévate por encima de las preocupaciones de las cosas carnales y da tu vida por los vivos.

16. »Si pierdes tu vida sirviendo a la vida, seguramente la encontrarás en el sol de la mañana, en el rocío de la noche, en el canto de las aves, en las flores, en las estrellas del cielo.

17. »En poco tiempo tus problemas del plano de la tierra estarán solucionados, y cuando tus sumas estén hechas, será un placer inenarrable para ti entrar en planos más amplios de servicio y solucionar problemas más grandes del alma.

18. »Trata pues de estar contenta y un día iré a ti y te llevaré regalos más ricos que el oro y las piedras preciosas.

19. »Estoy seguro de que Juan te cuidará, proveyendo todas tus necesidades; y yo estoy contigo en todos tus caminos. Iehoshúa».

20. Y por manos de un comerciante que iba a Jerusalén mandó esta carta.

Capítulo 31

Los sacerdotes brahmánicos, enfurecidos por las enseñanzas de Jesús, resuelven arrojarle de la India. Lamas intercede por él. Los sacerdotes emplean a un asesino para que le mate. Lamas se lo advierte y Jesús se va a Nepal.

1. Las palabras y los trabajos de Jesús causaron intranquilidad en toda la tierra.

2. El populacho era su amigo, creía en él y le seguía en grandes masas.

3. Los sacerdotes y las autoridades, sin embargo, le temían, y la sola mención de su nombre llenaba de terror sus corazones.

4. Enseñaba la hermandad de la vida, la rectitud de la igualdad de derechos, lo inútil de los sacerdotes y de los ritos de los sacrificios.

5. Hizo temblar la arena misma en la que se sustentaba el sistema brahmánico; empequeñeció los ídolos bramánicos y cubrió de tanto pecado los sacrificios que los altares y las ruedas de oraciones se quedaron en un olvido total.

6. Los sacerdotes declaraban que si este joven hebreo moraba más tiempo en el país se desataría una revolución social en la que se sublevaría el populacho y mataría a los sacerdotes, destruyendo los templos.

7. De modo que provocaron una reunión a la que concurrieron los sacerdotes de todas las provincias. Benarés ardía en el fuego del celo brahmánico.

8. Lamas, del templo de Jagannath, que conocía íntimamente la vida de Jesús, estaba entre ellos y oía los desahogos de los sacerdotes.

9. Y, poniéndose en pie, les dijo: «Hermanos sacerdotes, fijaos bien, tened cuidado con lo que hagáis; éste es un magno día.

10. »El mundo observa; la vida misma del pensamiento brahmánico está en tela de juicio.

11. »Si os cegáis, si el prejuicio se entroniza hoy, y recurrís a la fuerza bruta, y teñís vuestras manos en sangre que, a los ojos de Brahmán sea inocente y pura...

12. »Su venganza puede caer sobre vosotros, la roca misma sobre la que os ponéis en pie puede reventar, y nuestro amado sacerdocio y nuestras leyes y tabernáculos ir a la decadencia».

13. Pero no le dejaron hablar más. Los sacerdotes, enfurecidos, se le lanzaron y le golpearon, le escupieron, le llamaron traidor y le arrojaron a la calle, ensangrentado.

14. Y reinó la confusión y los sacerdotes llegaron a ser turba; la vista de la sangre humana los trastornó y demandaron más sangre.

15. Las autoridades, temiendo la guerra, buscaron a Jesús, al que encontraron enseñando en la plaza del mercado.

16. Le pidieron que se fuese para que salvara su vida, pero él rehusó hacerlo.

17. Entonces los sacerdotes se pusieron a buscar un motivo para aprisionarle, pero no encontraron crimen alguno que hubiera cometido.

18. Así, le hicieron acusaciones falsas, pero cuando los soldados fueron a prenderle y llevarle al tribunal, tuvieron miedo, porque el populacho se levantó para defenderle.

19. Como los sacerdotes resultaron burlados, resolvieron hacerle asesinar.

20. Encontraron a un asesino de profesión y en altas horas de la noche le mandaron para que acabase con el motivo de sus iras.

21. Lamas oyó sus palabras y su complot y mandó un mensajero para prevenirle, y Jesús apresuró su salida.

22. Esa noche salió de Benarés, dirigiéndose con gran rapidez al norte; y por donde pasaba, los campesinos, los comerciantes y los sudras le ayudaban en su camino.

23. Y después de muchos días llegó a los altos Himalayas y allí moró en la ciudad de Kapivastu.

24. Allí, los sacerdotes de Buda le abrieron de par en par las puertas de sus templos.

CAPÍTULO 32

Jesús y Barata. Juntos leen los libros sagrados. Jesús objeta la doctrina budista de la evolución y revela el verdadero origen del hombre. Se encuentra con Vidyapati, que llega a ser su colaborador.

1. Entre los sacerdotes budistas había uno que vio una gran sabiduría en las palabras que Jesús pronunciaba. Su nombre era Barata Arabo.

2. Juntos Jesús y Barata leían los salmos y los profetas judaicos, los Vedas, el Avesta y la sabiduría de Gautama (Buda).

3. Y hablando y leyendo acerca de las posibilidades del hombre, Barata dijo:

4. «El hombre es la maravilla del universo. Es parte del todo, pues ha sido cosa viviente en todos los planos de existencia.

5. »Hubo un tiempo en que el hombre no existió. Luego fue existencia informe en los moldes del tiempo y, después, protoplasma.

6. »Por ley universal todas las cosas tienden hacia arriba, a un estado de perfección. El protoplasma evolucionó y llegó a ser gusano, después reptil, ave y bestia sucesivamente, hasta que llegó a adquirir forma humana.

7. »Ahora bien, el hombre mismo es mente, y está aquí para ganar perfección por experiencias. La mente con frecuencia se manifiesta en forma carnal y en la forma que mejor conviene a su crecimiento. Así la mente

puede manifestarse como gusano, ave, bestia u hombre.

8. »Un tiempo vendrá en que todo ser viviente evolucionará y llegará al estado de hombre perfecto».

9. Y Jesús dijo: «Barata Arabo, ¿quién te enseñó esto: que la mente, que es el hombre, puede manifestarse en cuerpo de bestia, ave o insecto?».

10. Y Barata respondió: «Desde tiempos inmemoriales nuestros sacerdotes nos lo han dicho, y así es como sabemos».

11. Y Jesús dijo: «Iluminado Arabo, eres mente maestra y no percibes que el hombre no sabe nada porque alguien se lo diga.

12. »El hombre puede creer lo que otros dicen, pero por ese medio nunca llega a saber. Para que el hombre llegue a conocer, él mismo debe ser lo que conoce.

13. »¿Te acuerdas, Arabo, de que fuiste mono, ave o gusano?

14. »Pues bien, si no tienes más prueba de tu afirmación que la de que los sacerdotes te lo dijeron, no sabes. Simplemente supones.

15. »No te preocupes de lo que hombre alguno diga. Dejemos de lado la carne y vamos con la mente al plano de las cosas que no tienen forma carnal. La mente nunca olvida.

16. »Las mentes maestras pueden rastrear hacia atrás a través de todas las edades y es así como saben.

17. »No hubo tiempo en que el hombre no fue.

18. »Todo lo que tiene principio tendrá que tener fin. Si el hombre en algún tiempo no hubiera existido, el tiempo llegaría en que no existiera más.

19. »En el Libro de los Recuerdos de Dios mismo leemos: "El Dios Trino y Uno respiró y siete Espíritus se presentaron ante su faz". (Los hebreos llaman a estos siete espíritus, los Elohims.)

20. »Y son éstos los que, en su poder sin límites, crearon todo lo que es o lo que fue.

21. »Estos espíritus del Dios Trino y Uno se movieron en la faz del espacio sin confines y fueron siete éteres, cada uno de los cuales tuvo su forma de vida.

22. »Estas formas de vida no eran sino los pensamientos de Dios, vestidos con las sustancias de sus planos etéreos.

23. »Los hombres llaman a éstos planos etéreos del protoplasma, de la tierra, de la planta, de la bestia, del hombre, del angel, del querubín.

24. »Estos planos con todos sus pensamientos prolíficos de Dios nunca son visibles al ojo físico humano; están compuestos de materia demasiado fina para que pueda verla el ojo físico y, sin embargo, constituyen el alma de las cosas.

25. »Pero con los ojos del alma todas las criaturas ven estos planos etéreos, y todas las formas de vida.

26. »Y por el hecho de que todas las formas de vida en todos los planos son pensamientos de Dios, todas las criaturas piensan y están dotadas de voluntad, y en su mente tienen poder de selección.

27. »Y en sus planos naturales todas las criaturas están provistas de nutrimento, de los éteres de sus planos.

28. »Y así ocurrió con todo ser viviente hasta que la voluntad llegó a ser una voluntad perezosa y entonces los éteres del protoplasma, de la tierra, de la planta, de la bestia y del hombre comenzaron a vibrar a baja frecuencia.

29. »Y todos los éteres vinieron a densificarse cada vez más, y todas las criaturas de estos planos empezaron a vestirse con trajes más groseros, los trajes de formas corpóreas que el hombre puede ver; y es así como apareció la manifestación más grosera que el hombre llama física.

30. »Y esto se llamó la caída del hombre. Pero el hombre no cayó solo, pues el protoplasma, la tierra, la planta y la bestia cayeron con él.

31. »Los ángeles y los querubines no cayeron; sus voluntades fueron siempre fuertes, de modo que mantuvieron los éteres de sus planos en armonía con Dios.

32. »Ahora bien, cuando los éteres llegaron a la vibración de la atmósfera y todas las criaturas de estos planos tuvieron que conseguir alimento de la atmósfera, el conflicto comenzó. Entonces lo que el hombre ha llamado la supervivencia del más fuerte llegó a ser una ley.

33. »El más fuerte se comió los cuerpos de las manifestaciones

más débiles; y de aquí procede la ley carnal de la evolución.

34. »Y ahora el hombre, con suprema desvergüenza, mata y come bestias, y la bestia consume la planta, y la planta prospera en la tierra, y la tierra absorbe el protoplasma.

35. »En el reino del alma esta evolución carnal no es conocida; y es trabajo formidable de las mentes maestras restaurar la herencia del hombre, traerlo de nuevo al estado que perdió, de modo que vuelva a vivir de los éteres de su plano nativo.

36. »Los pensamientos de Dios no cambian, las manifestaciones de vida de todos los planos tienden al perfeccionamiento de su clase. Y como los pensamientos de Dios nunca pueden morir, no hay muerte para ninguno de los seres de los siete éteres producidos por los siete Espíritus del Dios Trino y Uno.

37. »De ahí que la tierra nunca sea planta, que las bestias, las aves o los insectos nunca sean hombres y que los hombres no sean, no puedan ser, bestia, ave o insecto.

38. »El día vendrá en que todas estas manifestaciones sean absorbidas, y el hombre, la bestia, la planta, la tierra y el protoplasma sean redimidos».

39. Barata estaba asombrado de la sabiduría del sabio judío. Fue para él una revelación.

40. Ahora bien, Vidyapati, el más sabio de los sabios hindúes, jefe del templo de Kapavistu, oyó a Barata decir a Jesús lo que él pensaba acerca del origen del hombre y la respuesta del profeta hebreo. Dijo:

41. «Sacerdotes de Kapavistu, oídme hablar. En este momento estamos en la cresta del tiempo. Seis veces ha nacido un alma maestra para dar gloria y luz al hombre, y en este momento un maestro sabio está aquí en el templo de Kapavistu.

42. »Este profeta hebreo es la estrella del levante de la sabiduría, deificada. Nos trae el conocimiento de las cosas secretas de Dios, y todo el mundo oirá sus palabras, obedecerá sus palabras y glorificará su nombre.

43. »Vosotros, sacerdotes del templo de Kapavistu, atención. Estad tranquilos y escuchad cuando él hable. Es el oráculo viviente de Dios».

44. Y todos los sacerdotes dieron gracias y alabaron al Buda de la iluminación.

CAPÍTULO 33

Jesús enseña a las gentes al lado de un arroyo. Les dice cómo se adquiere la felicidad. Relata la parábola del terreno de roca y del tesoro oculto.

1. En el silencio de la meditación Jesús se sentó al lado de un arroyo. Era día de fiesta y muchos de la casta de los sirvientes estaban cerca.

2. Y Jesús vio las huellas duras que el trabajo angustiado había impreso en cada cara y en cada mano. Notó que no había expresión placentera en ninguna de esas caras, y que no hallaba ni uno solo en todo el grupo que pudiera pensar en cosa alguna excepto en el trabajo.

3. Y Jesús habló a uno y le preguntó: «¿Por qué estáis todos tristes? ¿No tenéis alguna felicidad en la vida?».

4. El hombre respondió: «Escasamente conocemos el significado de esa palabra. Trabajamos angustiosamente para poder vivir, nada esperamos sino trabajo duro, y bendecimos el día en que ya podremos cesar en nuestro amargo trabajo y acostarnos al descanso en la ciudad de los muertos de Buda».

5. Y el corazón de Jesús se conmovió en piedad y de amor para estas víctimas del trabajo, y dijo:

6. «El trabajo no debería entristecer a nadie. El hombre debería ser feliz cuando tiene trabajo. Cuando tras éste hay esperanza y amor, la vida toda se satura de goce y de paz, y esto es el cielo. ¿No sabéis por ventura que tal cielo es para vosotros?».

7. El hombre respondió: «Del cielo hemos oído. Pero está tan lejos... Y debemos vivir muchas vidas antes de alcanzarlo».

8. Y Jesús dijo: «Mi hermano hombre, tus pensamientos son erróneos, tu cielo no está lejos, ni es lugar de fronteras y medidas, ni es un país al que hay que llegar, sino que es un estado mental.

9. »Dios nunca hizo el cielo para el hombre, ni hizo jamás

un infierno. Nosotros somos creadores y hacemos los nuestros propios.

10. »Cesa pues de buscar cielos en el firmamento. Simplemente abre las ventanas de tu corazón y, como una inundación de luz, un cielo vendrá y traerá goce inenarrable, y el trabajo no será ya una tarea cruel».

11. Las gentes estaban asombradas y comenzaron a agruparse en grandes masas a oír lo que el extraño joven maestro decía.

12. Y le imploraban que les hablara más acerca del Dios Padre; de los cielos que los hombres podían hacer sobre la tierra y del goce inenarrable.

13. Y Jesús entonces les contó una parábola: «Cierto hombre poseía un terreno, cuyo suelo era duro y pobre.

14. »Con trabajo ímprobo y constante, apenas conseguía el alimento indispensable para que la familia no muriera de hambre.

15. »Un día acertó a pasar por allí un minero que podía ver bajo la superficie de la tierra, y contempló al hombre pobre y su terreno estéril.

16. »Llamó al desconocido trabajador y le dijo: "Hermano, ¿sabes por ventura que exactamente debajo de la superficie de tu terreno árido yacen ocultos ricos tesoros?

17. »Aras y siembras, y cosechas miserablemente; y día tras día pisas sobre una mina de oro y un depósito en piedras preciosas.

18. »Esta riqueza no está en la superficie. Pero si cavas profundamente la roca y penetras en lo hondo de la tierra, nunca más necesitarás arar estérilmente".

19. »El hombre le creyó. Se dijo a sí mismo: "El minero seguramente sabe, y encontraré los tesoros ocultos en mi terreno".

20. »Cavó la roca dura y penetró en lo hondo de la tierra y encontró una mina de oro».

21. Y Jesús dijo: «Los hijos de los hombres laboran duramente en llanuras desiertas, entre rocas y arenas ardientes, haciendo lo que sus padres hicieron sin poder imaginar que pueden hacer otras cosas.

22. »Mirad que el Maestro viene y les habla de tesoros ocultos que ningún hombre alcanza

a contar y que están escondidos bajo la densa roca de las cosas carnales.

23. »De que en el corazón abundan las más ricas joyas; de que todo el que tenga voluntad puede abrir la puerta y encontrarlas».

24. Y entonces las gentes dijeron: «Haznos conocer el camino para que podamos encontrar la riqueza que yace dentro del corazón».

25. Y Jesús abrió el camino; los obreros vieron que la vida tenía otros aspectos, y el trabajo se convirtió en goce.

CAPÍTULO 34

El jubileo de Kapavistu. Jesús enseña en la plaza y las gentes se asombran. Relata la parábola de la viña descuidada y de la viña cuidada. Los sacerdotes se enojan por sus palabras.

1. Era un día de gala en la sagrada Kapavistu; una romería de devotos budistas se había congregado para celebrar el jubileo.

2. Los sacerdotes y los maestros de todas partes de la India estaban allí. Enseñaban, pero embellecían su escasa verdad con muchas palabras.

3. Y Jesús fue a la antigua plaza del mercado y allí enseñó; habló del Padre-Madre-Dios y de la fraternidad de la vida.

4. Los sacerdotes y todas las gentes se asombraban de sus palabras y decían: «¿No será Buda que ha vuelto otra vez en la carne? Nadie más puede hablar con tanta sencillez y con tanto poder».

5. Y Jesús narró una parábola: «Hubo una vez un viñedo descuidado; las viñas eran altas, las hojas enormes y las ramas largas.

6. »Las hojas eran tan anchas que obstruían el paso del sol, y las uvas eran amargas, escasas y pequeñas.

7. »El podador llegó y con una cuchilla bien afilada cortó todas las ramas y no dejó ni una hoja. Sólo la raíz y el tallo quedaron, nada más.

8. »Los vecinos entrometidos llegaron en tropel, se escandalizaron y le dijeron al podador: "Hombre tonto, has arruinado la viña.

9. »¡Qué desolación! No le ha quedado belleza alguna y cuando venga la cosecha los cosechadores la encontrarán desnuda de fruto".

10. »El podador dijo: "Contentaos con lo que pensáis. Id, regresad a la cosecha y ved".

11. »Y cuando llegó la época de la cosecha los vecinos entrometidos llegaron y se quedaron sorprendidos.

12. »Los tallos desnudos habían producido nuevas ramas y hojas y había grandes racimos de uvas deliciosas que doblaban todas las ramas hasta el suelo.

13. »Y los cosechadores se regocijaban al acarrear día tras día la rica cosecha a la prensa.

14. »Mirad la viña del Señor. La tierra está cubierta de sarmientos humanos.

15. »Los ritos, las formas pomposas y las ceremonias son ramas, y las palabras de los hombres son hojas; unas y otras han crecido tanto que el sol ya no puede penetrar hasta el corazón, y el resultado es que ya no hay fruto.

16. »Mirad que viene el podador y con cuchilla de dos filos corta y arroja las ramas y las hojas de palabras.

17. »Y nada queda sino los troncos desnudos de la vida humana.

18. »Los sacerdotes y los de pomposa apariencia reprenden al podador y le impedirían su trabajo.

19. »No ven belleza alguna en los troncos de la vida humana; no ven promesa de fructificación.

20. »El tiempo de la cosecha vendrá y los que han despreciado al podador observarán otra vez y se asombrarán porque verán los troncos humanos que aparecían tan sin vida doblados hasta el suelo con frutas preciosas.

21. »Y oirán el goce del cosechador porque la cosecha es grande».

22. Los sacerdotes estuvieron muy descontentos con las palabras de Jesús, pero no le reprimieron porque temían a la multitud.

CAPÍTULO 35

Jesús y Vidyapati consideran las necesidades de la era del mundo que comienza.

1. El sabio indio y Jesús se reunían con frecuencia y hablaban acerca de las necesidades de las naciones y de los hombres; acerca de las doctrinas sagradas, de las formas y de los ritos mejor adaptados a la edad que comenzaba.

2. Un día, mientras estaban sentados juntos en la garganta de una montaña, Jesús dijo: «La era que comienza seguramente no requerirá sacerdotes, ni templos, ni sacrificios de vida.

3. »No hay poder en los sacrificios de bestias o aves que ayude al hombre a llevar una vida santa».

4. Y Vidyapati dijo: «Todas las formas y los ritos son símbolos de lo que el hombre debe hacer dentro del templo del alma.

5. »El Uno Santo requiere que el hombre dé su vida en sacrificio voluntario por los hombres, y todas las llamadas ofrendas en el altar y en el templo, hechas desde que el tiempo comenzó, se hicieron para enseñar al hombre a darse a sí mismo en servicio de su hermano hombre, pues el hombre no puede salvarse a sí mismo si no pierde su vida salvando a otros hombres.

6. »La era perfecta no requerirá formas, ni ritos, ni sacrificios carnales. La era que comienza no es la era perfecta. En ella los hombres necesitarán enseñanzas objetivas y ritos simbólicos.

7. »Y en la gran religión que tú vas a enseñar a los hombres, todavía se necesitarán ciertos ritos sencillos de lavados y conmemoraciones, pero ya los dioses no requerirán sacrificios de aves y animales».

8. Y Jesús dijo: «Nuestro Dios detesta la teatralidad de oropel de los sacerdotes y los asuntos sacerdotales.

9. »Cuando los hombres se engalanan con ropajes que llamen la atención para indicar que son sirvientes de los dioses, y se pavonean como si fueran pájaros brillantes para que los admiren los hombres, por razón de su piedad o por cualquier otra cosa, el Uno Santo debe seguramente

volverse de espaldas en profundo disgusto.

10. »Todas las gentes son igualmente sirvientes de nuestro Padre-Dios; son reyes y sacerdotes.

11. »¿No demandará la era que comienza la completa destrucción de la casta sacerdotal, tanto como la destrucción de toda casta y de toda desigualdad entre los hijos de los hombres?».

12. Y Vidyapati dijo: «La era que comienza no es la era de la vida espiritual sino de la vida intelectual. Los hombres se enorgullecerán de llevar vestidos sacerdotales y de entonar cantos religiosos que los anuncien como santos.

13. »Los ritos sencillos que tú les enseñes serán amplificados por los que te sigan hasta tal punto que el servicio religioso de esta era sobrepasará muchísimo en pomposidad y brillo al servicio religioso de la era brahmánica.

14. »Éste es un problema que los hombres tienen que solucionar.

15. »La era perfecta vendrá cuando todo hombre sea su propio sacerdote y los hombres no necesiten disfrazarse engalanándose con ropas especiales para anunciarse a sí mismos como piadosos».

SECCIÓN VII

ZAIN

Vida y obra de Jesús en el Tíbet y en la India Occidental

CAPÍTULO 36

Jesús en Lasa. Se encuentra con Meng-tse, quien le ayuda a leer los manuscritos antiguos. Va a Ladak. Cura a un niño. Relata la parábola del hijo del rey.

1. En Lasa del Tíbet había un templo de maestros, rico en manuscritos de antiguas tradiciones.

2. El sabio indio había leído estos manuscritos y reveló a Jesús muchas de las enseñanzas escritas que contenían; pero Jesús quería leer por sí mismo.

3. Y Meng-tse, el sabio más grande del lejano Oriente, estaba en este templo del Tíbet.

4. Aunque el sendero a través de las alturas de Emodus era difícil, Jesús resolvió encaminarse hacia allí y lo hizo. Y Vidyapati le proveyó de un guía de su confianza.

5. Y Vidyapati mandó un mensaje a Meng-tse en el que le habló del sabio hebreo y le pidió que le recibieran bien los sacerdotes del templo.

6. Y después de muchos días y de grandes peligros, el guía y Jesús llegaron al templo de Lasa en el Tíbet.

7. Y Meng-tse abrió de par en par las puertas del templo y todos los sacerdotes y los maestros dieron la bienvenida al sabio hebreo.

8. Y Jesús tuvo acceso a todos los manuscritos secretos y, con la ayuda de Meng-tse, los leyó todos.

9. Y Meng-tse con frecuencia habló acerca de la edad que comenzaba y de los ritos sagrados más adaptables a la gente de esa edad.

10. En Lasa Jesús no enseñó. Cuando hubo concluido sus estudios en las escuelas del templo, emprendió viaje hacia Occidente. En muchos villorios se quedó algún tiempo y enseñó.

11. Finalmente llegó a la garganta y en la ciudad ladaka de Leh, fue recibido afectuosamente por los monjes, los comerciantes y los hombres del bajo rango.

12. Y en el monasterio moró y enseñó. Y entonces buscó las gentes ordinarias en la plaza del mercado, y allí enseñó.

13. No lejos de allí vivía una mujer cuyo hijo estaba mortalmente enfermo. Los médicos habían declarado que no había esperanza, que el niño iba a morir.

14. La mujer oyó decir que Jesús era un maestro enviado por Dios, y creyó que tenía el poder de curar a su hijo.

15. De modo que lo tomó en los brazos, corrió con gran prisa y pidió que le permitieran ver al hijo de Dios.

16. Cuando Jesús vio su fe, levantando los ojos al cielo dijo:

17. «Mi Padre Dios, deja que tu poder divino me sature y deja que el Santo Aliento llene plenamente a este niño para que él pueda vivir».

18. Y en presencia de la multitud puso la mano sobre el niño y dijo:

19. «Buena mujer, tú eres bienaventurada; tu fe ha salvado a tu hijo». Y el niño quedó sano.

20. Las gentes estaban asombradas y decían: «Seguramente éste es el Uno Santo que ha tomado forma corpórea, porque el hombre solo no puede quitar así una fiebre y salvar a un niño de la muerte».

21. Y muchos del pueblo llevaron a sus enfermos, y Jesús habló la palabra y los enfermos sanaron.

22. Entre los ladakas Jesús moró muchos días; les enseñó cómo orar, cómo borrar culpas y cómo hacer de la tierra un cielo de goce.

23. Las gentes le amaban por sus palabras y sus obras, y cuando

finalmente resolvió irse, se afligieron tanto como se aflige un niño cuando se va su madre.

24. Y por la mañana, al comenzar el viaje, las multitudes estuvieron allí a estrecharle la mano.

25. A ellos refirió una parábola diciendo: «Cierto rey de tal manera amaba a las gentes de su reino que envió a ellas a su hijo único con preciosos regalos.

26. »El hijo fue a todas partes y entregó los regalos con mano generosa.

27. »Pero existían sacerdotes que mangoneaban iglesias de dioses extraños, quienes se disgustaban de que el rey no hubiese hecho tales regalos por medio de ellos.

28. »Por esta razón, buscaron alguna causa para que toda la gente odiara al hijo y dijeron: "Estos regalos no son de valor sino falsificados".

29. »Entonces las gentes arrojaron las piedras preciosas y el oro y la plata en las calles, y cogieron al hijo y le golpearon, le escupieron y le arrojaron de entre ellos.

30. »El hijo no se resintió de los insultos y crueldades, sino que oró así: "Mi Padre-Dios, perdona a estas creaciones de tus manos, pues son simplemente esclavos que no saben lo que hacen".

31. »De modo que, mientras le golpeaban, él les repartía comida y los bendecía en amor sin límites.

32. »En ciertas ciudades el hijo fue recibido con goce, de modo que con gusto se hubiera quedado allí alegrando sus hogares, pero no le era dado establecerse, pues tenía que llevar regalos a cada cual en los vastos dominios del rey».

33. Y Jesús agregó: «Mi Padre-Dios es rey de toda la humanidad y me ha enviado con todos los regalos de su amor sin par y de su riqueza sin límite.

34. »Por lo mismo, a todas las gentes de todas las tierras tengo que llevarles estos regalos: esta agua y este pan de vida.

35. »Me voy. Pero nos encontraremos otra vez. Porque en mi patria hay sitio para todos. Yo prepararé un lugar para vosotros».

36. Y Jesús levantó las manos en bendición en silencio. Y luego se fue.

Capítulo 37

Le regalan a Jesús un camello. Se va a Lahore, donde mora con Ajainín, a quien enseña. La lección de los músicos andarines. Jesús continúa su viaje.

1. Una caravana de mercaderes estaba de viaje por el valle de Cachemira y se encontró con Jesús, que iba camino de Lahore, la tierra de los cinco ríos.

2. Los comerciantes habían oído al profeta hablar, habían visto los grandes trabajos que hizo en Leh y estaban felices de verle una vez más.

3. Y cuando supieron que viajaba a Lahore y que después de eso cruzaría a Sind, atravesaría Persia y avanzaría hacia Occidente y que no tenía bestia en que viajar...

4. Espontáneamente le regalaron un camello bien equipado y Jesús continuó la marcha en compañía de la caravana.

5. Y cuando llegó a Lahore, Ajainín y otros sacerdotes brahmánicos lo recibieron con deleite.

6. Ajainín fue el mismo sacerdote que bajó al sur, a Benarés, algunos meses antes y que visitó a Jesús por la noche y escuchó sus palabras.

7. Y Jesús fue el huésped de Ajainín, le enseñó muchas cosas y le reveló los secretos del arte curativo.

8. Le enseñó también cómo controlar a los espíritus del fuego, del aire, del agua y de la tierra, y le explicó la doctrina secreta del perdón y la purificación de los pecados.

9. Un día en que Ajainín estaba sentado con Jesús en el pórtico del templo, se detuvo en el patio una banda de músicos andarines, para cantar y tocar.

10. Su música era extraordinariamente rica y delicada, y Jesús dijo: «Entre las gentes de la más alta alcurnia de estas tierras no se oye música más dulce que la que nos han traído estos hijos de la selva.

11. »¿De dónde les viene este talento y este poder? En el corto espacio de una vida seguramente no puede adquirirse tal gracia en la voz, tal conocimiento de las leyes de la armonía y del tono.

12. »Los hombres los llaman prodigios. No hay prodigios.

Todo es producto de leyes naturales.

13. »Lo que ocurre es que estas gentes no son jóvenes. Mil años no son bastantes para darles expresión tan divina, pureza tal de voz y de tacto.

14. »Hace diez mil años estas gentes habían dominado ya la armonía. En días muy antiguos atravesaban los caminos populosos de la vida, y captaron entonces la melodía de las aves y tocaron en arpas de formas perfectas.

15. »Y han vuelto otra vez para aprender otras enseñanzas y notas variadas de diversas manifestaciones.

16. »Estas gentes andarinas forman parte de la orquesta del cielo y en el plano de las cosas perfectas los ángeles mismos se deleitarán de oírlos tocar y cantar».

17. Y Jesús enseñó a las gentes sencillas de Lahore, curó a sus enfermos y les mostró el camino de elevarse a mejores estadios por medio de ayudar a los demás.

SECCIÓN VIII

CHATH

Vida y obras de Jesús en Persia

CAPÍTULO 38

Jesús cruza Persia. Enseña y cura en muchos lugares. Tres sacerdotes magos le encuentran al acercarse a Persépolis. Los siete maestros se sientan durante siete días.

1. Veinticuatro años de edad tenía Jesús al entrar en Persia, camino hacia su casa.

2. En muchos caseríos, poblados y vecindarios se detuvo durante algún tiempo y enseñó y curó.

3. Los sacerdotes y las clases gobernantes no le dieron la bienvenida porque los censuraba por la crueldad que mostraban con las personas de rango bajo.

4. Las masas de las poblaciones le seguían.

5. Algunas veces los jefes se atrevieron a tratar de obstaculizarle el paso prohibiéndole enseñar y curar enfermos.

6. Con el tiempo llegó a Persépolis, la ciudad donde se enterraba a los reyes de Persia, la ciudad de los magos ilustrados: Hor, Lun y Mer, los tres sabios...

7. Que veinticuatro años antes habían visto la estrella de la promesa levantarse sobre Jerusalén y que habían viajado a Occidente para encontrar al rey recién nacido.

8. Y que fueron los primeros en honrar a Jesús como el gran maestro de la era y que le dieron regalos de oro, incienso y mirra.

9. Estos magos supieron, por las vías por las que los maestros siempre saben, que Jesús se acercaba a Persépolis, de modo que se vistieron y se fueron a encontrarle en el camino.

10. Y al encontrarse, una luz mucho más brillante que la luz del día los rodeó de modo tal que los hombres que vieron a los cuatro en pie en el camino declararon que estaban transfigurados y que más parecían dioses que hombres.

11. Y como Hor y Lun habían envejecido, Jesús los montó en su camello para el regreso a Persépolis, mientras que él y Mer los guiaban.

12. Y cuando llegaron al lugar de los magos, todos se regocijaron. Y Jesús les narró la historia emocionante de su vida, y Hor, Lun y Mer no hablaron, limitándose a mirar el cielo y a alabar a Dios en sus corazones.

13. Y en Persépolis estaban tres sabios del norte: Kaspar, Zara y Melzone. Kaspar era el más sabio maestro de la tierra de la magia. Estos tres estaban en los hogares de Hor, Lun y Mer cuando llegó Jesús.

14. Durante siete días estos siete no hablaron. Se sentaron en silencio en el salón del concejo en íntima comunión con la Hermandad. En silencio.

15. Buscaban la luz para obtener revelación y para obtener poder. Las leyes de la edad que comenzaba requerían toda la sabiduría de los maestros del mundo.

Capítulo 39

Jesús asiste a una fiesta en Persépolis. Habla el pueblo, analizando la filosofía de los magos. Explica el origen del mal. Pasa la noche en oración.

1. Se celebraba una fiesta en honor del Dios de los magos y muchos se habían reunido en Persépolis.

2. Y en el gran día de la fiesta el Gran Maestro de los magos dijo: «Dentro de este recinto sagrado hay libertad; todo el que quiera puede hablar».

3. Y Jesús, poniéndose en pie en medio de los concurrentes,

dijo: «Hermanos y hermanas, hijos de nuestro Padre-Dios.

4. »Altamente bienaventurados entre todos los hijos de los hombres de hoy sois vosotros porque tenéis un justo concepto del Uno Santo y del hombre.

5. »Vuestra pureza de vida y de adoración es agradable a Dios. Alabado sea vuestro maestro Zarathustra.

6. »Muy bien decís cuando declaráis que sólo hay un Dios de cuyo ser grandioso procedieron los siete espíritus que crearon el cielo y la tierra; y que estos grandes espíritus se manifiestan a los hijos de los hombres en el sol, la luna y las estrellas.

7. »Pero en vuestros libros sagrados vemos que dos de estos siete son de fortaleza superior, y que uno de ellos creó el bien y otro el mal.

8. »Os ruego, venerables maestros, decidme ¿cómo puede el mal nacer de aquello que es todo bueno?».

9. Entonces un mago se puso en pie y dijo: «Si me contestas, tu problema está solucionado.

10. »Todos conocemos como un hecho que el mal existe. Y todo lo que existe debe tener una causa. Si Dios, el Uno, no ha hecho el mal, debe de haber otro dios que lo hizo».

11. Y Jesús dijo: «Todo lo que Dios, el Uno, ha hecho es bueno y debe ser bueno ya que debe tener similitud a la Gran Causa primera, de modo que todos los siete espíritus deben ser buenos como ha de ser bueno todo lo que sale de su mano creadora.

12. »Ahora bien, todo lo creado tiene colores, tonos y formas suyos propios; pero ciertos tonos, aunque buenos y puros en sí, cuando se los mezcla producen tonos inarmónicos y discordantes.

13. »Y ciertas cosas, aunque buenas y puras, cuando se mezclan producen cosas discordantes, más todavía, cosas ponzoñosas que los hombres llaman cosas malas.

14. »De modo que el mal es la combinación inarmónica de colores, tonos o formas buenas en sí.

15. »Ahora bien, aunque el hombre no es sabio en todo, tiene libre voluntad propia, de modo que, poseyendo poder, lo usa para mezclar las cosas buenas de Dios de distintas maneras,

y diariamente produce así sonidos discordantes y cosas malas.

16. »Y en el instante en que se produce un tono o una forma, buena o mala, se convierte en ser viviente, demonio, duende o espíritu de naturaleza buena o mala.

17. »Es así como el hombre crea su demonio. Y una vez que lo crea, se asusta de él y huye. Entonces su demonio se envalentona, lo persigue y arroja en fuegos torturadores.

18. »Ahora bien, como tanto el demonio como los fuegos torturadores son creaciones del hombre, nadie puede apagar esos fuegos ni disipar ese demonio, sino quien los creó».

19. Y Jesús se apartó, y ningún mago respondió.

20. Y, alejándose de la multitud, se fue a un lugar secreto a orar.

Capítulo 40

Jesús enseña a los magos. Explica lo que es el Silencio y cómo entrar en él. Kaspar ensalza la sabiduría de Jesús. Jesús enseña en los bosques de Ciro.

1. Temprano por la mañana volvió Jesús a enseñar y curar. Y una luz inexplicable brillaba alrededor de él, como si un espíritu poderoso lo cobijara.

2. Un mago lo notó y en privado le pidió que le explicara de dónde procedía su sabiduría y cuál era el significado de la luz.

3. Y Jesús le respondió: «Hay algo que se llama el Silencio, en el cual el alma puede encontrar a su Dios. Allí es donde se encuentra la fuente de la sabiduría, y todo el que allí entra se sumerge en luz y se satura de poder, sabiduría y amor».

4. El mago dijo: «Háblame de este Silencio y de esta luz para que pueda ir y morar allí».

5. Y Jesús afirmó: «El silencio no es circunscrito; no es un lugar cerrado con murallas o cumbres de roca o custodiado por la espada de un hombre.

6. »Los hombres llevan consigo todo el tiempo este sagrado lugar donde pueden comulgar con Dios.

7. »Donde quiera que el hombre habite, en la cima de una montaña o en lo más profundo de un valle, en la agitación de los negocios o en la quietud del hogar, puede instantáneamente, en cualquier momento, abrir ampliamente la puerta y encontrar el Silencio, encontrar la Casa de Dios; ella está dentro del alma.

8. »Si el ruido de los negocios y las palabras y los pensamientos de los hombres nos perturban mucho, vámonos completamente solos a un valle o a la garganta de una montaña.

9. »Cuando la carga pesada de la vida nos presione duramente, es bueno salir a buscar un lugar de paz para orar y meditar.

10. »El Silencio es el reino del alma que no pueden ver los ojos humanos.

11. »Cuando entramos en el Silencio, formas fantásticas pueden revolotear ante la mente, pero todas ellas están subordinadas a la voluntad. El alma maestra puede hablar y ellas desaparecen.

12. »Si queréis encontrar este Silencio del alma, debéis prepararos a vosotros mismos para el camino. Nadie sino el que es puro de corazón puede entrar en él.

13. »Y debéis descartar toda tensión mental, toda angustia de los negocios, todos los miedos, todas las dudas y todos los pensamientos conturbados.

14. »Vuestra voluntad humana debe ser absorbida por la divina. Entonces llegáis a la conciencia de lo que es santidad.

15. »Entonces estáis dentro del lugar sagrado y ardiente, y veis, sobre el tabernáculo viviente, la llama del cirio del Señor.

16. »Y cuando lo veáis ardiendo allí, mirad profundamente dentro del templo de vuestro cerebro y veréis que vuestro cerebro está fulgurante.

17. »Y veréis que en cada célula, de la cabeza a los pies, hay cirios, todos en su puesto, simplemente esperando que los encienda la antorcha llameante de lo que llamamos amor.

18. »Y cuando ya veáis los cirios todos encendidos, observad

y veréis, con los ojos del alma, las aguas de la fuente de la sabiduría precipitándose. Y vosotros podréis verlas, y morar allí.

19. »Y entonces la cortina se rasgará y habréis entrado en el Santuario del Todo, donde descansa el Arca de Dios, cuya envoltura es la Sede de la Clemencia.

20. »Y no temáis entonces levantar la tapa sagrada; las Tablas de la Ley están ocultas en el Arca.

21. »Tomadlas pues y leedlas bien, porque ellas contienen todos los preceptos y mandamientos que los hombres pueden para siempre necesitar.

22. »Y allí en el Arca descansa la varita mágica de la profecía, esperando solamente que la tome vuestra mano. Ésa es la llave del significado oculto del presente, del pasado y del futuro.

23. »Y entonces notaréis que el maná, el alimento oculto de la vida, está allí, y que el que llegó a comerlo jamás morirá.

24. »El querubín ha guardado cuidadosamente esta caja del tesoro para toda alma, y todo el que tenga ya voluntad podrá entrar y encontrar allí el suyo».

25. Kaspar, que había estado oyendo al Maestro hebreo hablar, exclamó: «Mirad que la Sabiduría de los Dioses ha descendido a los hombres».

26. Y Jesús se fue, y en los bosques sagrados de Ciro, donde se reunían las multitudes, enseñó y curó a los enfermos.

CAPÍTULO 41

Jesús le preguntó a la fuente curativa; revela el hecho de que la fe es el factor potente en las curaciones, y muchos son curados por fe.

1. Cerca de Persépolis existía un manantial que las gentes llamaban la fuente curativa.

2. Y todos creían que en una cierta época del año su deidad descendía y daba virtud a las aguas de la fuente y que se curaban los enfermos que en ella se bañaban o lavaban.

3. Alrededor de la fuente había una multitud de gente esperando que el Uno Santo llegase y diese poder curativo a sus aguas.

4. Los ciegos, los cojos, los sordos, los mudos y los posesos estaban allí.

5. Y Jesús, en pie en medio de ellos, exclamó: «Mirad la fuente de vida. Estas aguas perecederas son honradas como la bendición especial de vuestro Dios.

6. »¿De dónde les viene su poder curativo? ¿Por qué es vuestro Dios tan parcial con sus regalos? ¿Por qué bendice este manantial hoy y mañana le retira su bendición?

7. »Un dios poderoso podría llenar de virtud estas aguas diariamente.

8. »Oídme vosotros los enfermos, los desconsolados, la virtud curativa de esta fuente no es un regalo de Dios.

9. »La fe es el poder curativo de cada gota de todas las aguas de este manantial.

10. »El que cree con todo su corazón que se va a curar lavándose en esta fuente se curará cuando se lave, y lo podrá hacer en cualquier momento.

11. »Sumérjanse ahora todos los que tengan fe en Dios y en sí mismos en estas aguas, y lávense».

12. Y muchos de la muchedumbre se echaron a la fuente cristalina y se curaron.

13. Entonces todos se precipitaron a la fuente en tropel y las gentes, inspiradas por la fe, disputaban para ser los primeros en lavarse, por temor a que la virtud del agua se agotase.

14. Y Jesús vio a una niña, débil, desfallecida y sin ayuda, que estaba esperando sentada sola más allá de la agitada multitud, sin que nadie la ayudase a entrar en la fuente.

15. Y Jesús dijo: «Mi pequeña, ¿por qué estás sentada esperando? ¿Por qué no te levantas para ir a la fuente y lavarte y curarte?».

16. La niña respondió: «No necesito apurarme. Las bienaventuranzas de mi Padre en el cielo no se miden por tazas, ni faltan nunca. Las virtudes de esas bienaventuranzas son las mismas eternamente.

17. »Cuando aquellos cuya fe es débil hayan terminado de lavarse con premura por miedo de que su fe se debilite, y se hayan curado, estas aguas serán exactamente tan poderosas como antes para mí.

18. »Entonces podré ir y quedarme mucho tiempo en las aguas benditas del manantial».

19. Y Jesús dijo: «¡Mirad un alma maestra! Vino al mundo a enseñar a los hombres el poder de la fe».

20. Entonces levantó a la niña y dijo: «¿Por qué esperas cosa alguna? El aire mismo que respiramos está lleno del bálsamo de vida. Aspira este bálsamo de vida con fe y cúrate».

21. La niña aspiró el bálsamo de vida con fe y se curó.

22. Las gentes estaban maravilladas de lo que oían y veían, y dijeron: «Este hombre verdaderamente debe de ser el Dios de la salud hecho carne».

23. Y Jesús dijo: «La fuente de la vida no es una charca de agua; es tan amplia como lo son los espacios de los cielos.

24. »Las aguas de esa fuente son amor; su poder es la fe y el que se sumerge en lo profundo de los manantiales de la vida con fe viviente puede lavar su culpabilidad, curarse y libertarse del pecado».

SECCIÓN IX

TETH

Vida y obras de Jesús en Asiria

CAPÍTULO 42

Jesús se despide de los magos y se va a Asiria. Enseña a los habitantes de Ur de Caldea. Conoce a Ashbina, con quien visita muchas ciudades y aldeas enseñando y curando a los enfermos.

1. Tras haber terminado su trabajo en Persia, Jesús reanudó el viaje hacia su tierra nativa. El sabio persa le acompañó hasta el Éufrates.

2. Entonces, con la promesa de volver a encontrarse en Egipto, la tierra de los maestros, le dijo adiós.

3. Kaspar regresó a su casa a la orilla del mar Caspio, y Jesús pronto estuvo en Caldea, cuna de Israel.

4. En Ur, donde Abraham nació, Jesús moró algún tiempo; cuando dijo a las gentes quién era y por qué había llegado, de cerca y de lejos se acercaron a hablar con él.

5. Él les dijo: «Todos nosotros somos familia. Hace dos mil años, nuestro padre Abraham vivió en Ur, adoró a Dios Uno y enseñó a las gentes en estos bosques sagrados.

6. »Y fue en gran medida bendecido; llegó a ser el padre de las poderosas huestes de Israel.

7. »Aunque han pasado tantos años desde que Abraham y Sara caminaron por aquí, todavía mora en Ur parte de su familia.

8. »Y en sus corazones todavía adoran al Dios de Abraham,

y la fe y la justicia son las rocas sobre las que construyen.

9. »Mirad esta tierra. Ya no es la tierra fecunda que Abraham tanto amó; ya las lluvias no la riegan como en los tiempos pasados; la viña ya no produce ahora y los higos se han secado.

10. »Pero esto no será para siempre; un tiempo vendrá en el que todos estos desiertos se regocijarán, las plantas florecerán, todas nuestras viñas se doblarán cargadas de frutos y los pastores otra vez se alegrarán».

11. Y Jesús les predicó el evangelio de buena voluntad y de paz en la tierra. Les habló de la hermandad de la vida y de los poderes innatos del hombre y del reino del alma.

12. Y mientras hablaba, Ashbina, el más grande sabio de Asiria, estaba ante él.

13. La gente conocía al sabio porque muchas veces les había hablado en los salones y en los bosques sagrados, de modo que se regocijaron al ver su faz.

14. Ashbina dijo: «Mis hombres de Caldea, oídme. Sois en gran medida bendecidos hoy, porque un profeta del Dios viviente ha venido a vosotros.

15. »Escuchad lo que os dice este Maestro, porque él os transmite las palabras que Dios le ha dado».

16. Y Jesús y el sabio recorrieron las aldeas y las ciudades de Caldea, así como las tierras que están entre el Tigris y el Éufrates.

17. Y Jesús curó a una multitud de gente que estaba enferma.

CAPÍTULO 43

Jesús y Ashbina visitan Babilonia y notan su desolación. Los dos maestros permanecen juntos siete días; luego Jesús vuelve a emprender camino a su casa. Llega a Nazaret. Su madre da una fiesta en su honor. Sus hermanos están disgustados. Jesús cuenta a su madre y a su tía la historia de sus viajes.

1. La arruinada Babilonia estaba cerca y Jesús y el sabio fueron a través de sus puertas y caminaron entre sus palacios destruidos.

2. Recorrieron las calles que vieron a Israel en humillante cautiverio.

3. Vieron el lugar en el que los hijos y las hijas de Judá colgaron sus arpas en los sauces y rehusaron cantar.

4. Contemplaron el sitio en el que Daniel y los jóvenes hebreos se pusieron en pie como testigos vivientes de su fe.

5. Entonces Jesús, levantando las manos, dijo: «Mirad la grandiosidad de los trabajos del hombre.

6. »El rey de Babilonia destruyó el templo del Señor en la vieja Jerusalén; quemó la ciudad santa, puso en cadenas a mi pueblo y a mis parientes, y los trajo aquí como esclavos.

7. »Pero llegó la hora de pagar por ello, porque todo lo que el hombre hace contra otro hombre el juez recto hace contra él.

8. »El sol de Babilonia se ha puesto; no se oirán más dentro de sus murallas los cantos de placer.

9. »Y toda clase de insectos y aves inmundas encontrarán sus moradas en estas ruinas».

10. Y en el templo Belus, Jesús y Ashbina se detuvieron en pensamiento silencioso.

11. Y entonces Jesús dijo: «He aquí este monumento de tontería y de vergüenza.

12. »El hombre trató de hacer temblar el trono mismo de Dios, trató de construir una torre que llegase al cielo, y he aquí que el propio lenguaje le fue arrebatado, porque en palabras altisonantes se vanaglorió de su poder.

13. »Y en estas alturas estuvo el infernal Baal, el dios hecho con manos humanas.

14. »Sobre aquel altar fueron quemados, en horrible sacrificio a Baal, aves, bestias, hombres e incluso niños.

15. »Mas ahora los sacerdotes sangrientos están muertos; las propias rocas se han estremecido de horror y han caído; el lugar está desolado».

16. Y en las llanuras de Shinar Jesús se quedó siete días más, y, con Ashbina, meditó largamente acerca de las necesidades del hombre y de cómo los sabios podían servir mejor a la edad que comenzaba.

17. Luego Jesús siguió su camino, y, después de muchos días, cruzó el Jordán y entró en su tierra nativa. Y enseguida buscó su hogar en Nazaret.

18. El corazón de su madre se inundó de gozo, e hizo una fiesta para él a la que invitó a todos sus parientes y amigos.

19. Pero a los hermanos de Jesús no les agradó que se prestaran tales atenciones a uno a quien ellos consideraban un mero aventurero, por lo que no acudieron a la fiesta.

20. Se rieron y ridiculizaron sus pretensiones; le llamaban indolente, ambicioso, vano, indigno buscador de fortuna, aventurero de la fama que, tras muchos años, regresa a la casa de su madre sin oro y sin ninguna otra riqueza.

21. Y Jesús llamó a un lado a su madre y a la hermana de su madre, Miriam, y les refirió su viaje por Oriente.

22. Les contó las enseñanzas que había aprendido y los trabajos que había hecho. A otros no les narró la historia de su vida.

SECCIÓN X

JOD

Capítulo 44

Jesús visita Grecia y es bien recibido por los atenienses. Conoce a Apolo. Habla a los maestros griegos en el anfiteatro. Su discurso.

1. La filosofía griega estaba llena de sabiduría y verdad, y Jesús anhelaba estudiar con los maestros en las escuelas de Grecia.

2. Por ello salió de su hogar en Nazaret, cruzó las colinas del Carmelo y en el puerto tomó un barco y llegó en breve a la capital griega.

3. Ya los atenienses habían oído hablar de él como maestro y filósofo, de modo que estuvieron contentos de recibirle para poder escuchar sus palabras de verdad.

4. Entre los maestros griegos había uno, Apolo, al que llamaban el Defensor del Oráculo y que era reconocido en muchos países como un gran sabio griego.

5. Apolo abrió para Jesús todas las puertas de la enseñanza griega y en el areópago le permitió oír a los más sabios maestros.

6. Pero Jesús les llevó una sabiduría más grande que la de ellos y se la enseñó.

7. En cierta ocasión, cuando Jesús estaba en pie en el Anfiteatro, Apolo le pidió que hablara. El Nazareno dijo:

8. «Maestros atenienses, escuchadme: en edades muy antiguas, hombres sabios en las leyes de la naturaleza buscaron y

encontraron el sitio en el que esta ciudad se levanta.

9. »Perfectamente bien sabéis que hay partes de la tierra en las que el gran corazón pulsante de la tierra lanza ondas etéreas hacia el cielo que se unen con los éteres de arriba.

10. »En las que brillan la luz espiritual y la comprensión, como las estrellas de la noche.

11. »De todas partes de la tierra no hay lugar alguno más sensible, más verdaderamente bendito espiritualmente que aquel en que Atenas se asienta.

12. »Verdaderamente, toda Grecia es bendita. Ninguna otra nación ha sido cuna de tan poderosa pléyade de hombres de pensamiento como los que adornan vuestros pergaminos.

13. »Una hueste de gigantes vigorosos de la filosofía, de la poesía, de la ciencia y del arte nacieron en el suelo de Grecia y arrullaron a la humanidad en su cuna de pensamiento puro.

14. »No he venido aquí a hablaros de ciencia, de filosofía o de arte, en los que sois los maestros más formidables del mundo.

15. »Pero todas esas conquistas no son sino peldaños hacia los mundos que se hallan fuera del plano de los cinco sentidos; no son sino sombras fantásticas que danzan en las murallas del tiempo.

16. »He venido a hablaros de una vida imperecedera.

17. »En la ciencia y en la filosofía no existe poder suficientemente grandioso que permita al ego reconocerse a sí mismo o comulgar con Dios.

18. »No vengo a detener la corriente de los grandes raudales del pensamiento, sino a encauzarla por los canales del alma.

19. »Sin el auxilio del aliento del espíritu, el trabajo del intelecto tiende a solucionar los problemas de las cosas que vemos y nada más.

20. »Los sentidos fueron hechos para dar a la mente simplemente pinturas de las cosas aparentes; no pueden operar con las cosas reales, no pueden comprender la ley eterna.

21. »Pero el hombre tiene algo en su alma, un algo que rasgará el velo, para permitirle ver ese mundo de realidades.

22. »A ese algo lo llamamos conciencia espiritual. Ese algo duerme en toda alma, donde no puede ser despertado sino cuando el Santo Aliento llega a ser huésped de honor.

23. »Este Santo Aliento golpea a la puerta de toda alma, pero no le es permitido entrar sino cuando la voluntad del hombre le abre de par en par las puertas.

24. »En el intelecto no hay ningún poder que pueda hacer girar esa llave. Ambas, la filosofía y la ciencia, han trabajado arduamente para conseguir siquiera un vislumbre de lo que ocurre tras el velo, pero no lo han conseguido.

25. »El resorte secreto que abre de par en par las puertas del alma no se alcanza a tocar por otro medio que el de pureza en la vida, la oración y el pensamiento santo.

26. »Vuelve, oh místico arroyo del pensamiento griego, y une tus aguas cristalinas con la corriente de la vida del espíritu. Entonces la conciencia espiritual no dormirá ya más. Y el hombre se conocerá. Y Dios le bendecirá».

27. Y al terminar de hablar así, Jesús se fue. Los maestros griegos quedaron asombrados de la sabiduría de sus palabras, pero nada contestaron.

Capítulo 45

Jesús enseña a los maestros griegos. Va con Apolo a Delfos y oye al Oráculo hablar. El Oráculo da testimonio de Jesús. Mora con Apolo y es reconocido como el Oráculo Viviente de Dios. Explica a Apolo el fenómeno de que hable el Oráculo.

1. Durante muchos días los maestros griegos escucharon las palabras claras que Jesús hablaba y, si bien no comprendieron plenamente lo que les decía, estuvieron deleitados y aceptaron su filosofía.

2. Un día, mientras Jesús y Apolo caminaban por la playa, llegó un correo de Delfos con gran premura y dijo: «Apolo, maestro, ven; el Oráculo quiere hablar contigo».

3. Apolo dijo a Jesús: «Señor, si quisieras ver al Oráculo de

Delfos y oírle hablar, podrías acompañarme». Y Jesús le acompañó.

4. Los maestros fueron rápidamente y cuando llegaron a Delfos reinaba una gran agitación.

5. Y cuando Apolo se puso en pie delante del Oráculo, éste habló y dijo:

6. «Apolo, sabio de Grecia, la campana ha dado las doce, la media noche de las edades ha llegado.

7. »Dentro del útero de la naturaleza son concebidas las edades; tienen su gestación y nacen en gloria con el sol naciente, y cuando el sol de una edad se pone en el ocaso, la edad se desintegra y muere.

8. »La edad de Delfos ha sido una edad de gloria y de renombre. Los dioses han hablado a los hijos de los hombres por oráculos de madera, de oro o en piedras.

9. »El sol de Delfos se ha puesto en su ocaso; el Oráculo declina; se acerca el tiempo en el que los hombres ya no oirán más su voz.

10. »Los dioses hablarán a los hombres. El Oráculo Viviente está ahora dentro de los bosques sagrados; el Logos de la altura ha venido.

11. »De hoy en adelante mi sabiduría y mi poder disminuirán. De hoy en adelante la sabiduría y el poder de Enmanuel crecerán.

12. »Que se detengan todos los maestros; que toda criatura oiga y honre a Enmanuel».

13. Y el Oráculo no volvió a hablar en cuarenta días, y los sacerdotes y el pueblo estuvieron asombrados. Y ellos vinieron de cerca y de lejos a oír al Oráculo Viviente hablar durante cuarenta días sobre la sabiduría de los dioses.

14. Y Jesús y el sabio griego regresaron y en la casa de Apolo, el Oráculo viviente habló durante cuarenta días.

15. Un día, mientras los dos estaban sentados solos, Apolo dijo a Jesús: «Este Oráculo sagrado de Delfos ha dicho muchas palabras de ayuda para Grecia.

16. »Te ruego que me expliques qué es lo que habla, un ángel, un hombre o un dios vivo».

17. Y Jesús dijo: «Ni es ángel ni es dios quien habla. Es la sabiduría sin par de las mentes de los

maestros de Grecia, unidas en una sola mente maestra.

18. »Esta mente gigantesca se ha revestido a sí misma con las sustancias del alma, y piensa, oye y habla.

19. »Subsistirá como alma viviente mientras haya mentes maestras que la alimenten con pensamientos, con sabiduría, con fe y con esperanza.

20. »Pero cuando las mentes maestras de Grecia perezcan en esta tierra, esta mente maestra gigantesca cesará de existir. Entonces el Oráculo de Delfos no hablará más».

CAPÍTULO 46

Una tormenta en el mar. Jesús rescata a muchos que se ahogaban. Los atenienses oran a los ídolos. Jesús reprende su idolatría y expresa cómo es que Dios ayuda. Su última reunión con los griegos. Se embarca en el buque Marte.

1. Era un día de fiesta y Jesús caminaba por la playa de Atenas.

2. Una tormenta se había desatado y los barcos se mecían como juguetes sobre el seno del agitado mar.

3. Los marineros y los pescadores descendían a sus tumbas de agua; las playas estaban cubiertas de cadáveres.

4. Jesús no paraba, sino que con poder extraordinario rescataba a muchos que no podían auxiliarse a sí mismos, y con frecuencia devolvía la vida a los que parecían muertos.

5. En la playa había altares consagrados a los dioses que se suponía gobernaban los mares.

6. Y hombres y mujeres, desoyendo los gritos de los que se ahogaban, se apiñaban alrededor de los altares gritando a sus dioses que los auxiliasen.

7. Al fin cesó la tormenta, el mar entró en calma y los hombres, al tranquilizarse, pudieron volver a pensar. Entonces Jesús dijo:

8. «Decidme, vosotros adoradores de dioses de madera, ¿ha disminuido por ventura la furia de la tormenta debido a vuestro rezar enloquecido?

9. »¿Dónde está la fortaleza de estos dioses pobres, desgastados por el agua y por el viento, con espadas y coronas pintadas?

10. »Un dios que cabe en una casa tan pequeña y que difícilmente puede controlar una mosca frenética ¿cómo puede esperarse que controle al Señor a los vientos y las olas?

11. »Los poderes formidables del mundo invisible no prestan su ayuda sino cuando los hombres ya han dado de sí todo lo que pueden; sólo ayudan cuando el hombre ya no puede más.

12. »Y vosotros habéis agonizado orando en estas urnas, mientras dejabais perecer a los que con vuestro auxilio pudieron salvarse.

13. »El Dios que salva mora en vuestras almas, y se manifiesta en el uso de vuestros pies, de vuestras piernas, de vuestros brazos y vuestras manos.

14. »La fortaleza nunca se produce en la ociosidad, esperando que otro cargue nuestra carga o haga el trabajo que a nosotros nos toca hacer.

15. »Pero cuando llegamos al límite de cargar nuestra carga y de hacer nuestro trabajo, en ello hacemos un sacrificio que complace a Dios.

16. »Y entonces el Uno Santo respira profundamente en los carbones fulgurantes del sacrificio y los vuelve a avivar noblemente de modo tal que nuestras almas se llenan de luz, de fortaleza y de esperanza.

17. »La oración más eficiente que un hombre puede ofrecer a su Dios, de cualquier naturaleza que sea, es ayudar a quienes necesiten ayuda, porque lo que hacemos por otros el Uno Santo lo hace por nosotros.

18. »Y entonces Dios ayuda».

19. Tras haber terminado su trabajo en Grecia, Jesús se preparó para seguir hacia el sur, a Egipto. Y Apolo, junto con los más altos maestros de su tierra y con muchas personas de todas las clases, fueron a la playa a despedir al sabio hebreo. Entonces Jesús les dijo:

20. «El hijo del hombre ha estado en muchas tierras, ha visitado templos de multitud de dioses extraños, ha predicado doctrina de buena voluntad y paz en la tierra a muchas gentes, tribus y lenguas.

21. »Ha sido recibido favorablemente en multitud de hogares; pero, de todos ellos, Grecia ha sido el anfitrión regio.

22. »La amplitud del pensamiento griego, la profundidad de su filosofía, la altura de sus aspiraciones altruistas la han hecho merecedora de ser el campeón del derecho y de la libertad humanos.

23. »Los azares de la guerra han subyugado a Grecia por el hecho de que ella confió en la fortaleza de la carne, del hueso y del intelecto, olvidada de la vida espiritual que eslabona una nación a su fuente de poder.

24. »Pero Grecia no se sentará para siempre en la oscuridad de la tierra de sombras como vasalla de un rey extraño.

25. »Levantad vuestras cabezas, oh hombres de Grecia; vendrá un tiempo en el que Grecia respirará los éteres del Santo Aliento y será el resorte principal del poder espiritual de la tierra.

26. »Pero Dios tendrá que ser su escudo, su coraza y su torre de fortaleza».

27. Y entonces les dijo adiós. Apolo levantó las manos en bendición en silencio y la gente lloró.

28. El sabio hebreo salió del puerto griego en un barco cretense llamado *Marte*.

SECCIÓN XI

CAPTH

Vida y obras de Jesús en Egipto

CAPÍTULO 47

Jesús con Elías y Salomé en Egipto. Les refiere sus viajes. Elías y Salomé alaban a Dios. Jesús va al templo de Heliópolis y es recibido como discípulo.

1. Jesús llegó a la tierra de Egipto, y todo fue bien. No se quedó en la costa, sino que fue directamente a Zaon, residencia de Elías y Salomé, quienes veinticinco años antes habían enseñado a su madre en su escuela sagrada.

2. Y hubo goce al encontrarse los tres. Cuando el hijo de María vio por última vez los bosques sagrados, sólo era una criatura.

3. Ahora era un hombre fuerte, creció por obra de golpes rudos de toda clase; era un maestro que conmovía a las multitudes de muchas tierras.

4. Y Jesús refirió a los maestros, ya envejecidos, su vida, sus viajes por tierras lejanas, sus encuentros con los maestros y la clase de recepciones que le habían hecho las multitudes.

5. Elías y Salomé oyeron con deleite su narración, levantaron los ojos al cielo y dijeron:

6. «Padre-Dios nuestro, puedes ahora permitir que tus sirvientes se vayan en paz, pues ya han visto a la gloria del Señor.

7. »Y hemos hablado con Él, el mensajero del amor, y del convenio de paz en la tierra, de buena voluntad para los hombres.

8. »Por medio de Él serán bendecidas las naciones de la tierra; por medio de él, de Enmanuel».

9. Y Jesús se quedó muchos días en Zaon; y luego se fue a la ciudad del sol, a la que los hombres llaman Heliópolis. Allí solicitó admisión en el templo de la hermandad sagrada.

10. El consejo de la hermandad se reunió y Jesús se presentó ante el hierofante y respondió con claridad y poder todas las preguntas que le fueron hechas.

11. El hierofante entonces exclamó: «Gran maestro de maestros, ¿por qué has venido aquí? Tu sabiduría es la sabiduría de los dioses; ¿por qué la buscas en las salas de los hombres?».

12. Y Jesús dijo: «He de caminar todos los caminos de la vida de la tierra; he de sentarme en todos los salones de enseñanza; he de ganar las alturas que todo otro hombre ha logrado ganar.

13. »Tengo que enfrentarme con todos los sufrimientos que hombre alguno ha sufrido para que por experiencia pueda conocer todos sus pesares, todas sus desilusiones, todas las duras tentaciones de mi hermano hombre, a fin de que pueda socorrerle en sus necesidades.

14. »Os ruego pues, hermanos, que me dejéis ir a vuestras criptas lúgubres, que me dejéis pasar por las más duras de vuestras pruebas».

15. El Maestro dijo: «Tomadle entonces el juramento de la fraternidad secreta», y Jesús prestó el juramento de la fraternidad secreta.

16. Y el Maestro volvió a hablar y dijo: «Las alturas supremas son conquistadas por el que ha llegado a los abismos supremos. Tú llegarás a los fondos supremos».

17. Entonces el guía se lo llevó consigo y en la fuente se bañó Jesús, y cuando se vistió con el ropaje adecuado, volvió a presentarse ante el hierofante.

CAPÍTULO 48

Jesús recibe del hierofante su nombre y su número místico. Pasa la primera prueba de la fraternidad y recibe su primer grado: SINCERIDAD.

1. El maestro tomó de la pared un rollo de pergamino en el que estaban escritos el número y el nombre de cada atributo y carácter, y dijo:

2. «El círculo es el símbolo del hombre perfecto, y el siete es el número del hombre perfecto.

3. »Logos es la palabra perfecta, aquella que crea, aquella que destruye y aquella que salva.

4. »Este maestro hebreo es el Logos del Uno Santo, el Círculo de la raza humana, el siete del tiempo».

5. Y en el libro del archivo el escribiente anotó: «Logos-Círculo-Siete». Y así fue como Jesús fue conocido.

6. El maestro dijo: «El Logos prestará atención a lo que voy a decir: ningún hombre puede entrar a la luz hasta que se haya conocido a sí mismo. Si esto es así, anda y encuentra tu propia alma y luego regresa».

7. Y el guía condujo a Jesús a un cuarto cuya luz era suave, como la luz del comienzo de la aurora.

8. Las paredes de esta cámara estaban marcadas con signos místicos, con jeroglíficos y con textos sagrados; en esta cámara Jesús se encontró solo y debió permanecer en ella muchos días.

9. Y leyó los textos sagrados, meditó sobre el significado de los jeroglíficos y sopesó la importancia de la recomendación del Maestro de conocerse a sí mismo.

10. Y le vino una revelación, entró en comunión con su alma y se encontró a sí mismo, y entonces ya no estuvo solo.

11. Dormía y a la hora de la media noche una puerta que él no había descubierto se abrió y un sacerdote de traje sombrío entró y le dijo:

12. «Hermano mío, perdona que haya venido a esta hora inusitada, pues he venido a salvarte la vida.

13. »Eres la víctima de un cruel complot. Los sacerdotes de Heliópolis están celosos de tu

fama y han decidido que nunca salgas vivo de estas criptas lóbregas.

14. »Los altos sacerdotes no salen a enseñar al mundo, y tú estás condenado a la esclavitud del templo.

15. »Por lo mismo, si has de conquistar tu libertad, tienes que engañar a estos sacerdotes, tienes que decirles que has resuelto quedarte aquí toda la vida.

16. »Entonces, cuando hayas ganado todo lo que deseas ganar, regresaré y por una vía secreta te sacaré de aquí y podrás irte en paz».

17. Y Jesús dijo: «Hermano mío, ¿has venido a enseñarme el engaño? ¿Estoy dentro de estas santas murallas para aprender la bajeza de la vil hipocresía?

18. »No, hermano. Mi Padre desprecia el engaño y yo estoy aquí para hacer su voluntad.

19. »¡Engañar a estos sacerdotes! No, mientras el sol brille. Lo que he dicho dicho está. Seré sincero con ellos, con Dios y conmigo mismo».

20. Entonces el tentador le dejó y Jesús volvió a encontrarse solo; pero después de poco tiempo apareció un sacerdote vestido de blanco y le dijo:

21. «¡Bien hecho! El Logos ha triunfado. Ésta es la cámara de la prueba de la hipocresía». Y entonces le guió y Jesús se encontró ante el asiento del juicio.

22. Y todos los hermanos se pusieron en pie, el hierofante avanzó y colocó su mano en la cabeza de Jesús y en sus manos un rollo de pergamino en el que estaba escrita una única palabra: SINCERIDAD; y no se pronunció ni una sola palabra.

23. El guía volvió a aparecer y a conducirle; en una habitación espaciosa repleta de todo lo que un estudiante puede anhelar se rogó a Jesús que descansara y esperara.

Capítulo 49

Jesús pasa la segunda prueba de la fraternidad, y recibe el segundo grado: JUSTICIA.

1. El Logos no estuvo interesado en descansar, y se dijo: «¿Por qué esperar en esta habitación lujosa? Yo no necesito

descanso. El trabajo que mi Padre me ha encomendado me reclama premiosamente.

2. »Quiero ir y aprender todas mis enseñanzas. Si hay tribulaciones, que vengan, ya que cada victoria sobre mí mismo me da mayor fortaleza».

3. Y luego el guía le llevó a una cámara tan oscura como la noche y allí lo dejó solo; los días corrieron en profunda soledad.

4. Y Jesús se durmió; en el silencio de la noche se abrió una puerta secreta y por ella entraron dos hombres vestidos con trajes de sacerdotes, que llevaban en sus manos cada uno una lamparilla mortecina.

5. Y, acercándose a Jesús, uno habló y dijo: «Joven, nuestros corazones están apesadumbrados por lo que sufres en estas cavernas tenebrosas, por lo cual hemos venido como amigos a traerte luz y a mostrarte el camino de la libertad.

6. »Nosotros, como tú, en una ocasión fuimos encerrados en estas cavernas, creyendo que por estos medios espeluznantes y pavorosos podríamos adquirir bendiciones y poder.

7. »Pero en un momento afortunado nos desengañamos, y, haciendo uso de toda nuestra fortaleza, rompimos nuestras cadenas, y entonces aprendimos que todo este curso es corrupción disfrazada. Estos sacerdotes son criminales ocultos.

8. »Alardean de sus ritos de sacrificios; ofrecen unas pobres a ves y bestias a sus dioses, y las queman vivas; más aún, niños, mujeres y hombres.

9. »Y ahora te han aprisionado aquí y en cierto tiempo te ofrecerán en sacrificio.

10. »Te rogamos pues, hermano, que rompas las cadenas; ven, vámonos; acepta la libertad mientras puedes hacerlo».

11. Y Jesús dijo: «Vuestros candilitos muestran la luz que traéis. Os ruego que me digáis quiénes sois. Las palabras de un hombre no valen más de lo que ese hombre vale.

12. »Las paredes de este templo son fuertes y altas; ¿cómo lograsteis entrar pues a este lugar?».

13. Los hombres contestaron: «Bajo estas murallas hay pasillos secretos y, como hemos sido sacerdotes y hemos pasado meses

y años en estas cavernas, los conocemos todos».

14. «Entonces sois traidores», dijo Jesús. «Un traidor es una arpía; quien traiciona a otro hombre nunca es hombre en quien confiar.

15. »Si uno solamente ha alcanzado el plano de la deslealtad, es un amante del engaño y traicionará a cualquier amigo para sus finalidades egoístas.

16. »Daos cuenta, hombres o lo que seáis, de que vuestras palabras no impresionarán a mis oídos.

17. »¿Podría yo prejuzgar a estos centenares de sacerdotes, traicionarlos a ellos y a mí mismo, por razón de lo que decís, cuando estáis confesando vuestra deslealtad?

18. »Ningún hombre puede juzgar por mí, y si yo juzgo sin tener toda la información, toda la documentación, puedo no juzgar correctamente.

19. »No, hombres; volveos por donde habéis venido. Mi alma prefiere la oscuridad de la tumba a las lucecillas mortecinas como las que traéis.

20. »Mi conciencia gobierna. Lo que éstos, mis hermanos, desean decir lo oiré, y en cuanto tenga la información decidiré. Ni vosotros podéis juzgar por mí, ni yo por vosotros.

21. »Idos, hombres, idos y dejadme en esta luz encantadora porque, si bien aquí no brilla el sol, hay una luz que sobrepasa la del sol o la de la luna».

22. Entonces, con amenazas iracundas de hacerle daño, los tentadores se fueron y otra vez Jesús se encontró solo.

23. De nuevo apareció el sacerdote vestido de blanco y le guió, y Jesús se halló otra vez ante el hierofante.

24. Y no se dijo ni una sola palabra, pero en las manos de Jesús colocó el Maestro un rollo de pergamino en el que estaba escrita la palabra sugestiva: JUSTICIA.

25. Y Jesús fue considerado un dominador de las formas fantasmagóricas del prejuicio y de la deslealtad.

Capítulo 50

Jesús pasa la tercera prueba de la hermandad y recibe el tercer grado, el de la FE.

1. El Logos esperó siete días y entonces fue llevado a la Sala de la Fama, una cámara muy rica en mobiliario, alumbrada por lámparas de oro y plata.

2. Los techos, las paredes y los adornos estaban decorados en los colores azul y oro.

3. Las repisas estaban llenas de libros sagrados. Sus pinturas y sus estatuas eran obras de arte exquisitas.

4. Jesús se quedó maravillado ante aquella elegancia y aquellas creaciones del pensamiento. Leyó los libros sagrados y buscó el significado de los símbolos y los jeroglíficos.

5. Cuando estaba más absorto en su pensamiento, se acercó un sacerdote y le dijo:

6. «Mira la gloria de este lugar, hermano. Has sido bendecido en extremo, pues hay pocos hombres en la tierra que siendo tan jóvenes hayan alcanzado una fama tan grande.

7. »Ahora, en lugar de malgastar tu vida buscando misterios que los hombres jamás comprenderán, puedes llegar a ser el fundador de una escuela de pensamiento que te asegurará la fama para siempre...

8. »Pues tu filosofía es más profunda que la de Platón, y tus enseñanzas agradan al pueblo más que las de Sócrates.

9. »¿Por qué buscas la luz misteriosa en estas cavernas? Ve entre los hombres y ellos te honrarán.

10. »¿No has pensado que estas iniciaciones pueden ser sólo mitos?

11. »Renuncia a las cosas inciertas y elige el camino que puede conducirte a la fama».

12. El sacerdote terminó con sus cantos de sirena y Jesús meditó durante un tiempo lo que le acababa de decir.

13. El conflicto era derrotar al rey de la ambición.

14. Durante cuarenta días su ser superior luchó con el inferior y la batalla fue ganada.

15. La fe se alzó triunfante y la ambición desapareció. Jesús dijo:

16. «La riqueza, el honor y la fama de la tierra son como burbujas que apenas duran un instante.

17. »Cuando termine este corto espacio de vida en la tierra, esas burbujas reventarán y quedarán enterradas.

18. »Lo que el hombre hace para su provecho no es de ningún valor a la hora de juzgar el mérito de su vida.

19. »El bien que los hombres hacen a otros es la escalera por la que el alma puede ascender a la riqueza, el poder y la fama del Reino de Dios, que nunca muere.

20. »Dadme la pobreza de los hombres, la conciencia del deber cumplido con amor y la aprobación de mi Dios y estaré satisfecho».

21. Luego levantó la mirada al cielo y dijo:

22. «Padre mío, te doy las gracias por este momento. No pido que me des tu gloria. Me conformo con poder guardar las puertas de tu templo y servir a mis hermanos los hombres».

23. Jesús fue llamado de nuevo en presencia del hierofante. Tampoco esta vez se dijo nada, pero el Maestro puso en sus manos un pergamino en el que estaba escrita la palabra FE.

24. Jesús inclinó la cabeza en humilde agradecimiento y salió.

Capítulo 51

Jesús pasa la cuarta prueba de la fraternidad y recibe el cuarto grado: FILANTROPÍA.

1. Cuando hubieron pasado ciertos días, el guía condujo a Jesús a la Sala de la Alegría, un salón amueblado con mucha riqueza y repleto de todo lo que el corazón carnal puede desear.

2. Sobre las mesas estaban las viandas más escogidas y los vinos más deliciosos; doncellas en trajes festivos servían todo con gracia y con alegría.

3. Y allí había hombres y mujeres ricamente vestidos, locos de goce, saboreando todas las copas de alegría.

4. Y Jesús durante algún tiempo observó en silencio a la multitud feliz, y entonces se le acercó un hombre con apariencias

de sabio y le dijo: «Feliz el hombre que, como la abeja, puede recoger la dulzura de cada flor.

5. »Sabio es aquel que busca el placer y que puede encontrarlo en todo lugar.

6. »El espacio de una vida sobre la tierra es corto, al fin del cual se muere y se va, sin saber adonde.

7. »Siendo así, comamos, bebamos, bailemos, cantemos y recojamos todos los goces de la vida, que la muerte viene presto.

8. »Es tonto desperdiciar la vida por otros hombres. Mira como todos mueren, y se acuestan juntos en la tumba, en la que nadie puede saber y nadie puede expresar su gratitud».

9. Pero Jesús no respondió, sino que observó en silencio a los huéspedes vestidos de oropel en sus movimientos circulares de alegría.

10. Y entonces entre los concurrentes vio a un hombre vestido con ropas burdas, que mostraba en la cara y en las manos las líneas del trabajo y la necesidad.

11. La multitud frívola encontraba placer en afrentarle, en empujarle contra la pared, y se reía de su desconcierto.

12. Y entró entonces una pobre y débil mujer que mostraba en la cara y en las formas la huella del pecado y de la vergüenza; y sin piedad le escupían, la escarnecían y la arrojaban del salón.

13. Y entró una niña de ademán tímido y de aspecto hambriento y pidió que le dieran un poco de alimento.

14. Pero fue arrojada, desamparada y sin amor, y la danza alegre prosiguió.

15. Y cuando los buscadores del placer volvieron a urgir a Jesús para que se les uniera en su alegría, él dijo:

16. «¿Cómo puedo buscar placer para mí cuando otros están en necesidad? ¿Cómo podéis pensar que mientras los niños lloran de hambre, mientras aquéllos en guaridas de pecado claman por compasión y amor, pueda yo llenarme hasta la saciedad con las cosas buenas de la vida?

17. »Yo os digo que no; todos somos parientes, cada cual es parte del gran corazón humano.

18. »No puedo contemplarme separado de aquel pobre hombre que vosotros de tal manera habéis despreciado y estrellado contra la pared.

19. »Ni de aquélla con ropas de mujer que vino de las guaridas del vicio pidiendo compasión y amor y que fue tan brutalmente empujada por vosotros otra vez, a su antro de pecado.

20. »Ni de la niña que arrojasteis de en medio de vosotros a sufrir el viento frío de la noche.

21. »Yo os digo, hombres, que lo que vosotros habéis hecho a ellos, que son mi familia, me lo habéis hecho a mí.

22. »Me habéis insultado en vuestra propia casa; y no puedo quedarme. Me voy a encontrar a esa niña, a esa mujer y a ese hombre, y a ayudarlos hasta que la última gota de mi sangre se haya agotado.

23. »Llamo placer a ayudar a los desvalidos, alimentar a los hambrientos, vestir a los desnudos, curar a los enfermos, pronunciar palabras de alegría a los que carecen de amor, a los descorazonados y a los deprimidos.

24. »Y lo que vosotros llamáis alegría no es sino un fantasma de la noche, llamaradas de fuego de la pasión que dibuja cuadros en las paredes del tiempo».

25. Y mientras el Logos hablaba, el sacerdote vestido de blanco entró y le dijo: «El consejo te espera».

26. Y otra vez se presentó Jesús ante el tribunal; y otra vez no se dijo ni una sola palabra, y el hierofante colocó en sus manos un rollo de papiro en el que estaba escrita la palabra: FILANTROPÍA.

CAPÍTULO 52

Jesús pasa cuarenta días en los bosques del templo. Supera la quinta prueba de la hermandad y recibe el quinto grado: HEROÍSMO.

1. Los bosques del templo eran ricos en estatuas, monumentos y altares; a Jesús le gustaba caminar y meditar por ellos.

2. Y después de conquistar el egoísmo, en estos bosques habló con la naturaleza durante cuarenta días.

3. Y luego el guía tomó unas cadenas, lo encadenó de pies y

manos, y lo arrojó en un antro de bestias hambrientas, de aves inmundas y de seres que se arrastraban.

4. El antro era tan oscuro como la noche; las bestias salvajes aullaban, las aves en furia chillaban, los reptiles silbaban.

5. Y Jesús preguntó: «¿Quién fue el que así me encadenó? ¿Por qué mansamente permití que me aherrojaran con cadenas?

6. »Yo os digo que nadie tiene el poder de aherrojar el alma humana. ¿De qué están hechos los grilletes?».

7. Y en su poder se levantó, y lo que él había pensado que eran cadenas resultaron ser cuerdas sin valor que se rompían a su contacto.

8. Y entonces se rió y dijo: «Las cadenas que atan a los hombres a los esqueletos de la tierra son forjadas en el taller de la fantasía; son hechas de aire, soldadas por los fuegos de la ilusión.

9. »Si el hombre se pusiera en pie, derecho, y usara el poder de su voluntad, sus cadenas caerían como harapos despreciables, porque la voluntad y la fe son más fuertes que las cadenas más pesadas que los hombres pueden forjar».

10. Y Jesús se puso en pie, derecho, en medio de las bestias hambrientas y de las aves, y dijo: «¿Qué es esta oscuridad que me envuelve?

11. »Oscuridad no es sino ausencia de luz. ¿Y qué es luz? No es sino la respiración de Dios vibrando en ritmo de pensamiento rápido».

12. Y luego dijo: «Hágase la luz». Y con una voluntad poderosa conmovió los éteres hacia arriba, y su vibración llegó a ser tal que alcanzó el plano de luz; y la luz se hizo.

13. La oscuridad de aquel antro como la noche se convirtió en la brillantez de un día que nace.

14. Y entonces tornó a ver las bestias, las aves y los seres que se arrastran; y resultó que no existían.

15. Y Jesús dijo: «¿De qué tienen miedo las almas? El miedo es el carruaje en el que el hombre se conduce a sí mismo a la muerte.

16. »Y cuando encuentra que está en la cámara de la muerte, llega a saber que ha sido engañado;

su carruaje es un mito, y la muerte es hija de la fantasía.

17. »Pero un día todo hombre aprenderá la lección, y del antro de lo impuro, de las bestias, aves y seres que se arrastran, él se levantará para caminar en la luz».

18. Y Jesús vio una escalera de oro y por ella ascendió. Arriba, el sacerdote vestido de blanco lo esperaba.

19. Y otra vez estuvo en pie ante el tribunal del consejo; y otra vez no se dijo ni una sola palabra; y otra vez el hierofante levantó la mano para bendecirlo.

20. Y colocó en la mano de Jesús otro rollo de pergamino, en el que estaba escrito: HEROÍSMO.

CAPÍTULO 53

Jesús pasa la sexta prueba de la hermandad y recibe el sexto grado: AMOR DIVINO.

1. En toda la tierra no había lugar más suntuosamente amueblado que los Salones de la Belleza del templo del sol.

2. Muy pocos estudiantes habían entrado jamás en estos ricos aposentos; los sacerdotes los miraban con sobrecogimiento y los llamaban los Salones de los Misterios.

3. Cuando Jesús triunfó del miedo, conquistó el derecho a entrar en ellos.

4. El guía le condujo y, después de pasar por muchos salones ricamente amueblados, llegaron al Salón de la Armonía, y allí dejó solo a Jesús.

5. Entre los instrumentos musicales había un clavicordio. Jesús se sentó pensativo mientras, quedamente, una doncella de belleza arrebatadora entró en el salón.

6. Pareció no darse cuenta de la presencia de Jesús, quien estaba profundamente abstraído en sus pensamientos.

7. Ella se sentó al clavicordio y, tocando las cuerdas con suma suavidad, entonó los cantos de Israel.

8. Jesús se quedó fascinado; nunca había visto semejante belleza, nunca había oído semejante música.

9. La doncella entonó sus cantos; parecía no saber que

persona alguna estuviera cerca. Luego se fue.

10. Y Jesús, hablando consigo mismo, dijo: «¿Cuál es el significado de este incidente? Yo no sabía que tal belleza fascinadora y tal encanto como de reina podían encontrarse entre los hijos de los hombres.

11. »Yo no sabía que la voz de un ángel haya adornado jamás una forma humana, o que la música de los serafines se haya expresado jamás por labios humanos».

12. Durante días se sentó arrobado; la corriente de sus pensamientos había cambiado; no pensaba en nada sino en la cantora y en sus cantos.

13. Anhelaba verla una vez más. Después de varios días ella volvió; le habló y colocó su mano sobre la cabeza de él.

14. Su contacto le estremeció el alma y, durante un momento, olvidó el trabajo que había sido enviado a hacer.

15. Pocas fueron las palabras que la doncella habló. Luego se fue. Pero el corazón de Jesús había sido tocado.

16. La llama del amor había prendido en su alma, y se encontró frente a frente con la prueba más dolorosa de su vida.

17. No podía ni dormir ni comer. El pensamiento de la doncella había llegado y no se iría. Su naturaleza carnal clamaba a gritos por la compañera.

18. Y entonces dijo: «He conquistado a todo enemigo que me he encontrado; ¿seré ahora conquistado por este amor carnal?

19. »Mi Padre me envío aquí para que muestre el poder del amor divino, de ese amor que alcanza a todo ser viviente.

20. »¿Va a ser absorbido este amor puro, universal, por el amor carnal? ¿Olvidaré a todas las demás criaturas y perderé mi vida por esta hermosa doncella, aunque ella sea el tipo supremo de la pureza y el amor?».

21. Su alma se estremeció en lo más profundo, y durante un tiempo luchó con ese ángel ídolo de su corazón.

22. Pero cuando la jornada estuvo casi totalmente perdida, su ser superior se levantó con poder y se encontró a sí mismo otra vez. Entonces dijo:

23. «Aunque mi corazón se rompa en pedazos no fracasaré

en ésta, mi más dura prueba. Triunfaré sobre el amor carnal».

24. Y cuando la doncella llegó otra vez y le ofreció su mano y su corazón, él dijo:

25. «Hermosa, tu misma presencia me estremece con delicias; tu voz es una bendición para mi alma; mi ego humano ansía volar hacia ti; estaría muy contento con tu amor.

26. »Pero el mundo tiene hambre de un amor que yo he venido a manifestar.

27.»Tengo pues que dejarte ir. Pero nos encontraremos otra vez. Nuestros caminos en la tierra no se separarán.

28. »Te veré entre las multitudes atropelladas de la tierra como ministro del amor. Oigo tu voz que, cantando, gana los corazones de los hombres hacia cosas mejores».

29. Y entonces, triste y llorando, la doncella se fue, y Jesús quedó otra vez solo.

30. Y en ese instante, las grandes campanas del templo repicaron; los cantores entonaron un nuevo, novísimo canto, y la gruta resplandeció con luz.

31. El hierofante mismo apareció, y dijo: «Salud a todos. Salve al Logos triunfante. El conquistador del amor carnal está en pie en las alturas».

32. Y entonces colocó en las manos de Jesús un rollo de pergamino en el que estaba escrito: AMOR DIVINO.

33. Juntos se marcharon de la gruta de la belleza, y en el salón de los banquetes se celebró una fiesta, de la que fue Jesús el huésped de honor.

CAPÍTULO 54

Jesús llega a ser el discípulo privado del hierofante y se le enseñan los misterios de Egipto. Tras pasar la séptima prueba, trabaja en la cámara de la muerte.

1. Ahora se abrió para él el curso superior de estudio, y Jesús pasó a ser discípulo privado del hierofante.

2. Aprendió los secretos de la ciencia mística de la tierra de Egipto, los misterios de la vida y de la muerte y los mundos más allá del círculo del sol.

3. Cuando hubo concluido todos los estudios del curso

superior, fue a la cámara de la muerte, para aprender los métodos antiguos de conservar de la decadencia los cuerpos de los muertos, y allí trabajó.

4. Y los acarreadores llevaron el cuerpo del hijo único de una viuda, para que fuera embalsamado; la madre le seguía de cerca llorando; su pesar era grande.

5. Y Jesús dijo: «Buena mujer, seca tus lágrimas; no estás siguiendo sino una caja vacía; tu hijo no está en ella.

6. »Lloras porque tu hijo ha muerto. Muerte es una palabra cruel, y tu hijo nunca puede morir.

7. »Tuvo una tarea que hacer en forma corpórea; vino, la hizo y luego dejó a un lado la carne; no la necesitaba más.

8. »Más allá de lo que tu ojo humano puede ver, tiene otro trabajo que hacer, y lo hará bien, y después pasará a otras tareas y, a su tiempo, adquirirá la corona de la vida perfecta.

9. »Y lo que tu hijo ha hecho, y lo que tú también tienes todavía que hacer, todos nosotros tendremos que hacerlo.

10. »Ahora bien, si tú albergas pesares y das rienda suelta a tus tristezas, ellas crecerán cada día más grandes. Absorberán tu vida hasta que al final no serás nada sino pesares humedecidos con lágrimas amargas.

11. »En lugar de ayudarlo, con tu dolor profundo estás apesadumbrando a tu hijo. Él busca tu solaz como siempre lo ha buscado; está contento cuando tu estás contenta; está triste cuando estás triste.

12. »Entierra pues tus aflicciones, sonríe al pesar y serénate a ti misma ayudando a secar las lágrimas de los demás.

13. »Al cumplir un deber conquistamos felicidad y goce; la alegría tonifica los corazones de los que se han ido».

14. La madre se fue entonces a buscar felicidad ayudando a otros, a enterrar hondamente sus pesares en un ministerio de goce.

15. Y otros acarreadores entraron llevando el cuerpo de una madre a la cámara de la muerte; sólo una doliente la seguía; una niña de tiernos años.

16. Y al acercarse el cortejo a la puerta, la niña vio un pájaro herido que estaba en gran sufrimiento, ya que un cazador

cruel le había traspasado el pecho.

17. Y la niña dejó a la muerte y se fue a auxiliar al pájaro vivo.

18. Con amor y ternura estrechó contra su seno el pájaro herido; luego corrió a ocupar su lugar.

19. Y Jesús le preguntó: «¿Por qué dejas a tu muerta para salvar un pájaro herido?».

20. La niña contestó. «Este cuerpo sin vida ya no requiere de mi ayuda; pero sí puedo ayudar a los que todavía tienen vida. Mi madre así me lo enseñó.

21. »Mi madre me enseñó que el pesar y el amor egoísta, así como las esperanzas y los miedos no son sino reflejos del ego inferior.

22. »Que lo que percibimos en sensación no son sino pequeñas olas de la marejada de la vida.

23. »Las cuales pasarán porque no son reales.

24. »Las lágrimas proceden de corazones carnales; el espíritu nunca llora, y yo ansío el día en que caminaré en la luz, después de que se hayan secado todas mis lágrimas.

25. »Mi madre me enseñó que todas las emociones son asperges que proceden de amores, esperanzas y miedos humanos; que la verdadera rectitud no puede ser nuestra hasta que las hayamos controlado».

26. Y en la presencia de esta niña Jesús inclinó reverente la cabeza y dijo:

27. «Durante días, meses y años he buscado dónde aprender la más alta verdad que el hombre puede aprender en la tierra, y he aquí que una niña recién salida de la tierra me la ha dicho toda en cortas palabras.

28. »No me maravilla pues que David haya dicho: "Oh Señor, nuestro Señor, cuán excelente es tu nombre en toda la tierra".

29. »En las bocas de los niños y de los que aún maman has manifestado tu poder».

30. Y entonces colocó la mano sobre la cabeza de la niña y dijo: «Estoy seguro de que las bendiciones de mi Padre-Dios descansarán sobre ti, niñita, por siempre».

CAPÍTULO 55

Jesús pasa la séptima prueba de la hermandad, y en el salón morado del templo recibe el séptimo, el supremo grado, EL CRISTO. Abandona el templo triunfante.

1. El trabajo de Jesús en la cámara de la muerte había terminado, y en el salón morado del templo se presentó en pie ante el hierofante.

2. Jesús estaba vestido con ropas moradas y todos los hermanos estaban en pie. El hierofante se levantó y dijo:

3. «Éste es un día regio para todas las huestes de Israel. En honor de su hijo escogido celebramos la Gran Fiesta de Pascua».

4. Y entonces dijo a Jesús: «Hermano hombre, el más excelente de los hombres, en todas las pruebas del templo has salido triunfador.

5. »Seis veces has sido juzgado ante el tribunal de lo recto; seis veces has recibido los más altos honores que el hombre puede dar; y ahora estás preparado para recibir el último grado.

6. »Sobre tu frente coloco esta diadema, y en el Gran Alojamiento de los cielos y de la tierra tú eres EL CRISTO.

7. »Éste es tu gran rito de Pascua. Ya no eres un neófito, sino una Mente Maestra.

8. »Ahora, el hombre no puede hacer más; pero Dios mismo hablará y confirmará tu título y tu grado.

9. »Sigue tu camino porque debes enseñar el evangelio (la doctrina) de buena voluntad hacia los hombres y de paz en la tierra; deberás abrir las puertas de la prisión y libertar a los cautivos».

10. Y mientras el hierofante todavía hablaba, las campanas del templo repicaron; una paloma pura, blanca, descendió y se posó en la cabeza de Jesús.

11. Y entonces una voz que hizo temblar el templo dijo: «ESTE ES EL CRISTO», y toda criatura viviente dijo: «AMÉN».

12. Las grandes puertas del templo se abrieron de par en par y el Logos, triunfante, reanudó su camino.

SECCIÓN XII

LAHED

El consejo de los siete sabios del mundo

Capítulo 56

Los siete sabios del mundo se reúnen en Alejandría. Objetivo de la reunión. Los discursos de apertura.

1. En cada edad, desde que el tiempo comenzó, han vivido siete sabios.

2. Al principio de cada edad estos sabios se reúnen para revisar el curso de las naciones, de los pueblos, de las tribus y de las lenguas.

3. Para saber cuán lejos ha ido la raza humana hacia la justicia, el amor y la rectitud.

4. Para formular el código de leyes, postulados religiosos y planes de gobierno que mejor encuadren a la edad que comienza.

5. Una edad había pasado, y he aquí que otra había comenzado; los sabios tenían que reunirse.

6. En ese momento, Alejandría era el centro del mejor pensamiento del mundo, y allí, en casa de Filo, los sabios se reunieron.

7. De China llegó Meng-tse, de India Vidyapati, de Persia Kaspar, de Asiria Ashbina, de Grecia Apolo, Mateno fue el sabio egipcio y Filo era el jefe del pensamiento hebreo.

8. El momento había llegado; el consejo se reunió en silencio durante siete días.

9. Y entonces Meng-tse se puso en pie y dijo: «La rueda del tiempo ha dado la vuelta una vez

más; la raza humana está en un plano más alto de pensamiento.

10. »Los vestuarios que nuestros padres tejieron se han desgastado; los querubines han tejido una tela celestial, la han colocado en nuestras manos y es nuestro deber hacer nuevas ropas para los hombres.

11. »Los hijos de los hombres esperan una luz más grande. Ya no se satisfacen con dioses cortados de madera, o hechos de arcilla. Buscan a un Dios no hecho con las manos.

12. »Ven los rayos de luz del día que comienza, y sin embargo no comprenden esos rayos.

13. »El tiempo está en sazón, y nosotros debemos entallar bien estos vestidos para la raza humana.

14. »Hagamos, pues, para los hombres nuevos vestuarios de justicia, de clemencia, de rectitud y de amor, para que puedan esconder su desnudez cuando brille la luz del día naciente».

15. Vidyapati dijo: «Todos nuestros sacerdotes han enloquecido; vieron un demonio en el desierto y a él enfocaron sus lámparas y se les han roto. Ni un rayo de luz tiene ya ningún sacerdocio para los hombres.

16. »La noche es oscura; el corazón de la India demanda luz.

17. »El sacerdote no puede ser reformado; está ya muerto; su más grande necesidad es la de una tumba y unos cantos funerarios.

18. »La nueva edad demanda libertad, la clase de libertad que hace de cada hombre un sacerdote, capacitándole para marchar solo y para colocar sus ofrendas en el altar de Dios».

19. Y Kaspar dijo: «En Persia las gentes están poseídas del miedo; hacen el bien por miedo a hacer el mal.

20. »El diablo es el poder más grande en nuestra tierra y, aunque es un mito, hace saltar sobre sus rodillas a los jóvenes y a los viejos.

21. »Nuestra tierra está oscura y el mal prospera en la oscuridad.

22. »El miedo cabalga en cada brisa que pasa, y se esconde en toda forma de vida.

23. »El miedo del mal es un mito, es una ilusión y una trampa; pero vivirá hasta que venga un poder formidable a elevar los éteres al plano de la luz.

24. »Cuando esto ocurra, la tierra maga se gloriará en la luz. El alma de Persia demanda luz».

Capítulo 57

Continúa la reunión de los sabios. Discursos de apertura. Jesús con los sabios. Silencio de siete días.

1. Ashbina dijo: «Asiria es la tierra de la Duda; el carruaje de mi pueblo, aquel en el que con más frecuencia viaja, es la Duda.

2. »En cierta ocasión la fe entró en Babilonia; era hermosa y atrayente pero, como estaba vestida con ropajes tan blancos, los hombres le tuvieron miedo.

3. »Y todas las ruedas comenzaron a girar, y la Duda le hizo la guerra y la arrojó del país, y ella ya no regresó nunca más.

4. »En la forma los hombres adoran a Dios, el Uno, pero en sus corazones no están seguros de que Dios exista.

5. »La Fe adora en el tabernáculo del Uno invisible, pero la Duda demanda ver a su Dios.

6. »La suprema necesidad de toda Asiria es Fe. Una Fe que sazone todas las cosas que son, con certeza».

7. Entonces Apolo dijo: «La suprema necesidad de Grecia es un concepto correcto de Dios.

8. »La teogonía está en Grecia sin timón, pues todo pensamiento puede ser dios y ser adorado como un dios.

9. »El plano del pensamiento es amplio y lleno de antagonismos vehementes. El círculo de estos dioses está lleno de enemistades, con guerras e intrigas bajas.

10. »Grecia necesita una mente maestra que esté por encima de los dioses, que eleve el pensamiento humano alejándolo de los muchos dioses y enfocándolo en Dios el Uno.

11. »Sabemos que la luz está ya viniendo sobre las colinas. Que Dios apresure la luz».

12. Mateno dijo: «¡Ahora fijaos en esta tierra de misterios, este Egipto de la muerte!

13. »Nuestros templos han sido ya durante mucho tiempo la tumba de todas las cosas temporales ocultas; nuestros templos, nuestras criptas y nuestras cavernas están a oscuras.

14. »Donde hay luz no hay secretos. El sol revela toda verdad escondida. En Dios no hay misterios.

15. »¡Y he aquí el sol naciente! Sus rayos luminosos están entrando ya por todas las puertas; sí, por cada rendija de los misterios místicos de Mizraim.

16. »¡Saludemos a la luz! Todo Egipto tiene hambre de luz».

17. Y Filo dijo: «La necesidad del pensamiento y de la vida hebrea es la libertad.

18. »Los profetas, los videntes y los legisladores hebreos fueron hombres de poder, hombres de pensamiento amplio y nos legaron un sistema filosófico ideal: uno suficientemente bueno para guiar a nuestro pueblo hacia el objetivo de la perfección.

19. »Pero las mentes carnales repudiaron lo santo; surgió un sacerdocio lleno de egoísmos, y la pureza del corazón llegó a ser un mito; las gentes quedaron esclavizadas.

20. »El sacerdocio es la maldición de Israel; pero cuando Él venga, cuando llegue aquel que ha de venir, Él proclamará la emancipación de los esclavos y mi gente será libre.

21. »Mirad que Dios ha revestido de forma corpórea la sabiduría, el amor y la luz, que Él ha llamado Enmanuel.

22. »A Él le han sido dadas las llaves que abrirán la aurora y aquí, como hombre, Él caminará con nosotros».

23. Entonces se abrieron las puertas del consejo y el Logos se presentó en pie entre los sabios del mundo.

24. Y otra vez se sentaron los sabios en silencio durante siete días.

CAPÍTULO 58

Continúa la reunión de los sabios. Presentación de los siete postulados universales.

1. Cuando los sabios hubieron descansado, abrieron el Libro de la Vida y leyeron.

2. Leyeron la historia de la vida del hombre, con todas sus luchas, sus derrotas y sus triunfos, y a la luz de los acontecimientos y de las necesidades del

pasado, vieron lo que sería mejor para el hombre en los años venideros.

3. Conocieron la clase de leyes y de preceptos mejor adaptados a su estado, vieron cuál era el más alto ideal de Dios, que la raza humana podía comprender.

4. Sobre los siete postulados que estos sabios tenían que formular, debía descansar la gran filosofía de la vida y de la adoración, de la edad que comenzaba.

5. Y como Meng-tse era el sabio más viejo, tomó el asiento de cabecera y dijo:

6. «El hombre no está suficientemente avanzado para poder vivir sólo por la fe: no puede comprender aún las cosas que sus ojos no ven.

7. »Todavía es niño. En la edad que comienza tiene que aprender por pinturas, símbolos, ritos y formas.

8. »Su Dios tiene que ser un Dios humano, pues no puede ver todavía a Dios por la fe.

9. »Por lo mismo, aún no puede gobernarse a sí mismo; el rey tiene que gobernarlo; el hombre tendrá que obedecer.

10. »La edad que siga será la edad del hombre, la edad de la fe.

11. »En esa edad bendita, la raza humana verá ya sin necesitar ayuda de los ojos externos; oirá el sonido sin sonido, y conocerá al Espíritu Dios.

12. »La edad en que ahora entramos es la Edad de la Preparación, y todas las escuelas, los gobiernos y los ritos sagrados estarán revestidos de una forma sencilla que los hombres puedan comprender.

13. »El hombre no puede originar; construye de acuerdo a los patrones que ve. Por lo mismo, en este consejo debemos diseñar los patrones que ha de ver la edad que comienza.

14. »Debemos pues formular la gnosis del Imperio del alma, la cual descansa en siete postulados.

15. »Cada sabio, por turno, debe formular un postulado, postulados que serán la base de los credos humanos hasta que venga la edad perfecta».

16. Entonces Meng-tse escribió el primer postulado:

17. Todas las cosas son pensamiento; toda vida es actividad de pensamiento. La multitud de seres no son sino fases manifestadas

de un gran pensamiento. Dios es Pensamiento, y el Pensamiento es Dios.

18. Entonces Vidyapati escribió el segundo postulado:

19. El Pensamiento Eterno es uno; y en esencia es dos: fuerza e inteligencia; y cuando los dos respiraron, un niño nació: este niño es el Amor.

20. Así aparece el Dios Trino al que los hombres llaman Padre-Madre-Hijo.

21. Este Dios Trino es Uno. Pero, como la unidad de la luz, su esencia se descompone en siete.

22. De ahí que, cuando el Dios Trino y Uno respira, siete Espíritus aparecen ante su faz. Éstos son los atributos creadores.

23. Los hombres los llaman los dioses menores, y son ellos los que hicieron al hombre a su imagen.

24. Y Kaspar escribió el tercero:

25. El hombre fue un pensamiento de Dios, formado a la imagen de los siete Espíritus y revestido con las sustancias del alma.

26. Sus deseos eran muy fuertes, y trató de manifestarse en todos los planos de la vida; así, se hizo un cuerpo compuesto de los éteres de las formas terrenas, y descendió al plano de la tierra.

27. En este descenso perdió sus derechos hereditarios, perdió su armonía con Dios, e hizo discordantes todas las notas de la vida.

28. La desarmonía, el mal y el pecado son lo mismo. Así pues, el pecado es la obra del hombre.

29. Ashbina escribió el cuarto:

30. La semilla nunca germina en la luz, ni crece si no es en el suelo adecuado y escondiéndose de la luz.

31. El hombre es la semilla de la vida eterna; pero en los éteres del Dios Trino y Uno la luz era demasiado intensa para que la semilla pudiera crecer.

32. Entonces el hombre buscó el suelo de la vida corpórea, y en la oscuridad de la tierra encontró el sitio en el que podía germinar y crecer.

33. La semilla ha echado raíces y ha crecido plenamente.

34. El árbol de la vida humana está elevándose de la tierra, está elevándose del plano de las cosas corpóreas y, siguiendo la

ley de la naturaleza, está alcanzando una forma perfecta.

35. No hay actos sobrenaturales de Dios que puedan levantar al hombre desde la vida material hasta la beatitud espiritual. El hombre crece como crece la planta y a su debido tiempo alcanza la perfección.

36. La cualidad del alma que hace posible para el hombre elevarse a la vida espiritual es la pureza.

Capítulo 59

Continúa la reunión de los sabios. Los postulados restantes. Los sabios bendicen a Jesús. Silencio durante siete días.

1. Apolo escribió el quinto postulado:

2. El hombre es conducido a la luz por cuatro caballos blancos, que son: la Voluntad, la Fe, la Caridad y el Amor.

3. El hombre tiene poder para hacer todo lo que desee hacer.

4. El conocimiento de ese poder es la Fe, y cuando la Fe se mueve, el alma emprende su vuelo.

5. La fe egoísta no nos conduce a la luz. No hay peregrinos solitarios en el camino hacia la luz. El hombre nunca escala las alturas si no es ayudando a otros a alcanzar las alturas.

6. El corcel que conduce a la vida espiritual es el Amor: el amor puro de egoísmos.

7. Mateno escribió el sexto:

8. El Amor universal del que acaba de hablarnos Apolo es hijo de la Sabiduría y de la Voluntad Divinas, y Dios lo ha mandado a la tierra en forma corpórea para que los hombres puedan conocerlo.

9. El Amor Universal de que hablan los sabios es denominado Cristo.

10. El más grande de todos los misterios de todos los tiempos es el hecho de que ese Cristo vive en el corazón.

11. El Cristo no puede habitar en las cavernas de las cosas carnales. Hay que librar las siete batallas, hay que ganar las siete victorias antes de descartarse de las cosas carnales, como el miedo, el egoísmo, las emociones y los deseos.

12. Cuando esto se ha conseguido, el Cristo toma posesión del alma; el trabajo está hecho y el hombre y Dios son uno.

13. Y Filo escribió el séptimo:

14. ¡Un hombre perfecto! La naturaleza fue hecha para traer un día ante el Dios Trino y Uno a un ser así.

15. Alcanzar esta altura es la revelación suprema del misterio de la vida.

16. Cuando todas las esencias de las cosas corpóreas hayan sido transmutadas en alma, y todas las esencias del alma hayan retornado al Santo Aliento y el hombre haya llegado a ser el Dios perfecto, el drama de la Creación habrá concluido y eso es todo.

17. Y todos los sabios dijeron: «Amén».

18. Entonces Meng-tse dijo: «El Uno Santo nos ha enviado un hombre, iluminado por el esfuerzo de años innumerables para que guíe los pensamientos de los hombres.

19. »A este hombre, aprobado por las mentes maestras de los cielos y la tierra, a este hombre de Galilea, a este Jesús, jefe de todos los sabios del mundo, gustosamente lo reconocemos.

20. »En reconocimiento de esta sabiduría que Él traerá a los hombres, le coronamos con la guirnalda de Loto.

21. »Le enviamos a los hombres con las bendiciones de los siete sabios del mundo».

22. Entonces todos los sabios colocaron las manos en la cabeza de Jesús y dijeron en un solo acorde: «Alabado sea Dios.

23. »Porque sabiduría, honor, gloria, poder, riquezas, bendiciones, fortalezas, son tuyas, oh Cristo, para siempre».

24. Y toda criatura viviente dijo: «Amén».

25. A continuación los sabios se sentaron en el silencio durante siete días.

CAPÍTULO 60

Jesús dirige a los siete sabios su discurso. Después se va a Galilea.

1. Terminados los siete días de silencio, Jesús se sentó con los sabios y dijo:

2. «La historia de la vida está muy bien condensada en estos postulados inmortales. Ellos son las siete colinas sobre las cuales se edificará la ciudad santa.

3. »Éstas son las siete piedras de cimiento seguro sobre el que se levantará la Iglesia Universal.

4. »Al tomar el trabajo que me ha sido asignado, soy plenamente consciente de los peligros del camino; la copa será amarga de beber y puede que mi naturaleza humana desee retroceder.

5. »Pero yo he perdido mi voluntad en la del Santo Aliento, de modo que voy a tomar el camino y a hablar y actuar como me impulse el Santo Aliento.

6. »Las palabras que pronuncio no son mías propias; son las palabras de aquel cuya voluntad haré.

7. »El hombre no está suficientemente avanzado en el pensamiento sagrado para comprender la Iglesia Universal, de modo que el trabajo que Dios me ha encomendado hacer no es el de construir esa Iglesia.

8. »Soy el hacedor de un modelo, soy el enviado para hacer un modelo de la Iglesia que será, un modelo que esta edad pueda comprender.

9. »Mi tarea, como constructor del modelo, está en mi tierra nativa, y allí esa Iglesia modelo se levantará, y se levantará sobre el postulado de que el Amor es el hijo de Dios y de que yo he venido a manifestar ese Amor.

10. »Y de entre los hombres de bajo rango, seleccionaré doce, que simbolizarán los doce pensamientos inmortales; y éstos serán la Iglesia modelo.

11. »La casa de Judea, mi propia familia carnal, comprenderá muy poco de mi misión en este mundo.

12. »Y me menospreciarán, despreciarán mi trabajo, me acusarán falsamente, me atarán y me llevarán al tribunal para ser juzgado por hombres carnales, quienes me sentenciarán y me matarán en la cruz.

13. »Pero los hombres nunca pueden matar la verdad; y, aunque la destierren, ella volverá otra vez con un poder más grande, pues la verdad subyugará el mundo.

14. »La Iglesia modelo vivirá. Aunque el hombre carnal

prostituirá sus leyes sagradas, sus ritos y formas simbólicas para sus finalidades egoístas, haciendo de ellos únicamente una teatralidad externa, unos pocos encontrarán a través de todo ello el reino del alma.

15. »Y cuando llegue otra era mejor, la Iglesia Universal se levantará sobre los siete postulados y lo hará de acuerdo con el prototipo dado.

16. »El momento ha llegado; me voy a Jerusalén. Por el poder de la fe viviente y de la fortaleza que me ha sido dada.

17. »Y en el nombre de Dios, nuestro Padre, el reino del alma se establecerá sobre las siete colinas.

18. »Y todas las gentes, las tribus y las lenguas de la tierra entrarán en él.

19. »El Príncipe de la Paz tomará su asiento en el trono del poder; el Dios Trino y Uno será entonces Todo en Todo».

20. Y los siete los sabios dijeron: «Amén».

21. Y Jesús se fue. Y después de muchos días llegó a Jerusalén y se dirigió a su hogar en Galilea

SECCIÓN XIII

MEM

La misión de Juan el Precursor

Capítulo 61

Juan el Precursor vuelve a Hebrón. Vive como un ermitaño en el desierto. Visita Jerusalén y habla a la gente.

1. Cuando Juan, hijo de Zacarías e Isabel, hubo terminado sus estudios en las escuelas de Egipto, regresó a Hebrón, donde permaneció un tiempo.

2. Luego se dirigió al desierto y se quedó a vivir en la cueva de David, donde años atrás fuera instruido por el sabio egipcio.

3. Algunos lo llamaban Ermitaño de Engedi, y otros decían que era el Hombre Salvaje de las montañas.

4. Se vestía con pieles de animales y se alimentaba de algarrobas, miel, nueces y frutas.

5. A la edad de treinta años, Juan fue a Jerusalén y en el mercado se sentó en silencio durante siete días.

6. El pueblo y los sacerdotes, escribas y fariseos acudían en multitudes a ver al silencioso ermitaño de las montañas pero nadie se atrevía a preguntarle quién era.

7. Y cuando acabó su silencio, se puso en pie en medio de todos y dijo:

8. «Escuchad, el rey ha llegado; los profetas hablaron de él, y los sabios le han buscado durante mucho tiempo.

9. »Israel, prepárate para ver a tu rey».

10. Ésas fueron sus únicas palabras; luego desapareció y nadie supo adónde había ido.

11. Reinaba una gran inquietud en toda Jerusalén. Las autoridades oyeron la historia del ermitaño de las montañas.

12. Y enviaron mensajeros a hablar con él para que así pudieran saber algo del rey que iba a presentarse, pero no pudieron dar con él.

13. Y después de unos días Juan volvió a la plaza del mercado, y la ciudad entera fue a oírle hablar, y dijo:

14. «No os inquietéis, gobernantes del estado; el rey que va a venir no desea luchar. Él no busca un puesto en los tronos de este mundo.

15. »Viene como Príncipe de la Paz, rey de la justicia y el amor, y su reino se halla dentro del alma.

16. »Los ojos de los hombres no podrán verlo, y sólo los puros de corazón entrarán en él.

17. »Israel, prepárate para encontrarte con tu rey».

18. Y el ermitaño volvió a desaparecer. La gente quería seguirle, pero él había tendido un velo sobre su forma y los hombres no podían verle.

19. Llegó un día de fiesta para los judíos. Jerusalén estaba llena de judíos y fieles de toda Palestina. Juan apareció en el patio del templo y dijo:

20. «Israel, prepárate para ver a tu rey.

21. »Has vivido en el pecado; los pobres lloran en tus calles y tú no los escuchas.

22. »Ahora ¿quiénes son tus vecinos? Has abandonado por igual al amigo y al enemigo.

23. »Adoras a Dios con tu voz y tus labios, pero tu corazón está muy lejos, puesto en el oro.

24. »Tus sacerdotes han dado al pueblo unas cargas demasiado pesadas; viven muy holgadamente a expensas del dinero que los pobres ganan con tanto sudor.

25. »Tus legisladores, doctores y escribas son como las malas hierbas de la tierra, tumores en el cuerpo del estado.

26. »Ellos no labran ni tejen, pero consumen los productos de tus mercados.

27. »Tus gobernantes son adúlteros, opresores y ladrones

que no tienen en cuenta los derechos de ningún hombre.

28. »Los ladrones ejercen su oficio en las salas sagradas, pues les ha venido el tiempo santo y ahora tienen sus guaridas en los lugares santos que se reservan a la oración.

29. »¡Escucha, escucha, pueblo de Jerusalén! Refórmate; apártate de tus malas costumbres, o Dios se alejará de ti y vendrá desde lejos un pueblo pagano que acabará en un momento con todo lo que queda de tu honor y de tu fama.

30. »Prepárate, Jerusalén, para ver a tu rey».

31. Juan no habló más y nadie le vio desaparecer.

32. Los sacerdotes, doctores y escribas estaban enfurecidos. Buscaron a Juan para hacerle daño, pero no lo encontraron.

33. La gente del pueblo le defendía y decían: «El ermitaño dice la verdad».

34. Los sacerdotes, doctores y escribas se llenaron de temor, no dijeron más y se ocultaron.

Capítulo 62

Juan el Precursor visita de nuevo Jerusalén. Habla a la gente. Les promete verlos en Gilgal dentro de siete días. Va a Betania y asiste a una fiesta.

1. Al día siguiente Juan volvió a los patios del templo y dijo:

2. «Prepárate, Israel, para ver a tu rey».

3. Los principales sacerdotes y escribas querían saber el significado de sus palabras y le dijeron:

4. «Hombre audaz, ¿qué significa este mensaje que traes a Israel? Si eres vidente y profeta, dinos claramente quién te ha enviado aquí».

5. Y Juan respondió: «Soy la voz que clama en el desierto; preparad el camino, enderezad los senderos, pues el Príncipe de la Paz vendrá a reinar en el amor.

6. »Vuestro profeta Malaquías escribió las palabras de Dios:

7. »"Os enviaré a Elías antes de que llegue el día de la justicia para hacer que los corazones de los hombres vuelvan de

nuevo a Dios, y si no lo hacen, los castigaré con una maldición".

8. »Vosotros, hombres de Israel, sabéis cuáles son vuestros pecados. Mientras caminaba, vi un pájaro herido postrado en vuestras calles; hombres de toda condición le golpeaban con varas y vi que su nombre era Justicia.

9. »Volví a mirar y vi que habían matado a su compañero, y las puras y blancas alas de la Justicia yacían pisoteadas en el polvo.

10. »En verdad os digo que la maldad de vuestra culpa ha creado una cloaca de iniquidad que despide hacia el cielo un hedor lleno de temores.

11. »Refórmate, Israel. Prepárate para ver a tu rey».

12. Luego Juan se fue, y al marcharse dijo:

13. «Dentro de siete días estaré en Gilgal, a orillas del Jordán, por donde Israel entró por primera vez en la tierra prometida».

14. A continuación se marchó del patio del templo y ya no volvió, pero muchos le siguieron hasta Betania, y allí se hospedó en casa de Lázaro, su pariente.

15. La gente, muy ansiosa, se amontonaba alrededor de la casa, y no quería irse; entonces Juan salió y les dijo:

16. «Israel, refórmate; prepárate para recibir a tu rey.

17. »Los pecados de Israel no se hallan sólo a las puertas de los sacerdotes y escribas. No creáis que todos los pecadores de Judea se encuentran entre los gobernantes y hombres ricos.

18. »Que el hombre viva en la necesidad no significa que sea bueno y puro.

19. »Los vagabundos negligentes y desamparados de la tierra son muy pobres y tienen que mendigar el pan.

20. »Yo he visto que los mismos hombres que se alegraban cuando les decía a los sacerdotes y escribas que eran injustos con los demás tiraban piedras y maltrataban a la pobre Justicia en las calles.

21. »Los vi pisotear al pobre pájaro muerto de la Justicia.

22. »Y vosotros que me seguís, gente del pueblo, no sois una pizca menos criminales que los escribas y sacerdotes.

23. »Reformaos, hombres de Israel; el rey ha llegado. Preparaos para ver a vuestro rey».

24. Juan se quedó unos días con Lázaro y sus hermanos.

25. Se celebró una fiesta en honor del Nazareno, y a ella asistió todo el pueblo.

26. Y cuando el jefe principal de la ciudad escanció el brillante vino y ofreció una copa a Juan, la tomó, la sostuvo en lo alto y dijo:

27. «El vino alegra el corazón carnal y entristece el alma humana; hace que el espíritu inmortal del hombre se sumerja profundamente en la amargura y el rencor.

28. »De niño hice el voto de Nazar y mis labios no han probado una sola gota de vino.

29. »Y si tú deseas alegrar al rey que va a venir, apártate de esta copa como lo harías de un peligro mortal».

30. Y a continuación tiró el vino a la calle.

CAPÍTULO 63

Juan el Precursor visita Jericó. Se reúne con la gente en Gilgal. Anuncia su misión. Enseña el rito del bautismo. Bautiza a mucha gente. Vuelve a Betania y enseña. Regresa al Jordán.

1. Juan bajó a Jericó y se quedó a vivir con Alfeo.

2. Y cuando la gente supo que estaba allí, acudieron en tropel para oírle hablar.

3. Pero él no habló con nadie; sin embargo, llegado el momento, bajó a orillas del Jordán y dijo a la multitud:

4. «Reformaos y lavad todos vuestros pecados en la fuente de la pureza, pues el reino está muy cerca.

5. »Venid a mí para que os lave en las aguas de este manantial, como símbolo de la limpieza interior del alma».

6. Y las multitudes acudían y se lavaban en el Jordán y todos confesaban sus pecados.

7. Durante muchos meses, Juan fue por todas las regiones de los alrededores, incitándo a las gentes a la pureza y a la justicia, y pasados muchos días

volvió a Betania y se quedó allí a enseñar.

8. Al principio sólo iban los verdaderos buscadores, pero poco a poco los egoístas y viciosos también se fueron acercando, sin estar arrepentidos, únicamente porque los demás acudían.

9. Y cuando Juan vio acercarse a los fariseos y saduceos que no estaban arrepentidos, dijo:

10. «Quedaos aquí, hijos de las víboras; ¿o es que os inquietáis por la ira que se cernirá sobre vosotros?

11. »Id y haced algo que demuestre que vuestro arrepentimiento es verdadero.

12. »¿Es suficiente con que digáis que sois descendientes de Abraham? En verdad os digo que no.

13. »A los ojos de Dios los herederos de Abraham son igual de malvados cuando hacen el mal que cualquier hombre pagano.

14. »¡Tened cuidado con el hacha que corta de raíz todo árbol que no lleva buenos frutos y los echa al fuego!».

15. Entonces la gente preguntaba: «¿Qué debemos hacer?».

16. Y Juan contestó: «Aceptad la misión de ayudar a toda la humanidad; no entreguéis todo lo que tengáis a vuestro propio egoísmo.

17. »El que tenga dos capas, que dé una al que no tiene; dad parte de vuestra comida a los necesitados».

18. Y cuando llegaron los publicanos y preguntaron qué debían hacer, el Precursor dijo:

19. «No seáis violentos con nadie; no impongáis nada malo y contentaos con la paga que recibís».

20. Muchos judíos habían estado esperando la venida de Cristo y creían que éste era Juan.

21. Pero a sus preguntas Juan respondía: «Yo lavo con agua, como símbolo de la purificación del alma, pero cuando venga el que ha de venir, lavará con el Santo Aliento y purificará con fuego.

22. »Él tiene un aventador en la mano y con él separará el trigo de los rastrojos; tirará los rastrojos y guardará todos los granos de trigo. Ése es Cristo.

23. »¡He aquí que él viene! Andará entre vosotros y no le conoceréis.

24. »Él es el rey, y yo no soy digno de desatar la correa de sus sandalias».

25. Y Juan se fue de Betania y volvió a la ribera del Jordán.

Capítulo 64

Jesús llega a Galilea y es bautizado por Juan. El Santo Aliento da testimonio de su misión de Mesías.

1. Las noticias llegaron hasta Galilea, y Jesús con toda la multitud bajó donde estaba predicando el Precursor.

2. Y cuando Jesús le vio, dijo: «¡He aquí al hombre de Dios, el más grande de los profetas! Éste es Elías que ha venido de nuevo.

3. »¡He aquí el mensajero enviado por Dios para abrir el camino! El reino está cerca».

4. Cuando Juan vio a Jesús entre la muchedumbre, exclamó: «¡He aquí el rey que viene en el nombre de Dios!».

5. Y Jesús dijo a Juan: «Deseo lavarme con agua como símbolo de la purificación del alma».

6. Y Juan contestó: «Tú no necesitas limpiarte, pues eres puro de pensamiento, palabra y obra. Y si necesitas lavarte, yo no soy digno de celebrar el rito».

7. Y Jesús le dijo: «Vengo a ser un modelo para los hombres y debo hacer lo mismo que les ordeno que hagan; todos los hombres deben lavarse con agua como símbolo de la purificación del alma.

8. »Establecemos esta limpieza como un rito, y de ahora en adelante le llamaremos rito del bautismo.

9. »Tu misión, precursor profético, es preparar el camino y revelar todos los secretos.

10. »Las gentes están preparadas para recibir las palabras de la vida, y yo he venido a darme a conocer a todo el mundo por medio de ti, como profeta del Dios Trino, elegido para manifestar el Cristo a los hombres».

11. Luego Juan llevó a Jesús a las orillas del río y le bautizó en el nombre sagrado del que le envió a manifestar el Cristo a los hombres.

12. Y cuando salían del río, descendió el Santo Aliento en

forma de paloma y se posó sobre la cabeza de Jesús.

13. Y una voz del cielo dijo: «Éste es el hijo de Dios bien amado, el Cristo, el amor de Dios manifestado».

14. Juan oyó la voz y comprendió sus palabras.

15. Jesús se fue y Juan siguió predicando a la multitud.

16. El Precursor bautizaba a todos los que confesaban sus pecados y se apartaban de los caminos del mal para andar por el camino del bien; y este bautismo era un símbolo de la limpieza de los pecados mediante la virtud.

SECCIÓN XIV

NUN

La misión de Jesús como Cristo – Época introductoria

CAPÍTULO 65

Jesús va al desierto para examinar su alma y allí permanece cuarenta días. Sufre tres tentaciones. Las vence. Regresa a los campos de Juan y comienza a enseñar.

1. El Precursor había pavimentado el camino; el Logos había sido presentado a los hombres como amor en manifestación. Y ahora tenía que comenzar su misión crística.

2. Y se fue al desierto a estar solo con Dios de modo que pudiera mirar al interior de su corazón, y darse cuenta de su fortaleza y de sus merecimientos.

3. Y habló consigo mismo y dijo: «Mi ego inferior es fuerte; estoy unido a la vida carnal por muchos lazos.

4. »¿Tengo yo fortaleza para vencerlo y dar mi vida en sacrificio voluntario por los hombres?

5. »Cuando me presente ante los hombres y me exijan pruebas de mi misión mesiánica, ¿qué les diré?».

6. Entonces vino el tentador y le dijo: «Si eres hijo de Dios ordena que estas piedras se conviertan en pan».

7. Y Jesús dijo: «¿Quién es el que me exige una prueba? El hacer milagros no es signo de ser hijo de Dios; los diablos pueden hacer cosas poderosas.

8. »¿No hicieron los magos negros grandes cosas ante los faraones?

9. »Mis palabras y mis hechos en todos los caminos de mi vida serán la prueba de mi misión mesiánica».

10. Y luego el tentador dijo: «Si te vas a Jerusalén y, desde la cúspide del templo, te arrojas a la tierra, las gentes creerán que eres el Mesías enviado de Dios.

11. »Seguramente puedes hacer esto, porque David afirmó: "Él da orden a sus ángeles de cuidarle y con sus manos le sostienen para que no caiga"».

12. Y Jesús dijo: «No me es permitido tentar al Señor mi Dios».

13. Y entonces el tentador dijo: «Mira el mundo, mira sus honores y su fama, mira sus placeres y riqueza.

14. »Si les entregas tu vida, serán tuyos».

15. Pero Jesús dijo: «Aléjense de mí todos los pensamientos tentadores. Mi corazón está firme. Desprecio este ego carnal con todas sus ambiciones y su orgullo».

16. Durante cuarenta días Jesús luchó con su ego inferior y su ser superior triunfó. Entonces tuvo hambre, pero sus amigos, que le habían encontrado, le sirvieron.

17. Luego Jesús dejó el desierto, y en la conciencia del Santo Aliento, fue a los campos de Juan, donde empezó a enseñar.

Capítulo 66

Seis de los discípulos de Juan siguen a Jesús y vienen a ser sus discípulos. Les enseña. Se sientan en el silencio.

1. Entre los seguidores de Juan había muchos hombres de Galilea. Los más devotos eran Andrés, Simón, Santiago, Juan, Felipe y su hermano de Betsaida.

2. Un día, mientras Andrés, Felipe y un hijo de Zebedeo conversaban con el Precursor, llegó el Logos, y Juan exclamó: «¡Mirad al Cristo! ¡Mirad!».

3. Entonces los tres discípulos siguieron a Jesús, quien les preguntó: «¿Qué buscáis?».

4. Y los discípulos le preguntaron: «¿Dónde vives?», a lo que Jesús respondió: «Venid y ved».

5. Y Andrés llamó a su hermano Simón, diciéndole: «Ven conmigo, porque he encontrado al Cristo».

6. Cuando Jesús vio la cara de Simón, dijo: «¡Eres una roca! y Pedro es tu nombre».

7. Y Felipe encontró a Nataniel sentado bajo un árbol y le dijo: «Hermano mío, ven conmigo porque he encontrado al Cristo. Vive en Nazaret».

8. Nataniel preguntó: «¿Puede salir algo bueno de Nazaret?», y Felipe le respondió: «Ven y ve».

9. Cuando Jesús vio que Nataniel se acercaba, dijo: «Mirad un israelita en quien no hay engaño».

10. Nataniel dijo: «¿Cómo puedes hablar así de mí?».

11. Y Jesús contestó: «Te vi cuando estabas sentado al pie de aquella higuera que está allí, antes que tu hermano te llamara».

12. Nataniel levantó las manos y afirmó: «Éste seguramente es el Cristo, el rey, respecto de quien el Precursor ha testificado constantemente».

13. Y Juan fue, encontró a su hermano Santiago y lo llevó junto al Cristo.

14. Los seis discípulos fueron con Jesús al lugar donde él moraba.

15. Y Pedro dijo: «Mucho tiempo hemos buscado al Cristo. Vinimos de Galilea junto a Juan; creímos que era el Cristo, pero él nos confesó que no lo era.

16. »Que él no era sino el precursor enviado a limpiar el camino y a hacerlo transitable al rey que venía. Y cuando Tú viniste, dijo: "¡Mirad al Cristo!".

17. »Y seremos felices de seguirte donde vayas. Señor, dinos lo que tenemos que hacer».

18. Y Jesús dijo: «Los zorros de la tierra tienen casas, las aves tienen nidos; yo no tengo lugar en qué reclinar la cabeza.

19. »Quienes me sigan tienen que abandonar todo apetito egoísta y perder su vida salvando las de los demás.

20. »Vine a salvar a los perdidos, y el hombre se salva cuando se rescata de sí mismo. Pero el hombre es lento en la comprensión de esta doctrina del Cristo».

21. Y Pedro dijo: «No puedo hablar por otros, pero sí decir de mí que todo lo abandonaré para seguirte adonde me guíes».

22. Y entonces los otros dijeron: «Tú tienes las palabras de la verdad; has venido de Dios, y si seguimos tus huellas, no podemos errar el camino».

23. Así, Jesús y los seis discípulos se sentaron durante mucho tiempo, meditando en silencio.

CAPÍTULO 67

Jesús visita a Juan en el Jordán. Da su primer sermón como Cristo. Va con sus discípulos a Betania.

1. Al día siguiente Jesús regresó y se presentó con Juan al lado del río. Juan le pidió que hablara y, poniéndose en pie, dijo:

2. «¡Hombres de Israel, escuchad! El reino está cerca.

3. »Mirad al gran custodio de la llave de las edades, en pie en medio de nosotros. Con el espíritu de Elías ha venido.

4. »Mirad que ha tomado la llave, y los formidables portones se han abierto de par en par, y todo el que quiera puede entrar a saludar al Rey.

5. »Mirad la multitud de mujeres, niños y hombres. Llenan las avenidas, atestan los patios interiores; cada uno parece resuelto a ser el primero en encontrar al Rey.

6. »El juez viene y grita: "El que quiera que venga". Pero el que venga debe apartarse de todo mal pensamiento.

7. »Debe sobreponerse al deseo de complacer a su ego inferior; debe dar su vida para salvar a los extraviados.

8. »Cuanto más te acercas a las puertas del reino, más espacioso es el aposento; las multitudes se han ido.

9. »Si los hombres pudieran venir al reino con sus pensamientos carnales, sus pasiones y sus deseos, difícilmente habría espacio para todos.

10. »Pero cuando ven que no pueden pasar con todo ello por el estrecho portón, regresan y pocos son los que están preparados para entrar a ver al Rey.

11. »Juan es un gran pescador, un pescador de almas. Lanza su gran red en el mar de la vida humana; la atrae hacia sí y está llena.

12. »¡Pero qué mezcolanza de pesca! Pesca de cangrejos, langostas, tiburones y reptiles, pero sólo aquí o allá hay un pez de mejor calidad.

13. »Mirad a los miles que vienen a oír al Hombre Salvaje de las Montañas; vienen en masa a que él los lave en el arroyo cristalino, y con los labios confiesan sus pecados.

14. »Pero al día siguiente están otra vez en la guarida del vicio, denigrando a Juan, maldiciendo a Dios e insultando al Rey.

15. »Pero benditos son los puros de corazón, porque ellos verán al Rey.

16. »Y benditos son los fuertes de corazón, pues no serán derribados por el primer viento que sople.

17. »Y mientras los volubles y los sin sesos regresan a la tierra de Egipto por puerros y hierbas que satisfagan sus apetitos, los puros de corazón han encontrado al Rey.

18. »Pero aun aquellos cuya fe es débil y que no son más que una manifestación corpórea, un día vendrán y entrarán con goce a ver al Rey.

19. »Hombres de Israel, escuchad lo que este profeta os tiene que decir. Sed fuertes de mente y puros de corazón. Estad prestos en ayudar. El reino está cerca».

20. Cuando hubo dicho esto, se fue con los seis discípulos a Betania, donde se quedó varios días en casa de Lázaro.

Capítulo 68

Jesús habla a la gente en Betania. Les indica cómo llegar a ser puros de corazón. Va a Jerusalén y en el templo lee en un libro profético. Va a Nazaret.

1. La noticia de que Jesús, rey de Israel, estaba en Betania se esparció rápidamente y la gente de la población fue a saludarlo.

2. Y Jesús, en pie entre ellos, exclamó: «Mirad que en efecto el rey ha venido, pero Jesús no es el rey.

3. »El reino verdadero está realmente cerca; pero los hombres no pueden verlo con los ojos

carnales, no pueden ver al rey en el trono.

4. »Éste es el reino del alma; su trono no es un trono terreno; su rey no es un hombre.

5. »Cuando los reyes humanos fundan reinos, conquistan a otros reyes por la fuerza de las armas y un reino se levanta sobre las ruinas de otro.

6. »Pero cuando nuestro Padre Dios establece el reino del alma, derrama sus bendiciones, como la lluvia, sobre los tronos de los reyes de la tierra que gobiernan con rectitud.

7. »No es una ley lo que Dios viene a derogar. Su espada se levanta contra la injusticia, el desenfreno y el crimen.

8. »Ahora bien, mientras los reyes de Roma obren en justicia, amen la bondad y caminen humildemente con su Dios, la bendición del Dios Trino y Uno descansará sobre ellos.

9. »No tienen que temer al mensajero que Dios manda a la tierra.

10. »No fui llamado a sentarme en un trono para gobernar como gobierna el César; y bien podéis decir al gobernante de los judíos que en manera alguna reclamo ese trono.

11. »Los hombres me llaman el Cristo, y Dios me ha reconocido ese título. Pero el Cristo no es un hombre. El Cristo es el Amor Universal, y el Amor es el Rey.

12. »Este Jesús no es sino un hombre preparado por tentaciones vencidas, por múltiples pruebas, para ser el templo a través del cual el Cristo pueda manifestarse a los hombres.

13. »Así pues, oídme, vosotros hombres de Israel. No miréis mi lado corpóreo, pues ése no es el Rey. Mirad al Cristo interior que tiene que formarse dentro de cada uno de vosotros, como se ha formado en mí.

14. »Cuando hayáis purificado vuestros corazones por la fe, el Eey entrará en ellos y veréis su faz».

15. Y entonces las gentes preguntaron: «¿Qué debemos hacer para que nuestros cuerpos sean digna morada del rey?».

16. Y Jesús respondió: «Todo lo que tienda a purificar el pensamiento, la palabra y la obra limpiará el templo de la carne.

17. »No existen reglas que puedan aplicarse a todos, porque los hombres son especialistas en el pecado. Cada uno tiene su propio vicio.

18. »Y cada uno debe estudiarse a sí mismo para determinar cómo puede transmutar sus tendencias y convertirlas en rectitud y en amor.

19. »Hasta que el hombre alcance el plano superior y se divorcie del egoísmo, la siguiente regla es la que da mejores resultados:

20. »Haced a los demás hombres lo que querríais que ellos os hiciesen a vosotros».

21. Y muchas de las gentes dijeron: «Conocemos que Jesús es el Cristo, el rey que debía venir; bendecido sea Su nombre».

22. Seguidamente Jesús y sus discípulos se dirigieron a Jerusalén y muchas gentes lo siguieron.

23. Pero Mateo, hijo de Alfeo, corrió adelante y cuando llegó a Jerusalén, dijo: «¡Mirad que vienen los cristianos!». Y las multitudes salieron a ver al rey.

24. Pero Jesús no habló a nadie hasta llegar al patio del templo; allí abrió un libro y leyó:

25. «Os mando mi mensajero, y él pavimentará el camino, y el Cristo, al que esperáis, vendrá a su templo sin hacerse anunciar. Estad atentos porque él vendrá, dice Dios, el Señor de los ejércitos».

26. Y entonces cerró el libro y no dijo más. Abandonó los salones del templo y con sus seis discípulos regresó a Nazaret.

27. Y se alojaron con María, la madre de Jesús, y con la hermana de ella, Miriam.

Capítulo 69

Jesús y el gobernante de la sinagoga de Nazaret. Jesús no enseña en público, y las gentes se asombran.

1. Al día siguiente, mientras Pedro caminaba por Nazaret, encontró al gobernante de la sinagoga, quien le preguntó: «¿Quién es este Jesús que últimamente ha venido a Nazaret?».

2. Y Pedro respondió: «Este Jesús es el Cristo del que han escrito los profetas; es el rey de Israel. Su madre, María, vive en el camino de Marmión».

3. El gobernante le pidió: «Dile que venga a la sinagoga, pues quiero verle».

4. Y Pedro corrió y repitió a Jesús lo que el gobernante había dicho; pero Jesús no respondió ni fue a la sinagoga.

5. Entonces, ya tarde, el gobernante fue al camino de Marmión, y en el hogar de María encontró a Jesús y a su madre, que estaban solos.

6. Y cuando el gobernante le pidió pruebas de su misión mesiánica y le preguntó por qué no había ido a la sinagoga como se lo había pedido, Jesús le dijo:

7. «No soy esclavo de ningún hombre. No he venido a cumplir mi misión por orden de ningún sacerdote. No depende de mí responder cuando me llaman los hombres. Vine como el Cristo de Dios y sólo a Dios respondo.

8. »¿Quién te dio el derecho de pedirme pruebas de mi misión mesiánica? Mi prueba descansa en mis palabras y en mis obras, de modo que, si me sigues, no te faltarán pruebas».

9. Y el gobernante se fue, preguntándose a sí mismo: «¿Qué clase de hombre es éste tan irrespetuoso con el gobernante de la sinagoga?».

10. La gente de la población acudió en masa a ver al Cristo y a oírle hablar, pero Jesús dijo:

11. «Ningún profeta es honrado en su tierra natal, entre los suyos.

12. »No hablaré en Nazaret hasta que las palabras que diga y los trabajos que haga en otros lugares me hayan conquistado la fe de los hombres.

13. »Hasta que los hombres sepan que Dios me ha hecho Cristo para manifestar amor eterno.

14. »Buena voluntad para vosotros, mis parientes. Os bendigo con amor sin límites y os deseo goce abundante y felicidad».

15. Y no dijo más, y toda la gente se maravilló mucho de que no hubiera querido hablar en Nazaret.

Capítulo 70

Jesús y sus discípulos en una fiesta en Canaán. Jesús habla del matrimonio. Convierte el agua en vino. Las gentes están asombradas.

1. En Canaán de Galilea se celebró una fiesta de matrimonio, y María, su hermana Miriam y Jesús y sus discípulos fueron invitados.

2. El anfitrión de la fiesta había oído que Jesús era un maestro enviado por Dios, y le pidió que hablara.

3. Y Jesús dijo: «No hay lazo más sagrado que el lazo matrimonial.

4. »La cadena que ata dos almas en amor es forjada en los cielos, el hombre no puede partirla en dos.

5. »Las bajas pasiones de dos pueden producir la unión de dos, pero es una unión como la del agua y el aceite.

6. »También el sacerdote puede forjar una cadena y atar a dos. Éste no es matrimonio, genuino sino falsificado.

7. »Los dos son culpables del adulterio, y el sacerdote es cómplice del crimen». Y eso fue todo lo que dijo Jesús.

8. Y mientras Jesús estaba en pie a un lado, en silencio, su madre se acercó y le dijo: «Falta vino. ¿Qué debemos hacer?».

9. Y Jesús le dijo: «Te ruego que me digas qué es el vino. No es sino agua con sabor a uvas.

10. »¿Y qué son las uvas? No son sino cierta clase de pensamiento expresado en forma corpórea. Yo puedo manifestar tal pensamiento y convertir agua en vino».

11. Entonces llamó a los sirvientes y les dijo: «Traedme seis cántaros de piedra, un cántaro por cada uno de mis seis discípulos, y llenadlos de agua hasta el borde».

12. Los sirvientes llevaron los cántaros y los llenaron de agua hasta los bordes.

13. Y Jesús, con un pensamiento poderoso, hizo vibrar los éteres hasta que se produjeron en manifestación, y he aquí que el agua se coloreó y se tornó en vino.

14. Los sirvientes llevaron el vino y se lo dieron al anfitrión de la fiesta, quien llamó al novio y le dijo:

15. «Este vino es el mejor de todos. La mayoría de las gentes, cuando dan una fiesta, presentan al principio el mejor vino; sin embargo, tú has reservado el mejor para el final».

16. Y cuando le contaron al anfitrión y a los huéspedes que Jesús, por el poder de su pensamiento, había tornado el agua en vino, se quedaron asombrados.

17. Y dijeron: «Éste es más que un hombre. Seguramente es el Cristo que los profetas de tiempos antiguos dijeron que vendría».

18. Y muchos de los huéspedes creyeron en Él y contentos lo siguieron.

CAPÍTULO 71

Jesús, sus seis discípulos y su madre van a Cafarnaún. Jesús enseña a las gentes, revelando la diferencia entre los reyes de la tierra y los reyes de los cielos.

1. La ciudad de Cafarnaún estaba a orillas del mar de Galilea, y allí vivía Pedro. Los hogares de Andrés, Juan y Santiago estaban cerca.

2. Ellos eran pescadores y, como tenían que regresar a atender sus redes, rogaron a Jesús y a su madre que los acompañaran, y pronto, con Felipe y Natanael, se encontraron descansando en casa de Pedro, junto al mar.

3. La noticia de que había venido el rey de Judá se esparció por la ciudad y por la playa, y las multitudes se acercaron a estrecharle la mano.

4. Y Jesús dijo: «No puedo mostraros al rey a menos que lo veáis con los ojos del alma, porque su reino está en el alma.

5. »Y cada alma es un reino. Hay un rey para cada hombre.

6. »Este rey es el amor. Y cuando este amor llega a ser el supremo poder de la vida, el amor es el Cristo, de modo que Cristo es rey.

7. »Y todos pueden hacer que Cristo more en sus almas, como mora en la mía.

8. »El cuerpo es el templo del rey, y los hombres pueden llamar rey a un hombre santo.

9. »Quien limpie su forma mortal y la haga pura, tan pura

que el amor y la rectitud puedan morar lado a lado, dentro de sus paredes, sin ensuciarse, es el rey.

10. »Los reyes de la tierra se visten de regios ropajes y se sientan solemnes para que los hombres se pongan en pie reverentes ante ellos.

11. »Un rey del cielo puede vestirse como pescador, puede sentarse en la plaza del mercado, puede arar la tierra y ser un espigador en el campo, puede ser un esclavo encadenado.

12. »Puede ser juzgado por los hombres como criminal, puede languidecer en la celda de una prisión, puede morir en una cruz.

13. »Los hombres rara vez ven a otros como verdaderamente son. Los sentidos humanos perciben lo aparente, y lo aparente y lo real pueden diferir totalmente.

14. »El hombre carnal sólo ve al hombre exterior, que es el templo del rey, y adora su templo.

15. »El hombre de Dios es puro en su corazón; ve al rey; le ve con los ojos del alma.

16. »Y cuando se eleva al plano de la conciencia de Cristo, sabe que él mismo es el rey, que es el amor, que es el Cristo y por tanto es el hijo de Dios.

17. »Hombres de Galilea, preparaos para recibir a vuestro rey».

18. Y Jesús enseñó a las gentes muchas lecciones, caminando con ellas por la orilla del mar.

SECCIÓN XV

SAMECH

El primer año del ministerio Cristiano de Jesús

Capítulo 72

Jesús en Jerusalén. Arroja a los mercaderes del templo. Los sacerdotes se resienten, y él se defiende desde el punto de vista de un judío leal. Habla a las gentes.

1. La época de la pascua judía había llegado. Jesús dejó a su madre en Cafarnaún y él se fue a Jerusalén.

2. Y se alojó con un saduceo, cuyo nombre era Judas.

3. Y cuando llegó a los patios del templo, las multitudes estaban allí para ver al profeta que las masas creían que rompería el yugo romano, que restauraría el reino de Judá y que gobernaría en el trono de David.

4. Y cuando le vieron llegar exclamaron: «¡Viva! ¡Salve al rey!».

5. Pero Jesús no respondió. Vio a los cambistas y prestamistas en la casa de Dios y se apesadumbró.

6. Los patios habían sido convertidos en plazas de mercado, y los hombres vendían corderos y palomas para ofrecerlos en sacrificio.

7. Y Jesús llamó a los sacerdotes y les dijo: «Mirad que por una bagatela habéis vendido el templo del Señor.

8. »Esta casa que fue destinada a oración es ahora guarida de ladrones ¿Pueden el bien y el mal morar juntos en los patios de Dios? Yo digo que no».

9. Hizo un azote de cuerdas y arrojó a los comerciantes, derribó sus mesas y tiró el dinero al suelo.

10. Abrió las jaulas de las aves cautivas y cortó las cuerdas que retenían a los corderos y los puso en libertad.

11. Los sacerdotes y los escribas se precipitaron afuera y lo habrían matado, pero fueron rechazados; la gente se levantó en su defensa.

12. Y entonces los gobernantes preguntaron: «¿Quién es este Jesús a quien llamáis el rey?».

13. Las gentes respondieron: «Es el rey que libertará a Israel».

14. Los gobernantes dijeron a Jesús: «Hombre, si eres rey o Cristo, danos una señal. ¿Quién te dio el derecho de arrojar a estos comerciantes?».

15. Y Jesús dijo: «No hay ni un solo judío leal que no diera su vida por salvar este templo de la vergüenza; en lo que he hecho, sólo he obrado como un judío leal, y vosotros mismos podéis ser testigos de esta verdad.

16. »Los signos de mi misión mesiánica me seguirán en palabras y en hechos.

17. »Vosotros podéis derribar este templo (y lo derribaréis), y yo lo reconstruiré en tres días, aún más glorioso que antes».

18. Desde luego se refirió a que ellos podían quitarle la vida, deshacer su cuerpo, el templo del Santo Aliento, y a que él se levantaría otra vez.

19. Pero los judíos no comprendieron el significado de sus palabras, se rieron de sus pretensiones y dijeron:

20. «Una multitud de hombres empleó cuarenta y seis años en construir esta casa y ahora este joven extranjero dice que él puede construirlo en setenta y dos horas. Son palabras ociosas y sus afirmaciones son ridículas».

21. Y tomaron el látigo con que arrojó del templo a los comerciantes y lo habrían empleado contra él para arrojarlo; pero Filo, que había llegado de Egipto a la fiesta, se puso en pie y dijo:

22. «Israelitas, oídme: este hombre es más que un hombre; cuidad pues lo que hacéis. Yo mismo he oído a Jesús hablar, y el viento mismo se detuvo.

23. »Y le he visto tocar a los enfermos y curarlos. Él es sabio por encima de los sabios de la tierra.

24. »Y veréis levantarse su Estrella, y crecer hasta transformarse en el Sol de órbita llena de Rectitud.

25. »No os apresuréis; esperad y tendréis la prueba de su misión mesiánica».

26. Y con esto, los sacerdotes dejaron el látigo. Y Jesús dijo:

27. «Prepárate, ¡oh Israel!, prepárate a encontrar a tu rey. Pero nunca podréis ver al rey mientras alberguéis al pecado como un ídolo precioso en vuestros corazones.

28. »El rey es Dios; sólo el puro de corazón puede ver la faz de Dios y vivir».

29. Entonces los sacerdotes gritaron: «Este sujeto asegura que él es Dios. ¿No es esto un sacrilegio? ¡Afuera con él!».

30. Pero Jesús dijo: «Ningún hombre me ha oído decir que yo soy el Rey. Nuestro Padre Dios es el Rey. Como todo judío leal, adoro a Dios.

31. »Yo soy la luz del Señor encendida para iluminar el camino; y mientras tengamos la luz, caminaremos en la luz».

CAPÍTULO 73

Jesús visita otra vez el templo y es recibido favorablemente por la multitud. Cuenta la parábola del rey y sus hijos. Define su misión mesiánica.

1. Al siguiente día las multitudes llenaron los patios del templo, resueltos a oír hablar a Jesús.

2. Y cuando Él llegó, las gentes exclamaron: «¡Salud! ¡Ved al rey!».

3. Y Jesús les contó una parábola y dijo: «Un rey tenía vastos dominios; sus gentes eran bondadosas y amaban la paz.

4. »Y después de muchos años el rey dijo a su gente: "Tomad las tierras y todo lo que tengo, incrementad sus valores, gobernaos a vosotros mismos y vivid en paz".

5. »Entonces las gentes formaron sus estados; seleccionaron a sus gobernantes y reyes pequeños.

6. »Pero el orgullo, la ambición, la codicia egoísta y la baja ingratitud crecieron rápidamente, y los reyes comenzaron a guerrear.

7. »Escribieron en sus leyes que la fuerza es el derecho; entonces los fuertes destruyeron a los débiles y el caos reinó en sus vastos dominios.

8. »Mucho tiempo pasó y el rey contempló sus dominios. Vio a las gentes en guerras crueles; las vio enfermas y dolorosamente afligidas; vio al fuerte esclavizando al débil.

9. »Y entonces se preguntó: "¿Qué haré? ¿Mandaré un azote? ¿Destruiré a toda mi gente?".

10. »Y su corazón se conmovió en piedad y dijo: "No mandaré azotes. Enviaré a mi único hijo, heredero de mi trono, a enseñar a mis gentes el amor, la paz y la rectitud".

11. »Y envió a su hijo; y las gentes lo despreciaron, lo maltrataron y lo clavaron a una cruz.

12. »Lo enterraron; pero la muerte fue demasiado débil para retener al príncipe, y él se levantó.

13. »Tomó una forma que los hombres no podían matar y volvió, a enseñar a las gentes amor, paz y rectitud.

14. »Y así es como Dios trata a los hombres».

15. Un legislador llegó y preguntó: «¿Qué significa Mesías? ¿Quién tiene el derecho de hacer Mesías a un hombre?».

16. Y Jesús respondió: «Mesías es uno enviado por Dios a buscar y salvar a los perdidos. El Mesías no es hecho por el hombre.

17. »Al comienzo de cada edad un Mesías viene a iluminar el camino, a cicatrizar los corazones heridos, a libertar a los prisioneros. El Mesías y el Cristo son uno.

18. »El que un hombre asegure que es Cristo no es prueba de que es Cristo.

19. »Un hombre puede hacer brotar agua del granito, puede producir tempestades con su voluntad, puede calmar vientos huracanados, puede curar enfermos, puede resucitar muertos y, sin embargo, no ser enviado por Dios.

20. »Toda la naturaleza está sometida a la voluntad del hombre, y tanto el malo como el bueno poseen la totalidad de los poderes mentales, y pueden controlar los elementos.

21. »La intelectualidad no es prueba de una verdadera misión

mesiánica, porque el hombre, por medio del intelecto, nunca puede conocer a Dios, ni conducirse a sí mismo a caminar en la luz.

22. »El Mesías no vive en la cabeza, sino en el corazón, la sede de la piedad y del amor.

23. »El Mesías nunca trabaja con fines de provecho egoísta; está por encima de egoísmos carnales; sus palabras y sus obras son para el bien universal.

24. »El Mesías nunca trata de ser rey, de ceñirse una corona, de sentarse en un trono terrestre.

25. »El rey es de la tierra y es terreno; el Mesías es hombre de los cielos».

26. Entonces el legislador le preguntó: «¿Por qué te haces pasar por rey?».

27. Y Jesús contestó: «Nadie me ha oído decir que soy rey. No podría sentarme en el lugar de César y ser el Cristo.

28. »Dad al César lo que es del César; dad a Dios los tesoros de vuestro corazón».

Capítulo 74

Jesús cura en sábado y es censurado por los fariseos. Devuelve la vida a un niño ahogado. Socorre a un perro herido. Habla de la ley de la bondad.

1. Era día sábado. Jesús estaba en pie en medio de grandes masas de gentes que ocupaban los patios y los salones del templo.

2. Los ciegos, los sordos, los mudos y los posesos estaban allí. Y Jesús habló la Palabra y fueron curados.

3. A algunos les impuso la mano y fueron curados; a otros simplemente les habló la Palabra y fueron restaurados plenamente en la salud; otros tuvieron que ir a lavarse en ciertas aguas, y a otros los ungió con aceite santo.

4. Un médico le preguntó por qué curaba con medios diversos, y él le respondió:

5. «La enfermedad es inarmonía en la forma humana, y tales inarmonías son producidas de diversas maneras.

6. »El cuerpo es un clavicordio. Algunas veces las cuerdas

están demasiado flojas y dan como resultado inarmonías.

7. »Otras veces están demasiado tensas, lo cual produce otra forma de discordia.

8. »La enfermedad es, pues, multiforme, de modo que hay muchos medios de curar, de sintonizar otra vez el clavicordio místico».

9. Cuando los fariseos supieron que Jesús había curado en sábado, se enfurecieron y le ordenaron que abandonara el lugar.

10. Pero Jesús dijo: «¿Fue el hombre hecho para amoldarse al sábado, o fue el sábado hecho para amoldarse al hombre?

11. »Si hubierais caído en un abismo en sábado y yo acertara a pasar por allí, me gritaríais:

12. »"Dejadme solo, es pecado ayudarme en sábado; me ahogaré en esta suciedad hasta mañana".

13. »¡Fariseos hipócritas! Bien sabéis que estaríais contentísimos de que os ayudase, ya fuese sábado o no.

14. »Todas estas gentes han caído en abismos, y a gritos están pidiendo auxilio, y Dios y el hombre me maldecirían si pasara sin ayudarlos».

15. Entonces los fariseos retornaron a sus oraciones y a maldecir al hombre de Dios por no haber escuchado sus palabras.

16. Por la tarde Jesús estaba cerca de un pozo. Un niño que jugaba había caído dentro y se había ahogado, y sus amigos estaban llevándoselo.

17. Pero Jesús les pidió que se detuvieran. Entonces se agachó sobre la forma inanimada y respiró en su boca la respiración de vida.

18. Y gritó al alma que se había ido; el alma regresó y el niño revivió.

19. Luego Jesús vio un perro herido que no podía moverse. Estaba tirado a un lado y se quejaba de dolor. Y lo tomó en los brazos y lo llevó a la casa en que moraba.

20. Y le derramó aceite curativo en las heridas, y lo cuidó como si fuera un niño hasta que recobró su fortaleza y su salud.

21. Y Jesús vio a un niñito que no tenía hogar, que estaba hambriento y que cuando pedía pan se le alejaban las gentes.

22. Y Jesús tomó al niño y le dio pan, lo envolvió en su propia ropa y le encontró un hogar.

23. Y a los que le seguían, el Maestro les dijo: «Si el hombre ha de recobrar su soberanía perdida, debe respetar la unidad y la hermandad de toda vida.

24. »Quien no es bondadoso con toda forma de vida, hombre, bestia, pájaro o reptil no puede esperar las bendiciones del Uno Santo, porque como damos, así Dios nos dará».

CAPÍTULO 75

Nicodemo visita a Jesús por la noche. Jesús le revela el significado del nuevo nacimiento y el reino de los cielos.

1. Nicodemo era uno de los gobernantes de los judíos, y era sincero, ilustrado y devoto.

2. Vio el sello de maestro en la cara de Jesús mientras hablaba pero no tuvo el valor de confesar públicamente su fe en él.

3. Pero cuando llegó la noche se fue a casa de Judas a hablar con Jesús.

4. Cuando éste le vio acercarse, dijo: «Plenamente benditos son los puros de corazón.

5. »Dos veces benditos son los puros de corazón que no tienen miedo.

6. »Tres veces benditos son los puros de corazón que no tienen miedo y que tienen el atrevimiento de confesar su fe ante las más altas cortes».

7. Y Nicodemo dijo: «¡Salud, Maestro, salud! Yo sé que eres un maestro que viene de Dios, porque el hombre solo nunca puede enseñar como tú enseñas, ni puede hacer los trabajos que tú haces».

8. Y Jesús dijo: «A menos que un hombre vuelva a nacer, no puede ver al rey, no puede comprender las palabras que yo hablo».

9. Y Nicodemo preguntó: «¿Cómo puede un hombre nacer otra vez? ¿Puede volver a entrar en el útero y volver otra vez a la vida?».

10. Y Jesús contestó: «El nacimiento del que hablo no es nacimiento físico.

11. »A menos que un hombre nazca del agua y del Santo Aliento, no puede entrar en el Reino del Uno Santo.

12. »Lo que nace de la carne es creación del hombre; lo

que nace del Santo Aliento es creación de Dios.

13. »El viento sopla donde quiere; el hombre puede oír su rumor y percibir los resultados, pero no puede saber de dónde viene y adónde va; y así es todo lo que nace del Santo Aliento».

14. El gobernante dijo: «No comprendo. Te ruego que me digas más sencillamente lo que quieres decirme».

15. Y Jesús afirmó: «El reino del Uno Santo está en el alma. Los hombres no pueden verlo con ojos físicos. Con su mente razonadora no son capaces de comprenderlo.

16. »Es una vida profunda, oculta en Dios; su reconocimiento es el trabajo de la conciencia íntima.

17. »Los reinos terrenos son reinos del plano visible; el reino del Uno Santo es el reino de la fe, y el rey es el amor.

18. »Los hombres no pueden ver el amor de Dios abstracto e inmanifestado; de ahí que el Padre haya encarnado este amor en forma corpórea: la forma del hijo del hombre.

19. »Y para que el mundo pueda ver y conocer este amor expresado en forma corpórea, es necesario elevar a lo alto al hijo del hombre.

20. »Como Moisés en el desierto levantó en alto la serpiente para la curación del cuerpo, así debe levantarse el hijo del hombre.

21. »Para que todos los hombres mordidos por la serpiente del polvo, la serpiente de las manifestaciones corpóreas de la vida, puedan vivir.

22. »Quien llegue a creer en Él alcanzará la vida eterna.

23. »Porque Dios ama al mundo de tal modo que envió a su único hijo para que sea elevado y los hombres puedan ver el amor de Dios.

24. »Dios no mandó a Su Hijo a juzgar al mundo, a salvarlo, a traer a los hombres a la luz.

25. »Pero los hombres no aman la luz, porque la luz les revela sus debilidades. Los hombres aman la oscuridad.

26. »Ahora bien, todo el que ama la verdad viene tarde o temprano a la luz porque no teme que sus acciones se manifiesten».

27. La luz había llegado, y Nicodemo se fue a su casa. Ahora conocía el significado del

nacimiento del Santo Aliento. Había sentido la presencia del Espíritu en su alma.

28. Y Jesús se alojó en Jerusalén durante muchos días, y enseñó y curó a los enfermos.

29. La gente sencilla escuchaba alegremente sus palabras. Y muchos dejaron sus asuntos terrenos y le siguieron.

Capítulo 76

Jesús en Belén. Explica a los pastores el Imperio de la Paz. Aparece una luz inusitada. Los pastores reconocen a Jesús como a Cristo.

1. El Logos fue a Belén, y muchos le siguieron.

2. Encontró la casa de la pastora en la que fue arrullado cuando niño. Y allí moró.

3. Y fue a las colinas en las que más de treinta años antes los pastores cuidaban sus rebaños cuando oyeron al mensajero de paz exclamar:

4. «A media noche en una cueva de Belén ha nacido el Príncipe de la Paz».

5. Y los pastores todavía estaban allí y los corderos todavía se alimentaban en las colinas.

6. Y en el valle cercano volaba un gran grupo de palomas blancas como la nieve.

7. Y cuando los pastores supieron que Jesús, a quien las gentes llamaban el rey, había llegado, llegaron de cerca y de lejos a hablarle.

8. Y Jesús les dijo: «¡Mirad la vida de la inocencia y Paz!

9. »La blancura es el símbolo del virtuoso y del puro; el cordero de la inocencia, y la paloma de la paz.

10. »Y fue conveniente que el amor tomara forma humana en un ambiente como éste.

11. »Nuestro padre Abraham caminó por estos valles, y en estas mismas colinas pastoreó sus rebaños.

12. »Y fue aquí también donde se manifestó el Príncipe de la Paz, el rey de Salem, el Cristo en forma humana. Inmensamente más grande que Abraham.

13. »Y fue aquí donde Abraham dio al rey de Salem la décima parte de todo lo que tenía.

14. »Este Príncipe de la Paz guerreó en todas partes. No tenía espada, ni coraza, ni armas.

15. »Y sin embargo conquistó a los hombres, y las naciones temblaron a sus pies.

16. »Los ejércitos de Egipto cedieron ante este fuerte rey de la verdad, y los reyes de Egipto colocaron sus coronas sobre su cabeza.

17. »Y pusieron en su mano el cetro de la tierra de Egipto; no se derramó ni una gota de sangre, ni hubo un cautivo encadenado.

18. »Antes bien, el Conquistador abrió en todo lugar las puertas de las prisiones y puso en libertad a los cautivos.

19. »Ha vuelto otra vez el Príncipe de la Paz y de estas colinas benditas va a partir otra vez a la lucha.

20. »Y está vestido con la blancura, su espada es la verdad, su escudo es la fe, su yelmo es la inocencia, su respiración es el amor y su palabra es la palabra de la paz.

21. »Pero ésta no es una guerra material, no es una guerra de hombre a hombre, sino que es la lucha del bien contra el mal.

22. »Y el amor es el capitán, el amor es el guerrero, el amor es la coraza, el amor es todo, y el amor triunfará».

23. Y otra vez las colinas de Belén se inundaron de luz, y otra vez el Mensajero exclamó:

24. «Paz, paz en la tierra y bienaventuranza a los hombres».

25. Y Jesús enseñó a las gentes, curó a los enfermos y reveló los misterios del Uno Santo.

26. Y muchos decían: «Es el Cristo; el rey que había de venir ha venido. Alabado sea Dios».

Capítulo 77

Jesús en Hebrón. Va a Betania. Aconseja a Ruth con respecto a ciertas dificultades de familia.

1. Con tres discípulos fue a Hebrón, donde permaneció durante siete días y enseñó.

2. Y luego fue a Betania y enseñó en el hogar de Lázaro.

3. La tarde caía; las multitudes se habían retirado ya; Jesús, Lázaro y sus hermanas Marta, Ruth y María estaban solos.

4. Y Ruth se hallaba hondamente amargada. Su hogar estaba en Jericó; su marido era el posadero y su nombre era Aser-ben.

5. Aser-ben era un fariseo de pensamiento y actos sumamente estrictos, que miraba a Jesús con desdén.

6. Y cuando su esposa confesó su fe en el Cristo, la arrojó de su casa.

7. Pero Ruth no resistió, sino que dijo: «Si Jesús es el Cristo, Él sabe el camino y yo estoy segura de que Él es el Cristo.

8. »Mi esposo puede enfurecerse y destruir mi forma humana; pero no puede matar mi alma, y en las muchas mansiones de mi Padre tengo una morada».

9. Y Ruth se lo contó todo a Jesús, agregando: «¿Qué haré?».

10. Y Jesús dijo: «Tu esposo no es culpable conscientemente; es devoto; ora a Dios, a nuestro Padre-Dios.

11. »Su celo por la religión es intenso; en ello es sincero, pero este celo lo ha desequilibrado, de modo que cree correcto mantener su hogar limpio de la herejía del Cristo.

12. »Está seguro de que ha hecho la voluntad de Dios al arrojarte de su casa.

13. »La intolerancia es la ignorancia madura.

14. »La luz le vendrá y entonces te recompensará por todos tus dolores de cabeza, pesares y lágrimas.

15. »Pero no te imagines, Ruth, que estás libre de culpa.

16. »Si hubieras caminado por el sendero de la sabiduría y te hubieras contentado con no hablar, tu pesar no te habría llegado.

17. »Mucho, mucho tiempo pasa para que la luz penetre donde hay perjuicios. La paciencia es la gran lección que hay que aprender.

18. »La gota constante de agua perfora la piedra más dura.

19. »El incienso dulce y santo de una vida correcta disuelve la intolerancia más rápidamente que la llama más intensa, que el golpe más rudo.

20. »Espera solamente un poco, y vuelve a tu hogar con simpatía y amor. No hables del Cristo, ni del reino del Uno Santo.

21. »Simplemente vive una vida buena, refrénate de durezas

en tu lenguaje y de esa manera guiarás a tu esposo a la luz».

22. Y así sucedió.

Capítulo 78

Jesús en Jericó. Cura a una sirvienta de Aserben. Va al Jordán y habla a la gente. Establece el bautismo como símbolo de ser discípulo. Bautiza a seis discípulos, que a su vez bautizan a muchas gentes.

1. Y Jesús fue a Jericó, donde se hospedó en la posada de Aser.

2. Una sirvienta de la posada estaba enferma y moribunda; sus curanderos no podrían curarla.

3. Y Jesús llegó, tocó a la moribunda y le dijo: «Malone, levántate». Y el dolor la dejó, la fiebre cesó y la doncella estuvo bien.

4. Entonces la gente llevó a sus enfermos, que fueron curados.

5. Pero Jesús no se quedó en Jericó mucho tiempo, sino que fue a la orilla del Jordán, donde Juan solía enseñar.

6. Allí estaban las multitudes, y Jesús les dijo: «Mirad que el momento ha llegado: el reino está realmente cerca.

7. »Nadie sino el puro de corazón puede entrar en el reino del Uno Santo. Pero todo hijo y toda hija de la raza humana están llamados a alejarse de lo erróneo y a llegar a ser puros en su corazón.

8. »La resolución de adquirir el reino y de entrar por el portón cristiano en el reino del Uno Santo será la característica del discípulo, cada uno de los cuales hará una demostración pública de que es discípulo.

9. »Juan lavó vuestros cuerpos en el río, símbolo de la limpieza del alma, preparándoos para la venida del rey, la apertura del portón cristiano al reino del Uno Santo.

10. »Juan hizo un formidable trabajo. Ahora el portón está abierto, y se establece el lavado como un símbolo del discípulo.

11. »Y este símbolo subsistirá como un rito hasta que termine esta época; se denominará el rito del bautismo y será un signo entre los hombres y un sello ante Dios de que el hombre es discípulo.

12. »Hombres de todas las naciones, oídme: venid a mí. La puerta está abierta, abandonad vuestros pecados, sed bautizados, y entraréis por la puerta y veréis al rey».

13. Los seis discípulos que habían seguido a Jesús estaban cerca. Jesús los condujo y en el Jordán los bautizó en el nombre del Cristo. Y les dijo:

14. «Amigos, vosotros sois los primeros en entrar por la puerta del Cristo al reino del Uno Santo.

15. »Como os bautizo en el nombre del Cristo, así y en ese nombre bautizaréis vosotros a todos los hombres y a todas las mujeres que confiesen su fe en el Cristo y renuncien a sus pecados».

16. Y he aquí que las multitudes descendieron, renunciaron a sus pecados, confesaron su fe en el Cristo y fueron bautizadas.

Capítulo 79

Juan el Precursor en Salem. Un doctor de la ley pregunta por Jesús. Juan explica a la multitud la misión de Jesús.

1. Ahora, Juan el Precursor estaba en las fuentes de Salem donde el agua era abundante. Y allí predicó y lavó los cuerpos de los que confesaban sus pecados.

2. Un doctor de la ley judía fue a Juan y le dijo: «¿No se ha hecho tu enemigo el hombre de Galilea al que lavaste y llamaste el Cristo?

3. »Dicen que está en la orilla del Jordán, que está estableciendo una iglesia o algo parecido y que lava a las gentes tal como tú lo haces».

4. Y Juan respondió: «Ciertamente que este Jesús es el Cristo cuyo camino preparo yo. No es mi enemigo.

5. »El novio está con su novia, y sus amigos que están cerca, al oír su voz, se regocijan.

6. »El reino del Uno Santo es la novia, el Cristo es el novio y yo, como precursor, estoy lleno

de goce porque ellos prosperan tan abundantemente.

7. »Yo he hecho el trabajo que se me encomendó. El trabajo de Jesús apenas comienza».

8. Y entonces, mirando a las multitudes, dijo: «Cristo es el rey de la justicia; Cristo es el Amor de Dios, Él es Dios; una de las personas santas del Dios Trino y Uno.

9. »Cristo vive en todo corazón de pureza.

10. »Jesús, que está predicando en la orilla del Jordán, ha sido sometido a las pruebas más duras de la vida humana y ha conquistado todos los apetitos y todas las pasiones del hombre carnal.

11. »Y por las cortes supremas de los cielos ha sido declarado hombre de pureza y santidad tan superiores que puede demostrar la presencia en la tierra del Cristo.

12. »He aquí que el Amor Divino, que es el Cristo, mora en él y él es el prototipo de la raza humana.

13. »Y todo hombre puede ver en él lo que todo hombre será cuando haya conquistado todas las pasiones del egoísmo.

14. »En agua he lavado los cuerpos de los que se han separado del pecado, como símbolo de la limpieza del alma.

15. »Pero Jesús baña para siempre en las aguas vivientes del Santo Aliento.

16. »Jesús viene a traer a los hombres el salvador del mundo. Y el salvador del mundo es el Amor.

17. »Y todos los que ponen su confianza en Cristo y siguen a Jesús como un prototipo y un guía tienen vida eterna.

18. »Pero quienes no confían en Cristo y no purifican su corazón de modo tal que el Cristo pueda morar en su interior nunca podrán entrar en la vida eterna».

Capítulo 80

Lamas llega de la India a ver a Jesús. Escucha las enseñanzas de Juan en Salem. Encuentra a Jesús en el Jordán. Los maestros se reconocen uno a otro.

1. Lamas, sacerdote de Brahmán, que fue amigo de Jesús

cuando éste estuvo en el templo de Jagannath, había oído hablar de Jesús y de sus trabajos en muchas tierras, por lo cual abandonó su país y fue a Palestina a buscarle.

2. Y durante el viaje a Jerusalén oyó hablar de Juan el Precursor, que era considerado el profeta de Dios viviente.

3. Lamas encontró al Precursor en las fuentes de Salem. Durante muchos días escuchó en silencio las verdades que él enseñaba.

4. Y estuvo presente cuando los fariseos hablaron a Juan de Jesús y de sus grandes trabajos.

5. Oyó la respuesta del Precursor; le oyó bendecir el nombre de Jesús, a quien el llamó el Cristo.

6. Entonces habló a Juan y le pidió: «Te ruego que me hables más acerca de este Jesús a quien llamas el Cristo».

7. Y Juan respondió: «Este Jesús es el Amor de Dios en manifestación corpórea.

8. »El hombre está viviendo en planos inferiores, en planos de codicia y de egoísmos; por egoísmos pelea, y con la espada conquista.

9. »En toda tierra el fuerte esclaviza y mata al débil. Todos los reinos surgen por la fuerza de las armas, por la fuerza se hace el rey.

10. »Este Jesús viene a derribar este reinado férreo de la fuerza, y a sentar el Amor en el trono del poder.

11. »Jesús no teme a hombre alguno. Predica de manera valiente en los patios de los reyes y en todo lugar, que las victorias alcanzadas por las fuerzas de las armas son erróneas.

12. »Que toda meta digna de alcanzarse debe ser alcanzada suavemente y por amor, exactamente como el Príncipe de la Paz, Melquisedec, el sacerdote de Dios, logró victorias valiosas en la guerra sin derramar ni una gota de sangre.

13. »¿Qué dónde están los templos del Cristo? Él no ejerce su ministerio en tabernáculos hechos con las manos; sus templos son los corazones de los hombres santos que están preparados para ver al rey.

14. »Los bosques de la naturaleza son sus sinagogas; su foro es el mundo.

15. »No tiene sacerdotes vestidos como títeres para que los admiren los hombres, porque todo hijo del hombre es sacerdote del Amor.

16. »Cuando el hombre ha purificado su corazón por la fe, no necesita intermediarios que intercedan.

17. »Está en relaciones amigables con Dios; no tiene miedo; es capaz y tiene valor suficiente para abandonar su cuerpo en el altar del Señor.

18. »De esta manera todo hombre es su propio sacerdote y él mismo es su sacrificio viviente.

19. »No necesitas buscar al Cristo porque cuando se purifique tu corazón el Cristo vendrá, y morará contigo para siempre».

20. Luego Lamas prosiguió su camino y llegó adonde Jesús enseñaba junto al Jordán.

21. Y Jesús al verle dijo: «¡Mirad la estrella de la India!».

22. Y Lamas exclamó: «¡Mirad el Sol de la Rectitud!». Y confesó su fe en Cristo, y le siguió.

CAPÍTULO 81

Los cristianos se van a Galilea. Se detienen junto al pozo de Jacob y Jesús enseña a una mujer de Samaria.

1. Iba abriéndose la puerta al reino del Uno Santo, y Jesús, junto con los seis discípulos y Lamas, se fueron de la orilla del Jordán hacia Galilea.

2. Samaria estaba en el camino, y viajando llegaron a Sicar, que se hallaba cerca de la tierra que Jacob dio a José cuando éste era joven.

3. Y el pozo de Jacob estaba cerca, y Jesús se sentó al lado del pozo meditando en silencio, y sus discípulos fueron a la ciudad a comprar pan.

4. Una mujer de la población fue a llenar su cántaro en el pozo; y Jesús tuvo sed, y cuando le pidió a la mujer que le diera de beber, ella le dijo:

5. «Soy mujer de Samaria y tú eres judío. ¿No sabes que hay enemistad entre samaritanos y judíos? Si sabes que los judíos y los samaritanos no tienen relaciones, ¿por qué me pides el favor de darte de beber?».

6. Y Jesús respondió: «Samaritanos y judíos, todos son hijos de un solo Dios, nuestro Padre-Dios, y son su familia.

7. »Sólo el prejuicio nacido de la mente carnal es el que crea la enemistad y el odio.

8. »Aunque nací judío, reconozco la hermandad de la vida. Los samaritanos me son tan queridos como los judíos y los griegos.

9. »Y si tú hubieras sabido las bendiciones que por mi intermediación ha enviado nuestro Padre-Dios a los hombres, me habrías pedido que te dé de beber.

10. »Y yo te habría dado con placer agua de la Fuente de la Vida, y nunca más habrías tenido sed».

11. La mujer dijo: «Este pozo es hondo y tú no tienes nada con qué sacar el agua ¿Cómo, pues, podrías tener el agua de que me hablas?».

12. Y Jesús dijo: «El agua de que te hablo no proviene del pozo de Jacob; procede de un manantial que nunca se agota.

13. »Quien bebe del pozo de Jacob vuelve a sentir sed. Quien bebe del agua que yo doy nunca más vuelve a tener sed.

14. »Pues ellos mismos vienen a ser un pozo, y del interior de ellos mismos surgen las aguas burbujeantes de la vida eterna».

15. La mujer dijo: «Señor, deseo beber de ese pozo rico de la vida. Dame de beber, para que no vuelva a sentir sed».

16. Y Jesús le dijo: «Anda y llama a tu marido para que pueda participar contigo de la copa viviente».

17. La mujer afirmó: «No tengo marido, Señor».

18. Y Jesús, contestándole, dijo: «Apenas entiendes lo que significa marido. Pareces una mariposa dorada que vuela de flor en flor.

19. »Para ti no hay santidad en los lazos del matrimonio, sino que te ayuntas con cualquier hombre.

20. »Has vivido con cinco hombres que fueron considerados tus maridos por tus amigos».

21. La mujer preguntó: «¿Estoy hablando con un profeta o con un vidente? ¿Querrías tú decirme quién eres?».

22. Y Jesús respondió: «No necesitas que te diga quien soy porque has leído la ley, los profetas y los salmos que hablan de mí.

23. »Yo soy el que ha venido a derrumbar las murallas que separan a los hijos de los hombres. En el Santo Aliento no hay griegos, ni judíos, ni samaritanos, ni esclavos, ni libres, porque todos son uno».

24. La mujer preguntó: «¿Por qué decís vosotros que el hombre debe orar sólo en Jerusalén y que no debe orar en nuestra montaña sagrada?».

25. Y Jesús contestó: «Lo que tú dices no lo digo yo. Un lugar es tan sagrado como el otro.

26. »La hora ha llegado en que el hombre adorará a Dios en el templo de su corazón, porque Dios no está en Jerusalén ni en la montaña sagrada de manera diferente en que está en todo corazón.

27. »Nuestro Dios es Espíritu; quienes lo adoren tienen que adorarle en espíritu y en verdad».

28. La mujer dijo: «Nosotros sabemos que cuando venga el Mesías, nos guiará por sendas de verdad».

29. Y Jesús dijo: «Mira que el Cristo ha venido; el Mesías te habla».

Capítulo 82

Mientras Jesús enseña, llegan sus discípulos y se asombran de que hable con una samaritana. Mucha gente de Sicar acude a ver a Jesús. Él les habla. Con sus discípulos va a Sicar y se queda durante algunos días.

1. Mientras Jesús hablaba con la mujer en el pozo, llegaron de Sicar los seis discípulos con el alimento.

2. Y cuando le vieron con una mujer de Samaria, y con una que pensaron que era una cortesana, se asombraron; pero ninguno le preguntó por qué le hablaba.

3. La mujer estaba tan absorta en pensamiento y tan interesada en lo que el Maestro decía que había olvidado el objetivo de su viaje al pozo. Abandonó su cántaro y corrió veloz a la población.

4. Allí refirió todo lo relativo al profeta que había encontrado en el pozo de Jacob, agregando: «Me ha dicho todo lo que yo he hecho».

5. Y cuando las gentes empezaron a preguntarle más acerca

del hombre, la mujer dijo: «Venid y ved. Y las multitudes fueron al pozo de Jacob».

6. Cuando Jesús los vio llegar, dijo a aquellos que le seguían: «No necesitáis decir que faltan cuatro meses para la cosecha.

7. »Mirad que es ahora el tiempo de la cosecha. Levantad los ojos y mirad: los campos están dorados con el grano maduro.

8. »Muchos sembradores han procedido a sembrar las semillas de la vida; las plantas se han vigorizado con el sol del verano; el grano está maduro; el dueño del campo llama a los hombres a la cosecha.

9. »Y vosotros iréis al campo y cosecharéis lo que otros sembraron; y cuando llegue el momento de contar, tanto los sembradores como los cosechadores se regocijarán».

10. Y Felipe dijo a Jesús: «Deja el trabajo un momento, siéntate bajo este olivo y toma un poco de alimento. Debes de tener desmayo, pues no has comido desde esta mañana temprano».

11. Pero Jesús dijo: «No me desmayo porque tengo para comer un alimento que vosotros no conocéis».

12. Entonces los discípulos se preguntaron: «¿Quién ha podido traerle algo de comer?».

13. Ellos no sabían que tenía el poder de convertir los éteres en alimento.

14. Y Jesús dijo: «El dueño de la cosecha nunca envía a los cosechadores sin alimentos.

15. »Mi padre, que me ha enviado al campo de cosecha de la vida humana, no permitirá que yo pase necesidades. Y cuando os llame a vosotros a servir, Él os dará alimentos, os vestirá y os dará albergue».

16. Entonces, dirigiéndose a las gentes de Samaria, dijo: «No consideréis extraño que yo, siendo judío, os hable, pues yo soy uno con vosotros.

17. »El Cristo Universal que fue, que es y que será para siempre se ha manifestado en mí. Pero Cristo pertenece a todo hombre.

18. »Dios riega sus bendiciones con mano generosa, y no es más bondadoso con una que con otra de las creaciones de su mano.

19. »Acabo de llegar de las colinas de Judá. Y allá brilla el mismo sol de Dios, florecen las mismas plantas, y en la noche las estrellas de su cielo tienen la misma intensidad que aquí.

20. »Dios no abandona a nadie. Los judíos, los griegos y los samaritanos son iguales ante Él.

21. »¿Por qué el hombre y la mujer han de disputar y pelear como niños que juegan?

22. »Las líneas que separan a los hijos de los hombres son hechas de paja, y una sola respiración de amor las arroja lejos».

23. Las gentes estaban asombradas de lo que el extranjero decía, y muchos afirmaban: «El Cristo que seguramente había de venir ha venido».

24. Y Jesús se fue con ellos a la población y se quedó allí algunos días.

Capítulo 83

Jesús enseña a los pobladores de Sicar. Arroja un espíritu perverso de un poseso. Envía a ese espíritu a su propio lugar. Cura a muchas gentes. Los sacerdotes están perturbados con la presencia de Jesús en Sicar, pero él les habla y los pone de su lado.

1. En Sicar Jesús enseñó al pueblo en la plaza del mercado.

2. Le llevaron a un poseso. El espíritu perverso que poseía a ese hombre estaba lleno de violencia y lascivia, y con frecuencia lo arrojaba a la tierra.

3. Y Jesús habló en voz alta y dijo: «Espíritu bajo, suelta tu posesión de las partes vitales de este hombre y vuelve a tu propio lugar».

4. Entonces el espíritu le rogó que le dejara ir al cuerpo de un perro que estaba cerca.

5. Pero Jesús dijo: «¿Por qué has de hacer daño a este perro indefenso? Su vida es tan preciosa para él como es la mía para mí.

6. »No tienes derecho a cargar el peso de tu pecado sobre ningún ser viviente.

7. »Por tus propias acciones y tus pensamientos malos has traído todos esos peligros sobre ti. Ahora tienes arduos problemas que resolver, pero tienes que resolverlos por ti mismo.

8. »Poseyendo así a un hombre, haces tus propias condiciones doblemente tristes. Regresa a tu propio dominio; refrénate de hacer daño a cosa alguna y, poco a poco, tú mismo te libertarás».

9. El espíritu perverso dejó al hombre y se fue a sus dominios. Y el hombre miró con agradecimiento y dijo: «Bendito sea Dios».

10. Muchos llevaron a sus enfermos y Jesús habló la Palabra, y se curaron.

11. El gobernante de la sinagoga y todos los sacerdotes estuvieron muy conturbados cuando les dijeron que Jesús de Jerusalén estaba predicando en la ciudad.

12. Creían que había ido a hacer prosélitos y a promover disturbios entre los samaritanos.

13. De modo que fueron a la autoridad para que le llevase a la sinagoga a fin de que explicara su presencia en la población.

14. Pero Jesús dijo al que vino: «Regresa y di al gobernante y a los sacerdotes de la sinagoga que no estoy haciendo nada contra la ley.

15. »Que vine a reparar corazones partidos, a curar enfermos, a arrojar espíritus malos de los que están posesos.

16. »Diles que sus profetas han hablado de mí; que no he venido a romper ley alguna, sino a poner en ejercicio la ley suprema».

17. El hombre regresó y dijo a los sacerdotes y al gobernante de la sinagoga lo que Jesús había dicho.

18. El gobernante estaba asombrado. Y se fue con los sacerdotes a la plaza del mercado donde estaba Jesús.

19. Y cuando Jesús los vio, dijo: «Ved a los hombres honorables de Samaria, los hombres elegidos para guiar este pueblo por el camino correcto.

20. »Y yo he venido para ayudarlos, no para obstaculizar su trabajo.

21. »Hay dos clases de hijo del hombre: los que edifican la raza humana sobre las piedras del cimiento sólido de la justicia,

de la verdad, de la igualdad y del derecho.

22. »Y los que destruyen el templo santo en el que mora el Espíritu, conduciendo a los hombres a la mendicidad y el crimen.

23. »La hermandad santa de los justos debe mantenerse unida a la hora del conflicto.

24. »Ya sean judíos, samaritanos, asirios o griegos, deben sojuzgar bajo su pie toda disputa, toda discordia, todo celo y todo odio, y demostrar la fraternidad del hombre».

25. Entonces tomó al gobernante de la mano; la luz de amor había llegado a sus almas y todos estaban asombrados.

Capítulo 84

Los cristianos continúan en su viaje. Se quedan algún tiempo en Samaria. Jesús habla en la sinagoga. Por poder mental cura a una mujer. Desaparece, pero más tarde se une con sus discípulos en el camino a Nazaret.

1. Los cristianos se encaminaban a Galilea, pero al llegar a la ciudad de Samaria las multitudes, presionándolos fuertemente por todos lados, les rogaron que se quedaran en la ciudad algún tiempo.

2. Entonces fueron a la sinagoga, donde Jesús abrió el Libro de Moisés y leyó:

3. «En ti y en tu semilla todas las naciones serán benditas».

4. Luego cerró el libro y dijo: «Estas palabras fueron dichas por el Señor de los ejércitos a nuestro padre Abraham, e Israel ha sido la bendición de todo el mundo.

5. »Nosotros somos su semilla; pero de todo trabajo que fuimos llamados a hacer, ni la décima parte ha sido realizada todavía.

6. »El Señor de los ejércitos ha seleccionado a los israelitas para enseñar la unidad de Dios y el hombre; pero nadie puede enseñar lo que no es capaz de demostrar en su vida.

7. »Nuestro Dios es espíritu, y en él residen toda sabiduría, amor y fortaleza.

8. »En todo hombre están brotando estos atributos sagrados, y a su tiempo se abrirán en capullo; y se completará la

demostración y entonces el hombre comprenderá el hecho de la unidad.

9. »Y tú, el gobernante de la sinagoga, y vosotros, sus sacerdotes, sois sirvientes de honor del Señor de los ejércitos.

10. »Los hombres esperan que los guiéis por los caminos de la vida; el ejemplo es lo que debe caracterizar al sacerdote. De ahí que como queráis que sean los hombres, así debéis ser vosotros.

11. »Una sola vida deificada puede conquistar diez mil almas para la pureza y la rectitud».

12. Y todas las gentes dijeron: «Amén».

13. Entonces Jesús abandonó la sinagoga, y en la hora de la oración vespertina subió al bosque sagrado, y todas las gentes tornaron sus rostros hacia la montaña santa y oraron.

14. Y Jesús oró.

15. Y mientras estaba sentado en silencio, una voz habló a su alma implorando ayuda.

16. Y Jesús vio a una mujer acostada en un estrado en doloroso malestar, pues estaba enferma de muerte.

17. No podía hablar; pero había oído que Jesús era un hombre de Dios, de modo que su corazón le llamó y le pidió auxilio.

18. Y Jesús la ayudó. No habló. Pero, como un rayo de luz, una virtud poderosa de su alma llenó el cuerpo de la enferma de muerte, y ella se levantó y se reunió con sus parientes que oraban.

19. Sus parientes se asombraron y le preguntaron: «¿Cómo te curaste?». Y ella respondió:

20. «No lo sé. Simplemente le pedí al hombre de Dios, en pensamiento, que me curase, y en un instante estuve curada».

21. Las gentes dijeron: «Seguramente los dioses han descendido a la tierra, porque el hombre no tiene poder de curar con el pensamiento».

22. Pero Jesús dijo: «El Supremo poder de los cielos y de la tierra es el pensamiento.

23. »Dios hizo el universo por pensamiento; colorea los lirios y las rosas con pensamientos.

24. »¿Por qué, pues, considerar extraño que yo envíe un pensamiento curativo y cambie los éteres de la enfermedad y muerte convirtiéndolos en los de salud y vida?

25. »Cosas más grandes que ésta veréis, pues con el poder del santo pensamiento mi cuerpo transmutará su forma corpórea en forma espiritual. Y vosotros haréis lo mismo».

26. Y al terminar de decir eso, desapareció, sin que nadie lo viera irse.

27. Sus propios discípulos no comprendieron ese cambio. No supieron adónde se había ido su maestro, de modo que emprendieron su camino.

28. Pero mientras caminaban hablando de ese extraño acontecimiento, he aquí que Jesús apareció y continuó con ellos el camino a Nazaret de Galilea.

CAPÍTULO 85

Juan el Precursor censura a Herodes por su maldad. Herodes lo encarcela en Macaero. Jesús explica por qué Dios permitió el encarcelamiento de Juan.

1. Herodes Antipas, tetrarca de Paraca y de Galilea, era vicioso, egoísta y tiránico.

2. Arrojó a su esposa de su hogar para tomar como tal a Herodías, esposa de un pariente cercano suyo, mujer inmoral e injusta como él.

3. El hogar de Herodes estaba en Tiberio, en las costas de Galilea.

4. Juan el Precursor se había ido de las fuentes de Salem al mar de Galilea a enseñar a las gentes; y allí censuraba al gobernante malvado y a su esposa robada, por todos los pecados de ambos.

5. Herodías se enfureció ante la audacia del predicador, que se atrevía a censurar a ella y a su esposo por su crímenes.

6. E instó a Herodes a que aprisionara al Precursor y lo arrojara a un calabozo del castillo de Macaero, que estaba a la orilla del mar Muerto.

7. Y Herodes hizo lo que le pidió. Entonces ya vivió ella en paz con todos sus pecados, y ya nadie tuvo el atrevimiento de censurarla.

8. Los prosélitos de Juan no podían hablar y del encarcelamiento de éste.

9. Por orden de la corte se les prohibió enseñar en lugares públicos.

10. No podían hablar de esa vida mejor que Herodes llamaba la herejía de Juan.

11. Y cuando se hizo público que Juan había sido encarcelado por orden del tetrarca, los amigos de Jesús creyeron prudente que saliera de Galilea.

12. Pero Jesús dijo: «Nada tengo que temer; mi hora no ha llegado; ningún hombre puede detenerme hasta que haya terminado mi trabajo».

13. Y cuando le preguntaron por qué había permitido el encarcelamiento de Juan, respondió:

14. «Mirad aquel tallo de trigo. Cuando el grano está ya perfecto, el tallo ha perdido toda su importancia, cae y vuelve a ser parte de la tierra de la cual nació.

15. »Juan es el tallo de trigo dorado. Ha desarrollado en plena madurez el grano más rico de la tierra. Su trabajo ha terminado.

16. »Si el hombre hubiera hablado una sola palabra más, podría haber dañado la simetría de lo que ahora es una vida noble.

17. »Cuando mi trabajo haya terminado, los gobernantes harán conmigo lo que han hecho con Juan, y más.

18. »Todos estos acontecimientos son parte del plan de Dios. Los inocentes sufren cuando los malvados llegan al poder. Pero ¡ay de aquellos que hacen sufrir a los inocentes!».

CAPÍTULO 86

Los discípulos de Cristo en Nazaret. Jesús habla en la sinagoga. Sus palabras ofenden a la gente e intentan matarle. Desaparece misteriosamente y regresa a la sinagoga.

1. Los discípulos estaban en Nazaret. Era sábado y Jesús fue a la sinagoga.

2. El sacerdote que guardaba los libros dio uno a Jesús, quien lo abrió y leyó:

3. «El Espíritu del Señor me ha ungido, y me ha enviado a predicar el evangelio a los pobres, a liberar a los cautivos y a dar vista a los ciegos.

4. »A consolar a los oprimidos y maltratados y a proclamar que ha llegado un tiempo de alegría y gozo».

5. Y cuando hubo leído esto cerró el libro y dijo: «Hoy se está cumpliendo ante vuestros ojos esta escritura. Ha llegado ya el tiempo en el que Israel bendecirá al mundo con gozo».

6. Luego les siguió hablando sobre el Reino de Dios, sobre el perdón de los pecados y sobre el camino secreto de la vida.

7. Muchos no sabían quién les estaba hablando. Preguntaban: «¿No es éste el hijo de José? ¿No vive su madre en el camino de Marmión?».

8. Y uno habló y dijo: «Él es quien realizó obras prodigiosas en Caná, Cafarnaún y Jerusalén».

9. Entonces la gente dijo: «Médico, cúrate a ti mismo. Haz entre los tuyos los mismos milagros que has hecho en otras tierras».

10. Y Jesús dijo: «Ningún profeta es bien recibido en su tierra y los profetas no son enviados para todos.

11. »Elías fue un hombre de dios; tenía mucho poder y cerró las puertas del cielo para que no lloviera durante cuarenta meses y cuando pronunció la palabra vino la lluvia y la tierra volvió a revivir.

12. »Y había muchas viudas en el país pero Elías sólo fue a Zarefat y ella fue bienaventurada.

13. »Y en los tiempos de Elías había en Israel muchos leprosos, pero sólo se curó uno: el sirio que tuvo fe.

14. »Vosotros no tenéis fe. Buscáis milagros para satisfacer los antojos de vuestra curiosidad, pero no veréis nada hasta que abráis los ojos de la fe».

15. Las gentes, entonces, se enfurecieron y se lanzaron sobre él, lo ataron con cuerdas y lo llevaron a un precipicio para arrojarlo desde allí y causarle la muerte.

16. Pero cuando creían que lo tenía bien seguro, Jesús desapareció, pasó sin ser visto entre la turba enfurecida y se fue.

17. La gente se quedó confundida y se preguntaba: «¿Qué clase de hombre es éste?».

18. Y cuando volvieron a Nazaret lo encontraron enseñando en la sinagoga.

19. Pero ya no volvieron a molestarlo, pues sintieron mucho miedo.

CAPÍTULO 87

Los cristianos van a Canaán. Jesús cura al hijo de un noble. Los cristianos van a Cafarnaún. Jesús proporciona a su madre una casa espaciosa. Anuncia su intención de escoger doce discípulos.

1. En Nazaret Jesús ya no enseñó más. Se fue con sus discípulos a Canaán, donde en cierta ocasión y con motivo de un matrimonio tornó el agua en vino.

2. Y allí encontró a un hombre noble de nacimiento, cuyo hogar estaba en Cafarnaún y cuyo hijo estaba enfermo.

3. El hombre tenía fe en el poder curativo de Jesús, y, cuando supo que estaba en Galilea, fue rápidamente a encontrarle en el camino.

4. El hombre encontró a Jesús en la hora séptima y le rogó que fuera rápidamente a Cafarnaún a curar a su hijo.

5. Pero Jesús no fue. Se hizo a un lado y durante un tiempo estuvo en silencio. Luego dijo: «Tu fe ha resultado ser un bálsamo curativo. Tu hijo ha sanado».

6. El hombre creyó y se fue a Cafarnaún; en el camino se encontró con un sirviente de su casa, quien le dijo:

7. «Señor, no necesitas apurarte, tu hijo está ya sano».

8. Y el padre preguntó: «¿Cuándo comenzó a mejorar?».

9. El sirviente respondió: «Ayer hacia la hora séptima se le quitó la fiebre».

10. Y entonces el padre supo que fue el bálsamo curativo que Jesús envió el que había salvado a su hijo.

11. En Canaán Jesús no se detuvo. Se fue con sus discípulos a Cafarnaún, donde tomó una casa espaciosa en la que pudiera vivir con su madre y donde sus discípulos pudieran reunirse para oír la Palabra.

12. Convocó a los hombres que confesaban su fe en él a una reunión en su casa, a la que sus discípulos llamaban Escuela de Cristo. Y cuando llegaron les dijo:

13. «Este Evangelio del Cristo tiene que ser proclamado en toda la tierra.

14. »Esta viña cristiana llegará a ser una viña formidable, cuyas ramas se extenderán a todos los pueblos, tribus y lenguas de la tierra.

15. »Yo soy la viña. Doce serán las ramas del tronco y enviarán ramales a todas partes.

16. »De entre los que me siguen, el Santo Aliento llamará a doce.

17. »Id ahora y haced vuestro trabajo como lo habéis hecho ya, pero escuchad la llamada».

18. Y los discípulos se fueron a realizar sus tareas diarias, a hacer su trabajo como ya lo habían hecho, y Jesús se fue solo a las colinas de Hammoth a orar.

19. Tres días y tres noches pasó en comunión con la Santa Hermandad. En silencio. Luego, con el poder del Santo Aliento regresó a llamar a los doce.

CAPÍTULO 88

Jesús camina por el mar. De pie en un barco de pesca, habla a las gentes. Bajo sus instrucciones se produce una gran pesca. Selecciona y llama a sus doce apóstoles.

1. El Maestro caminaba por la orilla del mar de Galilea, y las multitudes lo seguían.

2. Los pescadores acababan de llegar y Pedro y su hermano esperaban en los botes mientras sus marineros reparaban las redes rotas, en la playa.

3. Y Jesús entró en uno de los botes y Pedro lo empujó un poquito hacia dentro. Y Jesús, en pie en el bote, comenzó a hablar a la orilla del mar y exclamó:

4. «La tierra de Zabulón y Neftalí, tierra más allá del Jordán y hacia el mar, la gentil Galilea.

5. »La multitud estaba en la oscuridad ignorando el camino; pero he aquí que vieron levantarse la Estrella de la Mañana; una luz proyectándose hacia delante; y vieron el camino de la vida y caminaron por ella.

6. »Y vosotros sois hoy más benditos que todas las gentes de la tierra, porque sois los primeros

a quienes les es permitido ver la luz y poder llegar a ser hijos de la luz».

7. Entonces Jesús dijo a Pedro: «Trae las redes a bordo y tíralas a la profundidad».

8. Y Pedro hizo lo que Jesús le pidió, si bien con falta de fe dijo: «Es inútil; no hay hoy peces en el mar de Galilea; he trabajado con Andrés toda la noche y no he cogido nada».

9. Pero Jesús miró bajo la superficie del mar y vio una multitud de peces. Y dijo a Pedro:

10. «Tira la red al lado derecho del barco».

11. Y Pedro llamó a Juan y a Santiago, que estaban cerca, para que ayudaran; y cuando levantaron la red, ambos barcos se llenaron de peces.

12. Cuando Pedro vio ese enorme resultado, tuvo vergüenza de su falta de fe, de modo que cayó de rodillas a los pies de Jesús, diciendo: «Señor, yo creo».

13. Y Jesús le dijo: «¡Mira el resultado! Pero de hoy en adelante no pescarás más peces.

14. »Sino que arrojarás la red cristiana en el mar de la vida humana, hacia el lado derecho del barco; y atraerás las multitudes a la santidad, a la beatitud y a la paz».

15. Y cuando hubieron llegado a la playa, el Maestro llamó a Pedro, Andrés, Santiago y Juan y les dijo:

16. «Pescadores de Galilea: el Maestro tiene grandes trabajos que confiaros. Me voy. Seguidme». Y ellos abandonaron todo y le siguieron.

17. Y mientras Jesús caminaba por la playa, vio que Felipe y Nataniel andaban por la orilla. Les dijo:

18. «Maestros de Betsaida que durante mucho tiempo habéis enseñado a las gentes la filosofía griega, hay una labor más importante que vosotros y yo tenemos que hacer. Seguidme». Y al instante ellos le siguieron.

19. Un poco más allá estaba la oficina del recaudador de impuestos para el Imperio romano y Jesús vio al recaudador. Su nombre era Mateo, aquel que una vez se alojó en Jericó.

20. Era el niño que en una ocasión corrió delante del Señor en Jerusalén gritando: «¡Mirad que vienen los cristianos!».

21. Mateo era rico e ilustrado en la sabiduría de los judíos, de los sirios y de los griegos.

22. Y Jesús le dijo: «Salud, Mateo, servidor de confianza de los Césares, salud. Los maestros nos llaman a la casa de cobro del tributo de almas. Sígueme». Y Mateo le siguió.

23. Iscariote y su hijo, cuyo nombre era Judas, eran empleados de Mateo y estaban en la casa de los tributos.

24. Y Jesús dijo a Judas: «Ahora debes cumplir tu deber en el Banco de Ahorros de Almas. Sígueme». Y Judas le siguió.

25. Y Jesús se encontró con un legislador que había oído del Maestro cristiano y que había llegado de Antioquía a estudiar en la escuela de Cristo.

26. Este hombre era Tomás, el hombre de la duda y, sin embargo, un filósofo griego de cultura y poder.

27. Pero Jesús vio en él las líneas de la fe, y le dijo: «Los maestros necesitan hombres que puedan interpretar la ley. Sígueme». Y Tomás le siguió.

28. Y cuando cayó la tarde, Jesús se fue a su casa y he aquí que a ella acudieron sus parientes, Santiago y Judas, hijos de Alfeo y Miriam.

29. Eran hombres de fe y carpinteros de Nazaret.

30. Y Jesús les dijo: «Habéis trabajado conmigo y con mi padre José construyendo para los hijos de los hombres. Los maestros nos llaman ahora a ayudar en la construcción de casas para almas, casas que se construyen sin el sonido del martillo, del hacha y de la sierra. Seguidme».

31. Y Santiago y Judas exclamaron: «Señor, te seguiremos».

32. Y a la mañana siguiente Jesús envió un recado a Simón, el jefe de los zelotes, exponente estricto de la ley judaica.

33. Y el recado decía: «Los maestros piden hombres que demuestren la fe de Abraham. Sígueme». Y Simón le siguió.

CAPÍTULO 89

Los doce apóstoles en la casa de Jesús. Son consagrados a su trabajo. Jesús los instruye. Va a la sinagoga el sábado y enseña. Arroja un espíritu de un poseso. Cura a la suegra de Pedro.

1. En el día anterior al sábado, los doce habían recibido la llamada y se reunieron por propia iniciativa en el hogar de Jesús.

2. Y Jesús les dijo: «Éste es el día de vuestra consagración al trabajo de Dios. Oremos pues.

3. »Vayamos de lo exterior al ser interno, cerremos todas las puertas del plano carnal y esperemos.

4. »El Santo Aliento llenará este lugar y seréis bautizados en el Santo Aliento».

5. Entonces oraron. Y una luz más brillante que la del sol del mediodía llenó todo el cuarto y de cada cabeza se elevaba, alta en el aire, una llama.

6. La atmósfera de Galilea vibraba; un sonido como de trueno lejano retumbaba sobre Cafarnaún, y los hombres oían cantos como si diez mil ángeles se hubieran congregado.

7. Y los doce discípulos oyeron una voz pequeña y queda que decía una sola palabra que ellos no podían pronunciar: era el nombre sagrado de Dios.

8. Y Jesús les dijo: «Con esta Palabra que todo lo crea se puede controlar los elementos y todos los poderes del aire.

9. »Cuando habléis esta palabra dentro de vuestra alma, tendréis el dominio y las llaves de la vida y de la muerte, de las cosas que son, de las cosas que fueron y de las cosas que serán.

10. »Mirad que sois las doce ramas de la vid cristiana, las doce piedras sillares de los cimientos, los doce apóstoles de Cristo.

11. »Como corderos os mando entre bestias salvajes; pero la Palabra que todo lo crea será vuestra coraza y vuestro escudo».

12. Y el aire volvió a llenarse de cantos y todo ser viviente parecía decir: «Alabado sea Dios. Amén».

13. El día siguiente era sábado. Jesús fue con sus discípulos a la sinagoga y allí enseñó.

14. Las gentes decían: «Enseña, no como enseñan los escribas y los fariseos, sino como hombre que sabe y que está autorizado para hablar».

15. Y mientras Jesús hablaba, vino un poseso. Los espíritus malos que habían obsesionado a aquel hombre eran de la más baja especie. Con frecuencia derribaban a su víctima al suelo o sobre el fuego.

16. Y cuando los espíritus vieron al maestro en la sinagoga, lo reconocieron y dijeron:

17. «¿Por qué, hijo de Dios, por qué estás aquí? ¿Vas a destruirnos antes de tiempo con la Palabra? No tenemos nada contigo. Déjanos».

18. Pero Jesús les dijo: «Hablo la Palabra que todo lo crea. ¡Salid! ¡Afuera! ¡No atormentéis más a este hombre! ¡Id a vuestro lugar!».

19. Entonces los espíritus arrojaron al hombre al suelo y, con un grito horrible, partieron.

20. Y Jesús levantó al hombre y le dijo: «Si mantuvieras tu mente plenamente ocupada con el bien, los malos espíritus no encontrarían sitio en que estar.

21. »Sólo entran en cabezas y corazones vacíos. Anda y no vuelvas a pecar».

22. Las gentes estaban asombradas de las palabras que Jesús había dicho y del trabajo que acababa de hacer. Y entre ellos se preguntaban:

23. «¿Quién es este hombre? ¿De dónde le viene todo este poder que hasta los espíritus impuros le temen y huyen de él?».

24. El Maestro salió entonces de la sinagoga.

25. Junto con Pedro, Andrés, Santiago y Juan, fueron a casa de Pedro, donde una pariente cercana de éste se encontraba enferma.

26. Y llegó la mujer de Pedro: era su madre quien estaba enferma.

27. Y Jesús tocó a la mujer acostada en la cama; habló la Palabra; la fiebre cesó y la enferma se levantó y los sirvió.

28. Los vecinos oyeron lo que había ocurrido y empezaron a llevarle a sus enfermos y a sus posesos, y Jesús ponía las manos en ellos, y quedaban curados.

CAPÍTULO 90

Jesús se va solo a la montaña a orar. Sus discípulos le encuentran. Él llama a los doce y viajan a través de Galilea, enseñando y curando. En Tiberio, Jesús cura a un leproso. Los cristianos regresan a Cafarnaún. Jesús, en su propia casa, cura a un paralítico y hace conocer la filosofía de la curación y el perdón de los pecados.

1. El Maestro desapareció. Nadie lo vio ir. Pedro, Santiago y Juan se pusieron a buscarle. Le encontraron en el lugar donde solía refugiarse, en las montañas de Hammoth.

2. Y Pedro dijo: «La ciudad de Cafarnaún está enloquecida; la gente se apiña en la calle y todos los lugares públicos están repletos.

3. »Hombres, mujeres y niños en todas partes preguntan por el hombre que cura por obra de su voluntad.

4. »Tu casa y nuestras casas están llenas de enfermos que llaman a Jesús, a quien denominan el Cristo. ¿Qué hemos de decirles?».

5. Y Jesús respondió: «Muchas otras ciudades nos necesitan y a todas ellas debemos repartirles el pan de la vida. Anda, llama a los demás y vámonos».

6. Y Jesús y los doce se fueron a Betsaida, donde vivían Felipe y Nataniel; y allí enseñaron.

7. Las multitudes creían en el Cristo, confesaban sus pecados y eran bautizados, y entraban así al reino del Uno Santo.

8. El Maestro y los doce fueron a todos los lugares, a través de todas las poblaciones de Galilea, y enseñaban y bautizaban a todos lo que venían con fe y confesaban sus pecados.

9. Abrían los ojos de los ciegos, hacían oír a los sordos, arrojaban espíritus de los posesos, y curaban enfermedades de todas clases.

10. Y fueron a Tiberio, junto al mar, y mientras enseñaban se acercó un leproso y dijo: «Señor, yo creo. Si simplemente pronuncias la Palabra, me limpiaré».

11. Y Jesús le dijo: «Así sea». Y un momento después el hombre se fue. Estaba limpio.

12. Y Jesús le recomendó: «No se lo digas a nadie pero anda,

muéstrate a los sacerdotes y ofrece por tu curación lo que la ley manda».

13. El hombre estaba loco de contento. Pero no se fue a los sacerdotes, sino a la plaza del mercado y a todos les contó lo que había ocurrido.

14. Entonces los enfermos, en gran número, acudieron a Jesús y a los doce, implorando ser curados.

15. Y llegaban a ser tan impertinentes que poco podía hacerse, de modo que Jesús y los discípulos se fueron a lugares desiertos donde enseñaron a las multitudes que los siguieron.

16. Y después de muchos días se fueron a Cafarnaún. Cuando corrió la noticia de que Jesús había regresado a su casa, las gentes llegaron y llenaron la casa hasta el último rincón.

17. Y entre la gente había escribas, fariseos y doctores de la ley de todas partes de Galilea y de Jerusalén. Y Jesús les abrió el camino de la vida.

18. Cuatro hombres llevaron a un paralítico en una camilla y, viendo que no podían pasar por la puerta, elevaron al enfermo a la azotea y, abriendo un paso desde arriba, lo bajaron ante el rostro mismo de Jesús.

19. Y Jesús, al ver la fe de aquellos hombres le dijo al paralítico: «Hijo mío, todos tus pecados te son perdonados».

20. Y cuando los escribas y los fariseos oyeron lo que acababa de decir, preguntaron: «¿Por qué habla así? ¿Quién sino Dios puede perdonar los pecados de los hombres?».

21. Y Jesús captó su pensamiento; supo qué estaban pensando entre ellos y les dijo:

22. «¿Por qué os ponéis a pensar así entre vosotros? ¿En qué se diferencia si yo digo: "Tus pecados te son perdonados", o si digo: "Levántate, toma tu cama y anda?".

23. »Pero sólo para demostraros que los hombres pueden perdonar los pecados de los hombres, ahora digo (y entonces habló al paralítico):

24. »Levántate, toma tu cama y vete».

25. Y en la presencia de todos, el paralítico se levantó, tomó su camilla y se fue.

26. Las gentes no podían comprender lo que veían y oían. Se decían entre ellos: «Éste es un

día que no olvidaremos; hemos visto cosas maravillosas».

27. Y cuando las multitudes se hubieron ido, se quedaron sólo los doce, y Jesús les dijo:

28. «La fiesta judía se aproxima; la próxima semana iremos a Jerusalén para encontrarnos con nuestros hermanos de lugares distantes, y para abrir el camino para ellos a fin de que puedan ver al Rey».

29. Los discípulos se refugiaron en la quietud de sus hogares, en los que permanecieron en oración algunos días.

SECCIÓN XVI

AIN

El segundo año del ministerio cristiano de Jesús

Capítulo 91

Jesús en la fiesta de Jerusalén. Cura a un inválido. Da una lección práctica de curación. Afirma que todos los hombres son hijos de Dios.

1. La época de la pascua llegó otra vez, y Jesús y los doce fueron a Jerusalén.

2. El día anterior al sábado llegaron al monte de los Olivos y se alojaron en una posada que estaba en el lado norte.

3. Y temprano por la mañana del sábado, entraron a Jerusalén por la puerta de los corderos.

4. La fuente de la salud de Betsaida, cerca de dicha puerta, estaba atestada de enfermos.

5. Éstos creían que en un determinado momento un ángel llegaba y derramaba una virtud curativa en la fuente, y aquel que entraba primero y se bañaba se curaba.

6. Y Jesús y los doce se detuvieron cerca del pozo.

7. Y Jesús vio a un hombre enfermo que había estado allí treinta y ocho años, y quien no podía moverse sin una mano que le ayudara.

8. Y Jesús le dijo: «Mi hermano, ¿quieres ser curado?».

9. El hombre respondió: «Sinceramente quiero curarme, pero no tengo quien me ayude cuando el ángel venga y derrame virtudes curativas en el pozo.

10. »Siempre hay otro que puede caminar, que pisa primero en la fuente y yo sigo enfermo».

11. Y Jesús dijo: «¿Quién es el que manda aquí al ángel a este pozo simplemente para favorecer a unos pocos?

12. »Yo sé que no es Dios porque él opera imparcialmente con todos.

13. »Nadie tiene, en las fuentes curativas del cielo, prerrogativas sobre otros.

14. »La fuente de la salud se halla dentro de vuestras almas. Tiene una puerta con la llave echada; la llave es la fe.

15. »Todos pueden obtener la llave o desecharla. Todos pueden abrir la puerta, sumergirse en la fuente de la salud y curarse».

16. Entonces el enfermo lo miró con una expresión de honda esperanza y le dijo: «Dame la llave de la fe».

17. Y Jesús dijo: «¿Crees lo que he dicho? Hágase lo que tu fe diga. Levántate, toma tu camilla y vete».

18. El hombre se levantó en el acto y se fue. Tan sólo dijo: «Alabado sea Dios».

19. Y cuando las gentes le preguntaban: «¿Quién te curó?», contestaba: «No lo sé. Un desconocido que estaba en la fuente simplemente habló la Palabra y me encontré curado».

20. La mayoría de la gente no había visto cuando Jesús curó al hombre. Junto con los doce apóstoles, se fueron al patio del templo.

21. Y en el templo Jesús vio al hombre y le dijo: «Te has curado. De hoy en adelante endereza tu vida.

22. »Anda tu camino y no peques más, o algo peor te puede ocurrir».

23. Entonces el hombre se dio cuenta de quién lo había curado.

24. Contó lo ocurrido a los sacerdotes, quienes se enfurecieron, diciendo: «La ley prohíbe curar en sábado».

25. Pero Jesús dijo: «Si mi Padre trabaja en sábado, ¿no me es permitido a mí hacerlo?

26. »Él envía la lluvia, la brillantez del sol y el rocío; Él hace crecer la hierba, florecer las plantas y madurar la cosecha lo mismo el sábado que cualquier otro día.

27. »Si está dentro de la ley que la hierba crezca en sábado,

seguramente no debe haber error en socorrer a un atribulado».

28. Los sacerdotes se enojaron aún más porque reclamaba ser hijo de Dios.

29. Un sacerdote prominente, Abihu, dijo: «Este sujeto es una amenaza para nuestra nación y para nuestras leyes. Se hace pasar por hijo de Dios. No está bien que siga viviendo».

30. Pero Jesús le dijo: «Abihu, tú eres ilustrado y por eso debes conocer la ley de la vida. Te ruego, pues, que me digas: ¿quiénes son los hijos de Dios de los que habla el Génesis, que se casaron con las hijas de los hombres?

31. »¿Y quién fue vuestro padre Adán? ¿De dónde vino? ¿Tuvo él padre? ¿O cayó del cielo como una estrella?

32. »Leemos que Moisés dijo que él, Adán, vino de Dios. Si Adán vino de Dios, te ruego que me respondas: ¿fue descendiente de Dios?

33. »Y si nosotros somos descendientes de ese hijo de Dios, te ruego que me contestes, ilustrado sacerdote: ¿quiénes somos nosotros si no somos hijos de Dios?».

34. El sacerdote tenía que atender algo urgentemente y se fue.

35. Entonces Jesús dijo: «Todos los hombres son hijos de Dios, y si llevan una vida santa siempre están en unión con Él.

36. »Ven y comprenden los trabajos de Dios, y en su sagrado nombre pueden hacer estas obras.

37. »El rayo y la tormenta son mensajeros de Dios tanto como el brillo del sol, la lluvia y el rocío.

38. »Las virtudes de los cielos se hallan en las manos de Dios y a todo hijo leal le es permitido usar estas virtudes y estos poderes.

39. »El hombre es delegado de Dios para hacer Su voluntad en la tierra, de modo que puede curar a los enfermos, controlar a los espíritus del aire y levantar a los muertos.

40. »Que yo tenga el poder de hacer estas cosas no es nada extraño. Todo hombre puede adquirir ese poder y llegar a hacerlo. Pero para llegar a eso, tiene que conquistar todas las pasiones del ego inferior. Y puede hacerlo, si así lo quiere.

41. »De modo que el hombre es Dios en la tierra; y quien honra a Dios debe honrar al hombre, porque Dios y el hombre son uno, como el padre y el hijo son uno.

42. »Os digo que se aproxima la hora en que los muertos oirán la voz del hombre, y vivirán, porque el hijo del hombre es hijo de Dios.

43. »Hombres de Israel, escuchadme: estáis viviendo en la muerte; estáis cerrados con llave dentro de la tumba.

44. »No hay muerte más honda que la ignorancia y la falta de fe.

45. »Pero un día todos oirán la voz de Dios, a través de la voz del hombre, y entonces vivirán. Todos vosotros llegaréis a saber que sois hijos de Dios, y entonces, por la Palabra Sagrada, os será permitido hacer las obras de Dios.

46. »Y cuando hayáis llegado a la vida, es decir, cuando hayáis llegado a la realización de que sois hijos de Dios, vosotros los que habéis vivido la vida correcta abriréis los ojos en los campos de la vida.

47. »Pero vosotros los que amáis los caminos de la voluntad de pecar en esta resurrección os presentaréis ante el tribunal de la justicia y seréis condenados a pagar las deudas que habéis contraído para con los hombres y para con vosotros mismos.

48. »Porque todo lo que hayáis hecho erróneamente tendréis que hacerlo una y otra vez, hasta que hayáis llegado a adquirir la estatura del Hombre Perfecto.

49. »Y a su debido tiempo, los hombres inferiores y los superiores caminarán en luz.

50. »¿Tendré yo que acusaros ante Dios? No, porque ya vuestro profeta Moisés lo hizo; y si no prestáis atención a las palabras de Moisés, no la prestaréis a las mías, porque Moisés habló de mí».

CAPÍTULO 92

Los cristianos concurren a una fiesta en casa de Lázaro. Un incendio consume la ciudad. Jesús salva a un niño de las llamas y abate el fuego con su palabra. Da una lección práctica acerca de la manera de redimir a un borracho.

1. Lázaro estaba en la fiesta y Jesús y los doce apóstoles se fueron con él a su hogar en Betania.

2. Y Lázaro y sus hermanas dieron un banquete en honor de Jesús y de los doce; y Ruth y Aser llegaron de Jericó, pues Aser ya no era hostil al Cristo.

3. Mientras los invitados estaban a la mesa, se oyó un grito: la ciudad estaba en llamas. Todos corrieron a la calle. Los hogares de muchos vecinos estaban en llamas.

4. En una habitación superior dormía una criatura, y nadie podía pasar a través de las llamas para salvarla. La madre, loca de dolor, clamaba a los hombres que salvaran a su hijo.

5. En ese momento, con una voz que hizo palidecer y temblar a los espíritus del aire, Jesús dijo: «¡Paz, paz y quietud!».

6. Entonces caminó a través del humo y de las llamas, subió la escalera que se derrumbaba y un momento después volvió a asomar llevando al niño en sus brazos. Y no había rastro de fuego en él, en sus vestidos o en el niño.

7. Entonces Jesús levantó la mano y reprendió a los espíritus del fuego, ordenándoles cesar en su terrible labor y volver a la quietud.

8. Y, como si todas las aguas del océano se hubieran derramado sobre las llamas, el fuego cesó.

9. Al agotarse la furia del fuego, las multitudes estaban ansiosas por ver al hombre que tenía el poder de controlarlo, y Jesús dijo:

10. «El hombre no fue hecho para el fuego, sino que el fuego fue hecho para el hombre.

11. »Cuando el hombre llega a conocerse a sí mismo y comprende el hecho de que es hijo de Dios, llega a la conciencia de que dentro de él reposan todos los poderes de Dios; llega a ser Mente Maestra, y todos los elementos oyen su voz y alegremente hacen su voluntad.

12. »Dos asnos enturbian la voluntad humana: el miedo y la incredulidad. Cuando el hombre los capture y los ponga a buen recaudo, su voluntad no conocerá límites. Entonces, el hombre no tendrá sino que hablar y todo estará hecho».

13. Los invitados volvieron y se sentaron a la mesa. Una niña se acercó y se puso al lado de Jesús.

14. Y, colocando la cabeza sobre el brazo de Jesús, dijo: «Te ruego, Maestro Jesús, que me oigas. Mi padre es un borracho. Mi madre trabaja de la mañana a la noche; cuando trae su salario, mi padre se lo arrebata y se gasta cada moneda en beber, y mi madre y nosotros, los pequeños, tenemos hambre toda la noche.

15. »Te ruego, Maestro Jesús, que vengas conmigo y toques el corazón de mi padre. Él es tan bueno y tan fino cuando está en su juicio... Yo sé que es el vino el que lo transforma en otro hombre».

16. Y Jesús se fue con la niña, entró en el hogar desolado y habló bondadosamente a la madre y a los niños, y sobre una cama de paja encontró al hombre borracho.

17. Y tomándole de la mano, lo levantó y le dijo: «Mi hermano, hombre hecho a la imagen de nuestro Padre-Dios ¿Querrías levantarte y venir conmigo?

18. »Tus vecinos están en gran sufrimiento. Han perdido todo lo que tenían en un gran incendio voraz y hay que construirles otra vez su casa, y tú y yo vamos a enseñarles el camino».

19. Entonces el hombre se levantó. Y los dos se fueron a observar los escombros.

20. Y oyeron el llanto de las madres y de los niños en la calle, y vieron su desolación.

21. Y Jesús dijo: «Amigo mío, éste es tu trabajo. Sencillamente sé el primero en ayudar. Estoy seguro de que la gente de Betania te proveerá de los elementos necesarios y te ayudará».

22. La chispa de la esperanza por tanto tiempo amortiguada en el interior del hombre fue abanicada y se tornó en llama. Puso a un lado sus andrajos y otra vez fue el hombre de antes.

23. Y pidió ayuda: no para sí, sino para los que carecían de hogar; y todos lo ayudaron. Los

hogares arruinados fueron reconstruidos.

24. Entonces el hombre observó su pobre choza y su corazón se estremeció hasta el fondo.

25. El orgullo de hombre llenó su alma y dijo: «Este antro desolado será un hogar». Y trabajó como nunca había trabajado antes, y todos lo ayudaron.

26. Y en corto tiempo aquella choza se transformó en un hogar de verdad. Y las flores del amor brotaron por todas partes.

27. La madre y los niños estaban llenos de felicidad. El padre no bebió nunca más.

28. Un hombre se había salvado, y nadie ya le dijo nunca ni una sola palabra con respecto a su abandono o su embriaguez, ni le aconsejó que cambiara de conducta.

CAPÍTULO 93

Los cristianos atraviesan un campo de trigo maduro, y los discípulos comen trigo. Jesús los disculpa. Los cristianos retornan a Cafarnaún. Jesús cura una mano seca en sábado y defiende su acto.

1. Otro sábado había llegado, y Jesús y los doce caminaban a través de un campo de trigo maduro.

2. Y como tenían hambre, cogieron algunas espigas de trigo, las frotaron en las manos y comieron el grano.

3. Entre los que le seguían había fariseos de la secta más estricta; y cuando vieron que los doce frotaban el trigo y se lo comían, preguntaron a Jesús:

4. «Señor, ¿por qué hacen lo que la ley no permite hacer en sábado?».

5. Y Jesús respondió: «¿No habéis oído lo que David hizo cuando él y los que le seguían tuvieron necesidad de alimentos?

6. »¿No entró en la casa de Dios y del altar mismo del Lugar Sagrado tomó el pan de la ofrenda y se lo comió y se lo dio a sus acompañantes?

7. »Yo os digo, hombres, que las necesidades del hombre están por encima de las leyes rituales.

8. »En nuestros mismos libros sagrados leemos que los sacerdotes profanaron de muchas maneras el sábado mientras servían en el mismo Lugar Sagrado, y sin embargo fueron exentos de culpa.

9. »El sábado fue hecho para el hombre. El hombre no fue hecho para amoldarse al sábado.

10. »El hombre es hijo de Dios y bajo la ley eterna de su derecho, que es la suprema ley, puede anular las leyes escritas.

11. »La ley del sacrificio no es sino una ley humana. En nuestra ley leemos que Dios, ante todo, desea misericordia y la misericordia está por encima de todas las leyes escritas.

12. »El hijo del hombre es el amo de toda ley. Por ventura no resumió el profeta los deberes del hombre cuando escribió en nuestro libro: "En misericordia, sigue la justicia y camina humildemente con tu Dios"».

13. Y Jesús y los doce regresaron a Galilea y el día anterior al sábado llegaron al hogar de Jesús en Cafarnaún.

14. Y el sábado fueron a la sinagoga, donde estaban las multitudes, y Jesús enseñó.

15. Entre los concurrentes había un hombre con una mano encogida. Los escribas y los fariseos notaron que Jesús observaba al hombre y preguntaron:

16. «¿Qué hará? ¿Se atreverá a curar en sábado?».

17. Y Jesús conoció sus pensamientos y, llamando al hombre de la mano encogida, le dijo: «Levántate y muéstrate ante estos hombres».

18. Y añadió: «¡Oh vosotros, escribas y fariseos! Decidme: ¿es un crimen salvar una vida en sábado?

19. »Si tuviérais un rebaño y uno de los corderillos cayera en un abismo en sábado, ¿consideraríais un error salvarlo?

20. »¿Complacería a nuestro Dios dejarlo sufrir en abandono hasta el día siguiente?».

21. Sus acusadores se callaron.

22. Entonces dijo: «¿Son de mayor valor los corderillos que el hombre?

23. »La ley de Dios está escrita en la roca del derecho. La justicia la escribió. La Misericordia fue la pluma».

24. Y continuó: «Hombre, levanta la mano y estírala». Y el hombre levantó la mano y estaba sanada.

25. Los fariseos estaban furiosos; tuvieron una reunión secreta con los herodianos y comenzaron entonces el complot y el plan para matarle.

26. Temían acusarle públicamente porque las multitudes lo defendían.

27. Y Jesús y los doce se fueron y caminaron por la playa seguidos de una gran multitud.

CAPÍTULO 94

El Sermón de la Montaña. Jesús revela a los doce el secreto de la oración. La oración modelo. La ley del perdón. El ayuno santo. El peligro del engaño. El dar caridad.

1. Al día siguiente, antes que el sol se levantara, Jesús y los doce fueron a la montaña, cerca del mar, a orar. Y Jesús enseñó a los doce cómo orar y les dijo:

2. «La oración es la comunión profunda del alma con Dios.

3. »De modo que al orar no debéis engañaros como hacen los hipócritas que se detienen en las calles y en las sinagogas y vierten muchas palabras para impresionar los oídos de los hombres.

4. »Y asumen actitudes piadosas para que los admiren los hombres; ése es el efecto que consiguen.

5. »Mas cuando vosotros oréis, id al cuarto interior de vuestra alma, cerrad todas las puertas y, en ese silencio santo, orad.

6. »No necesitáis pronunciar muchas palabras, ni repetir frases una y otra vez como lo hacen los gentiles. Sencillamente decid:

7. »Nuestro Padre-Dios que estás en los cielos, santo es tu nombre. Que tu reino venga a nosotros; hágase tu voluntad, en la tierra como ya está hecha en el cielo.

8. »Danos en este día el pan necesario.

9. »Ayúdanos a olvidar las deudas que otras gentes nos deben para que todas nuestras deudas sean canceladas.

10. »Y escúdanos de las seducciones del tentador que sean

demasiado grandes para que nosotros podamos resistirlas.

11. «Y si ellas nos llegan, danos fortaleza para vencerlas.

12. »Si os son perdonadas todas las deudas que debéis a Dios y al hombre, las deudas en que habéis incurrido por transgresión voluntaria de la ley...

13. »Debéis también perdonar las deudas de todos los hombres, pues de la manera que os comportéis con los otros hombres, Dios os trata a vosotros.

14. »Y cuando ayunéis, no deis publicidad a vuestro acto.

15. »Cuando los hipócritas ayunan, empalidecen sus caras, toman un aspecto modesto, asumen posiciones piadosas para dar a los hombres la impresión de que están ayunando.

16. »El ayuno es un acto del alma y, como la oración, es una función del silencio del alma.

17. »Para Dios nunca pasan desapercibidos ni la oración ni ayuno alguno. Él camina en el silencio y sus bendiciones se producen por cada esfuerzo del alma.

18. »El ayuno externo es hipócrita. No aparentéis lo que no sois.

19. »No os vistáis con ropas raras para dar publicidad a vuestra piedad, ni toméis tonos de voz que los hombres consideran santos.

20. »Y cuando ayudéis a los necesitados, no toquéis la corneta en la calle o en la sinagoga para dar publicidad a vuestra dádiva.

21. »El que da para que lo admiren los hombres recibe su compensación de los hombres. Pero Dios no lo toma en cuenta.

22. »Cuando deis, no permitáis ni siquiera que vuestra mano derecha sepa el secreto de la izquierda».

CAPÍTULO 95

Continuación del Sermón de la Montaña. Jesús pronuncia las ocho bienaventuranzas y las ocho maldiciones. Pronuncia palabras de aliento. Resalta lo elevado del trabajo apostólico.

1. Jesús y los doce fueron a la cima de la montaña, y Jesús dijo:

2. «Vosotros, los doce pilares de la Iglesia, apóstoles del Cristo, portadores del sol de la vida y ministros de Dios para los hombres:

3. »Dentro de muy poco tiempo vais a tener que salir solos y predicar el evangelio del rey, primero a los judíos y después a todo el mundo.

4. »Y no iréis con un látigo para atraer a la gente; así no podéis atraer a los hombres al rey.

5. »Por el contrario, iréis con amor y buena voluntad, y seréis los primeros en el bien y la luz.

6. »Salid y decid: "El reino está cerca".

7. »Bienaventurados son los fuertes en espíritu, pues de ellos es el reino.

8. »Bienaventurados son los mansos, pues poseerán la tierra.

9. »Bienaventurados los que pasan hambre y sed por la justicia, pues serán satisfechos.

10. »Bienaventurados son los misericordiosos, pues a ellos se les mostrará la misericordia.

11. »Bienaventurados los que dominan su propio ser, pues ellos tienen la llave del poder.

12. »Bienaventurados son los puros de corazón, pues ellos verán al rey.

13. »Bienaventurados los que son maldecidos e injuriados porque hacen el bien, pues bendecirán a sus perseguidores.

14. »Bienaventurado es el niño que confía y tiene fe, pues se sentará en el trono del poder.

15. »No os desaniméis cuando el mundo os persiga y os maldiga, sino más bien alegraos.

16. »Los profetas, los videntes y todos los hombres buenos de la tierra han sido maldecidos.

17. »Si sois merecedores de la corona de la vida, en esta tierra seréis calumniados, envilecidos y maldecidos.

18. »Regocijaos cuando los malvados os echen de sus caminos y vuestro nombre sea objeto de burla y de escarnio en las calles.

19. »Os digo, regocijaos; pero tratad con misericordia a los que os hacen mal, pues no son más que niños que juegan; no saben lo que hacen.

20. »No os regocijéis cuando caigan vuestros adversarios. Así como ayudéis a levantar a los hombres de las profundidades

del pecado, así Dios os ayudará a subir a las alturas más grandes.

21. »¡Ay de los ricos en oro y tierras, pues tienen un sinfín de tentaciones!

22. »¡Ay de los hombres que conscientemente andan por los senderos del placer! Sus caminos están llenos de trampas y de peligrosos precipicios.

23. »¡Ay de los orgullosos! Están en un abismo, les aguarda la destrucción.

24. »¡Ay del avaro!, pues lo que tiene no es suyo, y he aquí que otro vendrá y su riqueza desaparecerá.

25. »¡Ay del hipócrita! Su apariencia es hermosa, pero su corazón está lleno de cadáveres y huesos de muertos.

26. »¡Ay del cruel e inflexible!, pues él mismo es la víctima de sus acciones.

27. »El mal que hace a los demás se vuelve contra él, y el azotador se convierte en azotado.

28. »¡Ay del libertino que abusa de las virtudes del débil! Vendrá la hora en que él será el débil, la víctima de un libertino de mayor poder.

29. »¡Ay de vosotros cuando todo el mundo os alabe! El mundo no alaba a los hombres que viven en el Santo Aliento; alaba a los falsos profetas y se apoya en ilusiones.

30. »Vosotros, hombres que camináis en el Santo Aliento, sois la sal, la sal de la tierra; pero si perdéis vuestra capacidad, no sois sino sal de nombre y ya no valéis más que el polvo.

31. »Vosotros sois la luz, sois llamados a iluminar el mundo.

32. »Una ciudad que se halla encima de una colina no puede ocultarse, pues sus luces se ven a lo lejos; mientras estáis en las colinas de la vida, los hombres ven vuestra luz, imitan vuestras obras y honran a Dios.

33. »Los hombres no encienden una lámpara y la esconden en un barril, sino que la ponen en un lugar visible para que ilumine toda la casa.

34. »Sois las lámparas de Dios; no debéis estar en la sombra de las ilusiones terrenas, sino al descubierto, en lugar visible.

35. »No he venido a anular la ley ni a destruirla, sino a completarla.

36. »La ley, los profetas y los salmos fueron escritos en la

sabiduría del Santo Aliento y no pueden errar.

37. »Los cielos y la tierra cambiarán y pasarán, pero la palabra de Dios es segura, no puede desaparecer hasta que se cumpla aquello por lo que ha sido enviada.

38. »Quien desatienda la ley de Dios y enseñe a los hombres a obrar así se convierte en un deudor de Dios y no puede ver su cara hasta que haya devuelto y pagado su deuda con el sacrificio de su vida.

39. »Pero el que atiende a Dios, obedece su ley y hace su voluntad en la tierra reinará con Cristo.

40. »Los escribas y los fariseos cumplen la letra de la ley pero no pueden comprender su espíritu.

41. »Y si vuestro sentido del bien no es superior al de los escribas y fariseos, no podréis entrar en el reino del alma.

42. »No es lo que el hombre hace lo que le da derecho a cruzar esas puertas; su santo y seña es su carácter, y en su deseo está su carácter.

43. »La letra de la ley trata de los actos del hombre y el espíritu de la ley se ocupa de sus deseos».

Capítulo 96

Continuación del Sermón de la Montaña. Jesús considera los Diez Mandamientos. La filosofía de Cristo y el espíritu de los Mandamientos. Jesús desvela los aspectos espirituales de los primeros cuatro Mandamientos.

1. «Dios dio los Diez Mandamientos a los hombres, y en la montaña Moisés vio las palabras de Dios y las escribió en roca sólida; no pueden, pues, ser destruidos.

2. »Estos Diez Mandamientos muestran la justicia de Dios; pero ahora el amor de Dios se ha manifestado y ha traído la misericordia en las alas del Santo Aliento.

3. »Sobre la unidad de Dios fue edificada la ley de Dios, y en todo el universo hay una sola fuerza: Jehová es el Dios Todopoderoso.

4. »Jehová escribió en los cielos y Moisés leyó:

5. »"Yo soy el Dios Todopoderoso y no tendrás a otro Dios sino a mí".

6. »Hay una sola fuerza y muchos son sus aspectos; a estos

aspectos los hombres los llaman poderes.

7. »Todos los poderes son de Dios; son las manifestaciones y los espíritus de Dios.

8. »Si pareciera que los hombres encontraran otra fuerza y la adoraran en un lugar sagrado, no venerarían sino a una ilusión, algo vano.

9. »Una sombra del Uno, Jehová, Dios, y los que adoran a las sombras no son más que sombras reflejadas en una pared, pues los hombres son lo que ellos veneran.

10. »Pero Dios ha hecho a todos los hombres para que sean su esencia, y en su misericordia ordenó: no buscarás a otro Dios que a mí.

11. »El hombre finito nunca puede comprender cosas infinitas. De aquí que el hombre no puede hacer una imagen de lo Infinito con sus propios medios.

12. »Y cuando los hombres hacen un Dios de piedra, madera o pizarra, lo que hacen es una imagen de una sombra; y los que adoran en templos de sombra no son más que sombras.

13. »Por eso en su misericordia Dios dijo: "No tallarás imágenes de madera, pizarra o piedra".

14. »Tales ídolos son ideales degradados, y los hombres no pueden llegar más alto que sus propios ideales.

15. »Dios es Espíritu, y en espíritu los hombres deben adorarle si quieren alcanzar la conciencia de Dios.

16. »Pero el hombre nunca puede hacer un cuadro o una imagen del Santo Aliento.

17. »El nombre de Dios no puede ser pronunciado con los labios carnales; sólo con el Santo Aliento puede el hombre pronunciarlo.

18. »En su vanidad los hombres creen que conocen el nombre de Dios; hablan de él ligeramente y sin reverencia, y de este modo atraen la maldición sobre ellos.

19. »Si los hombres conocieran el nombre sagrado y lo pronunciaran con labios impíos, no vivirían para pronunciarlo una vez más.

20. Pero Dios en su misericordia no ha desvelado todavía su nombre a aquellos que no

pueden pronunciar el Santo Aliento.

21. Pero quienes lo tienen y lo sustituyen por palabras vanas, son culpables a los ojos de Dios, que dijo:

22. No tomarás el nombre de Dios en vano.

23. El número del Santo Aliento es siete, y Dios tiene en sus manos los siete días del tiempo.

24. Al crear los mundos descansó el séptimo día, y cada séptimo día es dedicado como día de sábado para los hombres. Pues Dios dijo:

25. El séptimo es el sábado del Señor tu Dios; recuérdalo y dedícalo completamente a actos de santidad, esto es, a las acciones que no van destinadas al ser egoísta, sino al ser universal.

26. Los hombres pueden trabajar para sí los seis días de la semana, pero en el sábado del Señor no deben hacer nada para sí mismos.

27. Este día está consagrado a Dios; pero el hombre sirve a Dios sirviendo al hombre.

CAPÍTULO 97

Continuación del Sermón de la Montaña. Jesús desvela a los doce los aspectos espirituales del quinto y sexto mandamientos.

1. «Dios no es sólo fuerza, sino que también es sabiduría.

2. »Cuando los querubines instruyeron al hombre en la sabiduría, dijeron que ésta es la madre de la raza humana, así como la fuerza es el padre.

3. »Bienaventurado el hombre que honra al Dios todopoderoso y omnisciente, pues en las tablas de la ley leemos:

4. »Honrad a vuestro padre y a vuestra madre de la raza humana, para que vuestros días se prolonguen en la tierra que os han dado.

5. »La letra de la ley ordena: no matarás, y el que mata debe comparecer ante el tribunal.

6. »Una persona puede tener deseos de matar; sin embargo si no mata, no es juzgada por la ley.

7. »El espíritu de la ley declara que quien desea matar, busca la venganza o está enojado con alguien sin causa suficiente debe responder ante el juez.

8. »Y quien llama a su hermano vagabundo desalmado debe responder también ante el consejo de la justicia.

9. »Y quien llama a su hermano degenerado o perro aviva en sí mismo el fuego ardiente del infierno.

10. »En la ley más suprema leemos que si tu hermano es agraviado por algo que tú le has hecho, antes de presentar tus ofrendas a Dios, debes encontrarle y reconciliarte con él.

11. »No está bien dejar que el sol se ponga sobre tu corona de flores.

12. »Si él no se ha reconciliado contigo y tú en cambio has dejado a un lado todos tus pleitos y derechos egoístas, serás inocente a los ojos de Dios; entonces puedes ir a ofrecerle tus presentes a Dios.

13. »Si debes algo a alguien y no puedes pagarle, o si alguien te exige una cantidad mayor de lo que le debes, no está bien que discutas con él.

14. »La resistencia es el padre de la cólera; no hay piedad ni razón en un hombre colérico.

15. »Te digo, es mucho mejor sufrir pérdidas que acudir a la ley, o ir a los tribunales de los hombres para decidir sobre lo justo y lo injusto.

16. »La ley del hombre carnal diría: "Ojo por ojo y diente por diente; oponte a la usurpación de tus derechos".

17. »Pero ésta no es la ley de Dios. El Santo Aliento diría a cambio: "No ofrezcas resistencia a quien te priva de tus bienes".

18. »El que toma tu manto por la fuerza sigue siendo tu hermano y deberás ganar su corazón, lo cual no puede llevarse a cabo ofreciéndole resistencia.

19. »Dale tu manto y ofrécele más aún; a su tiempo ese hombre se elevará por encima de la bestia que hay en él, y le habrás salvado.

20. »No rechaces a quien te pida ayuda y da a quien te pida prestado.

21. »Y si un hombre te golpea por capricho o porque está enojado, no es correcto pegarle a cambio.

22. »Los hombres llaman cobarde a quien no lucha y defiende sus derechos, pero mucho más grande es el hombre que es asaltado y golpeado, y no golpea.

23. »Más grande es el que es maldecido y no responde, que el que pega a quien le pega a él e injuria a quien le ha injuriado.

24. »Se ha dicho en tiempos antiguos que el hombre debe amar a su amigo y odiar a su enemigo; pero yo os digo:

25. »Sed misericordiosos con vuestros enemigos, bendecid a los que os calumnian, haced el bien a los que os ofenden y rogad por los que pisotean vuestros derechos.

26. »Recordad, sois hijos del Dios que hace que el sol se levante sobre el malo y el bueno, que envía su lluvia al injusto y al justo.

27. »Si hacéis a los demás hombres lo que os hacen a vosotros, no sois sino esclavos, seguidores del camino que conduce a la muerte.

28. »Pero vosotros, como hijos de la luz, debéis mostrar el camino.

29. »Haced con los demás lo que haríais con vosotros mismos.

30. »Cuando hacéis el bien a los que obran bien con vosotros, no hacéis más que los demás hombres; los publicanos hacen lo mismo.

31. »Si saludáis a vuestros amigos y no a vuestros enemigos, sois como los demás hombres; los publicanos son los primeros en obrar así.

32. »Sed perfectos como vuestro Padre-Dios que está en los cielos es perfecto».

Capítulo 98

Continuación del Sermón de la Montaña. Jesús revela a los doce los aspectos espirituales del séptimo, octavo y décimo mandamientos.

1. «La ley prohíbe el adulterio. Pero a los ojos de la ley, el adulterio es un acto público, la satisfacción de lo sensorial fuera de los lazos del matrimonio.

2. »Ahora bien, a los ojos de la ley el matrimonio no es más que una promesa hecha por hombre y mujer y sancionada por un sacerdote, para vivir por siempre en armonía y amor.

3. »Ningún sacerdote ni ministro tiene el poder de Dios para atar dos almas en el amor matrimonial.

4. »¿Cuál es el lazo del matrimonio? ¿Está comprendido en lo que un sacerdote o ministro pueda decir?

5. »¿Acaso es el pergamino donde el ministro o sacerdote ha escrito la autorización para que los dos vivan unidos en matrimonio?

6. »¿Es la promesa que hacen los dos de que se amarán el uno al otro hasta la muerte?

7. »¿Acaso el amor es una pasión sujeta a la voluntad del hombre?

8. »¿Puede el hombre escoger a su amor igual que haría con piedras preciosas, para luego dejarlo y entregárselo a cualquiera?

9. »¿Puede el amor ser comprado y vendido como las ovejas?

10. »El amor es el poder de Dios que ata dos almas y las hace una; no hay poder en la tierra que pueda disolver esa atadura.

11. »Los cuerpos pueden ser separados por el hombre o la muerte durante un tiempo, pero se reunirán de nuevo.

12. »En este lazo de Dios encontramos la unión del matrimonio; todas las demás uniones no son más que paja, y los que viven en ellas cometen adulterio.

13. »Lo mismo sucede con los que satisfacen su lujuria sin la sanción de un ministro o sacerdote.

14. »Y aún más; el hombre o mujer que se complace en pensamientos lujuriosos comete adulterio.

15. »El que ha sido unido por Dios no puede ser separado por el hombre, y el que ha sido unido por el hombre vive en pecado.

16. »En la tabla de la ley, el gran legislador escribió: "No robarás".

17. »Ante los ojos de la ley un hombre, para robar, debe coger algo que pueda ser visto con ojos carnales, sin el conocimiento o el consentimiento de aquel a quien pertenece lo robado.

18. »Pero yo os digo que aquel que en su corazón desea poseer lo que no le pertenece, y es capaz de privar al poseedor de lo suyo sin su conocimiento o consentimiento, es un ladrón ante los ojos de Dios.

19. »Lo que los hombres ven sin esos ojos carnales es más valioso que lo que cualquier hombre puede ver.

20. »La buena reputación de un hombre vale mil minas de

oro, y el que dice una palabra, o lleva a cabo una acción que injuria o difama el nombre de esa persona, ha cogido lo que no es suyo, es un ladrón.

21. »En la tabla de la ley también leemos: "No desearás nada ajeno".

22. »La codicia es un deseo devorador de tener lo que no es justo que uno tenga.

23. »Y un deseo así, en el espíritu de la ley, es un robo».

Capítulo 99

Continuación del Sermón de la Montaña. Jesús desvela a los doce los aspectos espirituales del noveno mandamiento.

1. «Se ha dicho en la ley: "No mentirás"; pero a los ojos de la ley un hombre, para mentir, debe decir en palabras lo que no es verdad.

2. »Según el espíritu de la ley, todo tipo de engaño no es sino una mentira.

3. »Un hombre puede mentir con una mirada o un acto; incluso en silencio puede engañar y de este modo ser culpable a los ojos del Santo Aliento.

4. »Se ha dicho en tiempos antiguos: "No jurarás por tu propia vida".

5. »Pero yo os digo: no juréis en absoluto; no por vuestra cabeza, corazón, ojos o manos; no por el sol, la luna o las estrellas.

6. »No por el nombre de Dios ni por el nombre de ningún espíritu, bueno o malo.

7. »No juraréis por nada, pues en un juramento nada se gana.

8. »Un hombre cuya palabra tiene que apoyarse con juramentos no es digno de confianza ante los ojos de Dios o del hombre.

9. »Con juramentos no puedes hacer caer una hoja ni cambiar el color de un solo cabello.

10. »El hombre honesto pronuncia las palabras necesarias y los hombres saben que dice la verdad.

11. »El hombre que dice muchas palabras para que los demás crean que habla la verdad está haciendo una cortina de humo para ocultar una mentira.

12. »Y hay muchos hombres que parece que tienen corazones dobles, hombres que serían

capaces de servir a dos señores a la vez, a dos señores totalmente opuestos.

13. »Los hombres fingen que adoran a Dios en sábado y luego veneran a Belcebú el resto de los días.

14. »Ningún hombre puede servir a dos señores a la vez, igual que no puede montar en dos asnos que vayan en direcciones contrarias.

15. »El hombre que finge adorar a Dios y a Belcebú es enemigo de Dios, un piadoso diablo, maldición de los hombres.

16. »Los hombres no pueden dejar tesoros en el cielo y en la tierra al mismo tiempo.

17. »Por eso os digo: levantad los ojos, mirad las cámaras seguras del cielo y allí depositad todas vuestras gemas.

18. »Donde la polilla y el moho no las puede corromper; donde los ladrones no pueden robarlas por la fuerza.

19. »No hay en la tierra ninguna cámara segura, ni rincón seguro contra la polilla, la oxidación y el robo.

20. »Los tesoros de la tierra no son más que cosas ilusorias, que desaparecen.

21. »No os dejéis engañar; vuestros tesoros son el ancla del alma, y donde están vuestros tesoros reside vuestro corazón.

22. »No fijéis vuestro corazón en lo terrenal; no os preocupéis por lo que vais a comer, a beber o por la ropa que llevaréis.

23. »Dios cuida de aquellos que confían en él y sirven a la raza humana.

24. »¡Mirad los pájaros! Alaban a Dios con sus canciones; la tierra se hace más gloriosa con su gozosa labor y Dios los mantiene en el hueco de su mano.

25. »Ni un solo gorrión cae en tierra sin su cuidado; y cada gorrión que cae es levantado de nuevo.

26. »¡Mirad las flores de la tierra! Confían en Dios y crecen; hacen que la tierra resplandezca con su belleza y perfume.

27. »Mirad los lirios del campo, los mensajeros del amor santo. Ningún hijo del hombre, ni siquiera Salomón en todo su esplendor, se vistió jamás como uno de estos lirios.

28. »Y, sin embargo, ellos simplemente confían en Dios; se

alimentan de su mano y reclinan las cabezas en su pecho.

29. »Si Dios viste y alimenta así a las flores y los pájaros que hacen su voluntad, ¿no alimentará y vestirá a sus hijos cuando confían en él?

30. »Buscad primero el reino del alma, la justicia de Dios, la bondad de los hombres, y no os quejéis, pues Dios os protegerá, os alimentará y os vestirá».

CAPÍTULO 100

Continuación del Sermón de la Montaña. Jesús elabora y presenta a los doce un código práctico de ética espiritual.

1. «Hay una regla que el hombre carnal ha hecho y sigue rígidamente:

2. »Haz a los demás según hacen contigo. Y así, según los demás juzgan, ellos juzgan; y según los demás dan, ellos dan.

3. »Vosotros, en cambio, cuando vayáis con los hombres, no juzguéis como ellos y no seréis juzgados.

4. »Pues así como juzguéis, seréis juzgados; y así como deis, se os dará. Si condenáis, seréis condenados.

5. »Si mostráis misericordia, los hombres serán misericordiosos con vosotros, y si amáis de tal forma que el hombre carnal pueda comprender vuestro amor, seréis bien amados por él.

6. »Por eso, el hombre sabio de este mundo actúa con los demás según le gustaría que le hicieran a él.

7. »El hombre carnal hace buenas acciones a los demás hombres para su provecho egoísta, pues espera que sus bendiciones se multipliquen y le sean devueltas.

8. »El hombre es su propio campo; sus acciones son las semillas y lo que hace a los demás crece rápidamente; el tiempo de la cosecha es seguro.

9. »¡Mirad la cosecha! Si viento es lo que ha sembrado, viento es lo que recoge; si ha sembrado las malas semillas del escándalo, del robo y del odio, de la sensualidad y el crimen...

10. »La cosecha es segura y deberá recoger lo que ha sembrado; más todavía, pues las

semillas producirán el ciento por uno.

11. »El fruto de la justicia, la paz, el amor y el gozo no puede germinar nunca con malas semillas, pues el fruto es como la semilla.

12. »Cuando sembréis, sembrad semillas de justicia, pues eso es lo justo; y no lo hagáis como en el comercio, esperando ricas recompensas.

13. »El hombre carnal aborrece el espíritu de la ley porque le priva de la libertad de vivir en pecado; bajo su luz no puede satisfacer sus pasiones y deseos.

14. »Está enemistado con el que camina en el Santo Aliento. Él es quien ha matado a los santos de antaño, a los profetas y videntes.

15. »Os abofeteará, os acusará en falso, os azotará y os encarcelará, y creerá que hace la voluntad de Dios asesinándoos en las calles.

16. »Pero no podéis juzgar o censurar a los que os hacen el mal.

17. »Todo hombre tiene sus propios problemas que resolver y debe resolverlos por sí mismo.

18. »El hombre que te azota tiene una carga de pecado que llevar; pero ¿acaso no tienes tú tu propia carga?

19. »El pecado pequeño en uno que camina en el Santo Aliento es mayor a los ojos de Dios que cualquier pecado monstruoso de quien nunca conoció el camino.

20. »¿Cómo puedes ver la astilla en el ojo de tu hermano cuando tú tienes un trozo mucho más grande en el tuyo?

21. »Primero sácate estos pedazos del ojo y luego verás la astilla en el ojo de tu hermano y podrás ayudarle a sacársela.

22. »Y mientras tus ojos sigan llenos de cosas extrañas, no podrás ver el camino, pues estarás ciego.

23. »Y cuando un ciego guía a otro ciego, ambos se extravían y caen en la ciénaga.

24. »Si quieres seguir el camino de Dios, debes tener la visión clara y ser puro de corazón».

CAPÍTULO 101

Continuación del Sermón de la Montaña. Parte final del código de ética. Los cristianos retornan a Cafarnaún.

1. «El fruto del árbol de la vida es demasiado delicado para alimentar la mente carnal.

2. »Si echáis un diamante a un perro hambriento, volverá la cabeza, o bien os atacará, preso de rabia.

3. »El incienso que para Dios es dulce es ofensivo para Belcebú; y el pan del cielo no es más que desperdicios para los hombres que no pueden comprender la vida del espíritu.

4. »El maestro debe ser sabio y alimentar el alma con lo que ésta pueda digerir.

5. »Si no tenéis comida para todos, pedid y la tendréis; buscad de verdad y encontraréis.

6. »Pronunciad la Palabra y llamad; la puerta se os abrirá.

7. »No hay nadie que haya pedido algo con fe y no lo haya obtenido, nadie que haya buscado en vano, nadie que haya llamado a la puerta correctamente y no se le haya abierto.

8. »Cuando los hombres os pidan el pan del cielo, no os deis la vuelta, ni le deis tampoco el fruto de los árboles carnales.

9. »Si vuestro hijo os pidiera un trozo de pan, ¿le daríais una piedra? Si os pidiera un pescado, ¿le daríais una serpiente polvorienta?

10. »Lo que queráis que Dios os de, dádselo a los hombres. La medida de lo que valéis está en vuestro servicio a los demás.

11. »Hay un camino que conduce a la vida perfecta; pocos lo encuentran al mismo tiempo.

12. »Es un camino estrecho; yace entre las piedras y las trampas de la vida carnal; pero en ese camino no hay trampas ni piedras.

13. »Hay un camino que conduce a la desgracia y al deseo. Es espacioso y muchos caminan por él. Yace entre las arboledas de la vida carnal.

14. »Estad alerta, pues muchos creen que andan por el camino de la vida, pero lo hacen por la senda de la muerte.

15. »Son falsos de palabras y obras; ellos son los falsos profetas.

Se visten con pieles de oveja pero son lobos viciosos.

16. »No pueden ocultarse por mucho tiempo, pues los hombres los conocen por sus frutos;

17. »No podéis recoger uvas de los espinos, ni tampoco higos de los cardos.

18. »La fruta es hija del árbol y tal como es el padre, así es el hijo; todo árbol que no produzca buen fruto es arrancado de raíz y abandonado.

19. »Porque el que un hombre rece durante mucho tiempo y en voz alta no es señal de que sea santo. No todos los hombres que rezan se encuentran en el reino del alma.

20. »El hombre que vive la vida santa, y hace la voluntad de Dios, mora en el reino del alma.

21. »El hombre bueno envía bendición y paz a todo el mundo desde los tesoros de su corazón.

22. »El malvado envía pensamientos que marchitan y secan la esperanza y la alegría, y llena el mundo de desgracia y enemistad.

23. »Los hombres piensan, obran y hablan según la abundancia del corazón.

24. »Y cuando llegue la hora del juicio, un sinnúmero de hombres suplicarán con la intención de ganar con sus palabras el favor del juez.

25. »Dirán: "¡Mirad! Hemos realizado un sinnúmero de obras en el nombre de Aquel que todo lo ha creado".

26. »¿Acaso no hemos profetizado? ¿Acaso no hemos curado toda clase de enfermedades? ¿No hemos sacado los espíritus malignos de los poseídos?

27. »Y entonces el juez dirá: "No os conozco. Rendisteis servicio a Dios con palabras mientras en vuestro corazón adorabais a Belcebú".

28. »El malvado puede utilizar los poderes de la vida y hacer muchas obras extraordinarias; apartaos de mí.

29. »El hombre que oye las palabras de la vida y no las pone en práctica es como aquel que construye su casa sobre la arena: cuando vienen las lluvias, los torrentes se la llevan y todo se pierde.

30. »Pero el que oye las palabras de la vida y con corazón honesto y sincero las recibe, las guarda y vive la vida santa...

31. »Es como el hombre que edifica su casa sobre la roca; los torrentes vienen, los vientos soplan y las tormentas golpean la casa, pero no se mueve.

32. »Id y construid vuestra casa sobre la roca sólida de la verdad, y todos los poderes del maligno no la moverán».

33. Y Jesús terminó su Sermón de la Montaña y con los doce regresó a Cafarnaún.

Capítulo 102

Los cristianos en casa de Jesús. Jesús les revela la doctrina secreta. Van por Galilea enseñando y curando. Jesús devuelve la vida al hijo de una viuda de Naín. Regresan a Cafarnaún.

1. Los doce apóstoles fueron con Jesús a su casa y allí estuvieron unos cuantos días.

2. Y Jesús les contó muchas cosas acerca de la vida interior que ahora no podrían escribirse en un libro.

3. En Cafarnaún vivía un hombre rico, un romano, capitán de cien hombres, que amaba a los judíos y había construido una sinagoga para ellos.

4. Un sirviente de este hombre había quedado paralítico, y estaba enfermo día y noche.

5. El capitán sabía de Jesús, había oído que con la Palabra Sagrada curaba a los enfermos y tenía fe en él.

6. Envió un mensaje a Jesús a través de los jefes de los judíos y suplicó ayuda.

7. Y Jesús reconoció la fe del capitán y fue enseguida a curar al enfermo; el capitán le salió al camino y le dijo:

8. «Señor, no está bien que tengas que venir a mi casa; no soy digno de estar en la presencia de un hombre de Dios.

9. »Yo soy un hombre de guerra, paso mi vida con ésos que a menudo quitan la vida a sus semejantes.

10. »Y seguramente sería deshonrado que el que viene a salvar estuviera bajo mi techo.

11. »Pero si pronuncias la Palabra, sé que mi sirviente se pondrá bien».

12. Y Jesús se volvió y dijo a los que le seguían:

13. «Mirad la fe de este capitán; no he visto una fe tan grande en todo Israel.

14. »El banquete está dispuesto para vosotros; pero mientras dudáis y esperáis, el forastero viene con fe y toma el pan de la vida».

15. Entonces, dirigiéndose a aquel hombre, dijo: «Sigue tu camino; según tu fe, así se hará; tu sirviente vive».

16. Sucedió que en el momento en que Jesús pronunció la Palabra, aquel hombre paralítico se levantó y sanó.

17. Y los cristianos fueron a enseñar a tierras extranjeras. Y cuando llegaron a Naín, ciudad que se encuentra en el camino de Hermón, vieron a una gran muchedumbre a la entrada.

18. Era el cortejo de un funeral; el hijo de una viuda había muerto y sus amigos llevaban el cuerpo a la tumba.

19. Era el hijo único de la viuda, que estaba apenada de dolor. Y Jesús le dijo: «No llores, yo soy la vida; tu hijo vivirá».

20. Levantó la mano y los que llevaban al muerto se detuvieron.

21. Y tocó el féretro y dijo: «Joven, vuelve».

22. El alma volvió y el cuerpo del muerto se llenó de vida; aquel hombre se incorporó y habló.

23. La gente estaba atónita ante aquella escena y todos exclamaron: «Alabado sea Dios».

24. Un sacerdote judío se levantó y afirmó: «Un gran profeta ha aparecido»; y toda la gente dijo: «Amén».

25. Los cristianos prosiguieron su viaje; enseñaron y curaron a los enfermos de muchas ciudades de Galilea, y después volvieron de nuevo a Cafarnaún.

CAPÍTULO 103

Los cristianos en la casa de Jesús. Jesús enseña todas las mañanas a los doce y a los maestros extranjeros. Recibe mensajeros de Juan el Precursor y le envía palabras de aliento. Elogia el carácter de Juan.

1. La casa de Jesús era un centro de estudio donde en las tempranas horas de la mañana los doce apóstoles y los maestros

extranjeros recibían enseñanzas sobre los aspectos secretos de Dios.

2. Había sacerdotes de China, India y Babilonia; de Persia, Egipto y Grecia.

3. Iban a sentarse a los pies de Jesús para aprender la sabiduría que transmitía a los hombres y así poder enseñar a los suyos a vivir una vida santa.

4. Y Jesús les mostraba cómo enseñar; les hablaba de las pruebas que habría en su camino y cómo hacer que estas pruebas sirvieran a la raza humana.

5. Les enseñaba a vivir la vida santa para que así pudieran conquistar la muerte.

6. Les enseñaba cuál será el fin de la vida mortal, cuando el hombre haya alcanzado la conciencia de que él y Dios son uno.

7. Dedicaba las horas de la tarde a las muchedumbres que iban a aprender el camino de la vida y a ser curadas; y muchos creían y eran bautizados.

8. En la prisión del mar Muerto el Precursor tenía conocimiento de todas las obras portentosas que Jesús había realizado.

9. La vida que llevaba en la prisión era dura; estaba afligido de amargura y empezó a dudar.

10. Y se dijo a sí mismo: «¡Me pregunto si este Jesús es el Cristo del que escribieron los profetas!

11. »¿Me he equivocado en mi labor? ¿Soy yo de verdad el enviado de Dios para allanar el camino del que ha de redimir a nuestro pueblo, Israel?».

12. Y entonces envió a Cafarnaún a algunos de sus amigos, que habían ido a su celda de la prisión, para que tuvieran conocimiento de este hombre y se lo comunicaron.

13. Aquellos hombres encontraron a Jesús en su casa y dijeron: «El Precursor nos ha enviado para preguntarte: ¿eres tú el Cristo, o todavía está por venir?».

14. Pero Jesús no respondió; simplemente les ordenó que se quedaran algunos días para que pudieran ver y oír.

15. Le vieron curar a los enfermos y hacer que los cojos andaran, que los sordos oyeran y, los ciegos pudieran ver.

16. Le vieron echar a los espíritus malignos de los poseídos y resucitar a los muertos.

17. Le oyeron predicar el evangelio a los pobres.

18. Entonces Jesús les dijo: «Proseguid vuestro camino; volved adonde está Juan y decidle todo lo que habéis visto y oído, y entonces sabrá». Y ellos siguieron su camino.

19. Las muchedumbres estaban allí y Jesús les dijo: «Una vez os apiñabais en las orillas del Jordán y ahora llenáis el desierto.

20. »¿Qué habéis venido a ver? ¿Los árboles de Judá y las flores de Heth? ¿O acaso habéis venido a ver a un hombre vestido como un rey? ¿O a ver a un profeta y vidente?

21. »Os digo, hombres, no sabéis a quién habéis venido a ver. ¿Un profeta? Sí, y mucho más: un mensajero que Dios ha enviado para allanar el camino de lo que veis y oís este día.

22. »Entre los hombres de la tierra no ha vivido nunca hombre más grande que Juan.

23. »Mirad lo que os digo: este hombre a quien Herodes ató con cadenas y envió a la celda de una prisión es Elías enviado de Dios que ha venido de nuevo a la tierra.

24. »Elías, el que no pasó las puertas de la muerte, cuyo cuerpo carnal fue transmutado, despertando en el paraíso.

25. »Cuando Juan vino y predicó el evangelio del arrepentimiento y de la limpieza del alma...

26. »Los escribas y los fariseos no aceptaron las enseñanzas de este hombre; no fueron bautizados.

27. »Mirad, las oportunidades que son desechadas nunca vuelven otra vez.

28. »La gente es inestable como las aguas del mar; tratan de que se les exima de obrar en justicia.

29. »Juan llegó y no comía pan ni bebía vino. Vivía una vida sencilla, apartado de los hombres, y la gente dijo de él: "Es un poseído".

30. »Viene otro que come, bebe y vive en casas como los demás hombres, y la gente dice: "Es un glotón, un borracho, amigo de publicanos y pecadores".

31. »¡Ay de vosotras, ciudades del valle de Galilea, donde se han realizado todas las obras portentosas de Dios! ¡Ay de Corazán y Betsaida!

32. »Si la mitad de los portentos que se han hecho aquí se hubieran hecho en Tiro y Sidón, hace tiempo que se habrían arrepentido de sus pecados y habrían buscado el camino del bien.

33. »Y cuando venga el día del juicio, Tiro y Sidón serán halladas más dignas que vosotras.

34. »Porque no despreciaron los dones que se les hizo, mientras que vosotros habéis arrojado la perla de más alto precio.

35. »¡Ay de ti, Cafarnaún! Ahora eres exaltada, pero serás humillada.

36. »Pues si los portentos que se han hecho en ti se hubieran hecho en las ciudades de la llanura, en Sodoma y Zeboím, habrían escuchado y se habrían convertido a Dios, y no habrían sido destruidas.

37. »Perecieron en su ignorancia, pues no tenían luz; pero vosotras habéis oído, habéis tenido la evidencia.

38. »La luz de la vida se ha manifestado en las colinas y todas las playas de Galilea han resplandecido con ella.

39. »La gloria del Señor se ha mostrado en todas las calles, en las sinagogas y en las casas; pero vosotros habéis desdeñado la luz.

40. »Por eso os digo: vendrá el día del juicio y Dios tratará con más misericordia a las ciudades de la llanura que a vosotros».

Capítulo 104

Jesús enseña a las muchedumbres. Asiste a un banquete en casa de Simón. Una mujer rica le unta con bálsamo precioso. Simón la reprende y Jesús predica un sermón sobre la falsa respetabilidad.

1. Jesús miró a las muchedumbres que se apretujaban para su provecho egoísta.

2. Los hombres de saber y riqueza, de reputación y de poder estaban allí; pero no conocían al Cristo.

3. Sus ojos estaban cegados por el brillo del oropel de sus seres egoístas; no podían ver al rey.

4. Y aunque caminaban en medio de luces, andaban a tientas en la oscuridad, una oscuridad como la noche de la muerte.

5. Y Jesús levantó los ojos al cielo y dijo:

6. «Te doy gracias, Uno Santo del cielo y de la tierra, porque mientras la luz se esconde para los sabios y grandes, es revelada a los pequeños».

7. Entonces, volviéndose a las muchedumbres, dijo: «Vengo a vosotros no en nombre de un hombre, sino con mi propio poder.

8. »La sabiduría y la virtud que os traigo vienen de lo alto; son la sabiduría y la virtud del Dios a quien adoramos.

9. »Las palabras que os digo no son mis palabras; os doy lo que yo recibo.

10. »Venid a mí todos los que trabajáis y arrastráis cargas pesadas y yo os aliviaré.

11. »Tomad conmigo el yugo de Cristo; no roza, es un yugo ligero.

12. »Juntos arrastraremos la carga de la vida con suavidad».

13. Un fariseo, cuyo nombre era Simón, hizo un banquete y Jesús fue su invitado de honor.

14. Y cuando se sentaron a la mesa, una mujer, que había sido curada de su deseo de pecar por lo que había recibido y visto del ministerio de Jesús, acudió a la fiesta sin ser invitada.

15. Llevó consigo una caja de alabastro con un bálsamo muy caro y cuando los invitados estaban reclinados, se acercó a Jesús llena de gozo, pues había sido liberada del pecado.

16. Derramó sus lágrimas, le besó los pies, los secó con su cabello y los untó con bálsamo.

17. Y Simón pensó, sin hablar en voz alta: «Este hombre no es un profeta, pues si no sabría qué clase de mujer tiene ante sí y la echaría afuera».

18. Pero Jesús conocía sus pensamientos y le dijo: «Anfitrión mío, tengo algo que decirte».

19. Y Simón dijo: «Habla».

20. Jesús afirmó: «El pecado es un monstruo de iniquidad; puede ser pequeño o grande, puede ser algo que se hace o algo que se deja sin hacer.

21. »Mira, una persona lleva una vida de pecado y por fin es redimido; y otra se olvida de hacer las cosas que debería hacer, pero se arrepiente y es perdonado. ¿Cuál de éstos merece la alabanza más alta?».

22. Respondió Simón: «El que superó los errores de su vida».

23. Y Jesús dijo: «Dices la verdad.

24. »Mira a esta mujer que ha bañado mis pies con sus lágrimas y los ha secado con sus cabellos y cubierto de bálsamo.

25. »Durante años llevó una vida de pecado, pero cuando oyó las palabras de vida, buscó el perdón y lo encontró.

26. »Pero cuando entré en tu casa como invitado, no me diste un recipiente con agua con la que lavarme las manos y los pies, como todo buen judío debe hacer antes de dar un banquete.

27. »Ahora, dime, Simón: ¿cuál de vosotros, esta mujer o tú mismo, es digno de mayor alabanza?».

28. Simón no respondió.

29. Entonces Jesús le dijo a la mujer: «Todos tus pecados son perdonados; tu fe te ha salvado, vete en paz».

30. Y entonces los invitados, que estaban sentados en torno a la mesa, empezaron a decirse: «¿Qué clase de hombre es éste que dice: "Todos tus pecados son perdonados?"».

Capítulo 105

Bajo el patronazgo de ciertas mujeres ricas, los cristianos hacen una gran gira misionera. En sus enseñanzas Jesús alaba la sinceridad y rechaza la hipocresía. Habla sobre el pecado contra el Santo Aliento.

1. Un grupo de mujeres que poseían mucha riqueza y habitaban en otras ciudades de Galilea imploraron a Jesús y a los doce, junto con los maestros de las tierras extranjeras, para que fueran a predicar y a curar.

2. Entre estas mujeres que ansiaban ver a Jesús estaba María Magdalena, que había sido poseída por siete espíritus vagabundos del aire, los cuales habían sido arrojados por la Palabra Todopoderosa que Jesús había pronunciado.

3. También estaba Susana, que poseía grandes tierras en Cesarea de Filipo.

4. Juana, mujer de Chuza, una de la corte de Herodes.

5. Y Raquel, de la costa de Tiro.

6. Y otras de más allá del Jordán y del mar de Galilea.

7. Les proporcionaron amplios medios y tres grupos de siete hombres fueron con ellos.

8. Predicaron el Evangelio del Cristo y bautizaron a las muchedumbres que hicieron confesión de su fe; curaron a los enfermos y resucitaron a los muertos.

9. Y Jesús escribió y enseñó desde la mañana, muy temprano, hasta el final del día, y también durante la noche, sin descansar para comer.

10. Sus amigos temieron que pudiera caer por falta de fuerzas y lo cogieron, resueltos a llevarle a algún lugar donde pudiera descansar.

11. Pero él los reprendió y les dijo: «¿No habéis leído que Dios mandará a sus ángeles para que se ocupen de mí?

12. »Ellos me sostendrán y yo no sufro lo que debería.

13. »Os digo, hombres, mientras entrego mi fuerza a estas muchedumbres ansiosas que me esperan, que encuentro mi descanso en los brazos de Dios.

14. »Cuyos mensajeros benditos me traen el pan de vida.

15. »Hay una marea que viene una sola vez en la vida humana.

16. »Esta gente está dispuesta a recibir la verdad; ahora es su oportunidad y ahora es la nuestra también.

17. »Y si no les enseñamos ahora que podemos, la marea bajará.

18. »Puede que no se preocupen otra vez por oír la verdad; entonces decidme: ¿de quién será la culpa?».

19. Y así enseñó y curó.

20. Entre las muchedumbres había hombres de toda clase de pensamientos. Estaban divididos en sus pareceres sobre todo lo que Jesús decía.

21. Algunos veían en él a un Dios y le habrían adorado; otros veían en él a un demonio del mundo inferior y le habrían echado a una fosa.

22. Y otros se esforzaban en llevar una doble vida, como los camaleones, que toman el color del terreno en el que están.

23. Esta gente sin anclas de ninguna clase son amigos o enemigos según más les conviene.

24. Y Jesús dijo: «Nadie puede servir a dos maestros al mismo tiempo. Nadie puede ser amigo y enemigo a la vez.

25. »Todos los hombres se elevan o se hunden; construyen o destruyen.

26. »Si no recogéis el grano precioso, lo desparramáis.

27. »Es un cobarde quien es capaz de fingir ser un amigo o enemigo, para agradar a otro hombre.

28. »Vosotros, hombres, no os engañéis con el pensamiento, pues vuestros corazones son conocidos.

29. »La hipocresía arruinará un alma con tanta seguridad como el aliento de Belcebú. Un hombre sincero, aunque malo, es más estimado por los guardianes del alma que un hombre falso aunque piadoso.

30. »Si maldecís al hijo del hombre, maldecidle en voz alta.

31. »La maldición es veneno para el hombre interno, y si os guardáis y tragáis una maldición, nunca la digeriréis; envenenará cada átomo de vuestra alma.

32. »Y si pecáis contra un hijo del hombre, podéis ser perdonados y vuestra culpa lavada con actos de bondad y amor.

33. »Pero si pecáis contra el Santo Aliento, desatendiéndole cuando os abre las puertas de la vida...

34. »Cerrando las puertas del alma cuando él derrama la luz del amor en vuestros corazones y los limpia con el fuego de Dios.

35. »Entonces vuestra culpa no será borrada en esta vida ni en la que ha de venir.

36. »Una oportunidad se habrá ido para no volver más, y tendréis que esperar a que las eras rueden otra vez.

37. »Entonces el Santo Aliento respirará de nuevo en vuestros fuegos de vida y los aventará hasta hacerlos llama viviente.

38. »Y abrirá las puertas de nuevo y podréis dejarle entrar a vuestro hogar a comer con vosotros por siempre jamás, o bien desdeñarle una y otra vez.

39. »Hombres de Israel, ahora es vuestra oportunidad.

40. »Vuestro árbol de la vida es un árbol ilusorio; tiene una abundante copa de hojas, pero sus ramas apenas tienen fruto.

41. »Mirad, vuestras palabras son las hojas y vuestros hechos el fruto.

42. »Estad atentos, pues los hombres han cogido las manzanas de vuestro árbol de la vida

y las han encontrado llenas de amargura; y los gusanos las han comido hasta el corazón.

43. »Mirad esa higuera que está al lado del camino: ¡tan llena de hojas y fruto inútil!».

44. Entonces Jesús pronunció una palabra que los espíritus de la naturaleza conocen, y la higuera se convirtió en una masa de hojas secas.

45. Y habló de nuevo: «Fijaos bien, pues Dios pronunciará la palabra y vosotros seréis como la higuera seca en el sol del atardecer.

46. »Vosotros, hombres de Galilea, llamad para que alguien venga a podar antes de que sea demasiado tarde, y dejadle que pode todas vuestras ramas inútiles y hojas ilusorias, para que el sol pueda entrar.

47. »El sol es la vida, y puede cambiar vuestra inutilidad en utilidad.

48. »Vuestro árbol de vida es bueno, pero lo habéis alimentado durante tanto tiempo con rocíos de egoísmo y brumas de cosas carnales que lo habéis cerrado al sol.

49. »Os digo, hombres, que deberéis dar cuenta a Dios por cada palabra vana que decís y cada mala acción que cometéis».

CAPÍTULO 106

Los cristianos en Magdala. Jesús cura a un hombre ciego, mudo y poseído. Enseña a la gente. Mientras habla a su madre, sus hermanos y Miriam se acercan a él. Enseña una lección sobre la relación familiar. Presenta a Miriam a la gente y ella canta sus canciones de victoria.

1. Magdala está junto al mar, y en ella enseñaron los maestros.

2. Un hombre poseído, que era ciego y mudo, fue llevado a Jesús, y pronunció la Palabra y salieron los espíritus malignos; el hombre habló, sus ojos se abrieron y vio.

3. Éste fue el hecho más grande que los hombres habían visto hacer al maestro, y estaban todos asombrados.

4. Los fariseos se llenaron de envidia; buscaban un motivo por el cual pudieran condenarle.

5. Dijeron: «Sí, es verdad que Jesús hace obras portentosas,

pero las gentes deberían saber que está aliado con Belcebú.

6. »Es un brujo, un mago negro de la clase de Simón Cerús; obra como Jannes y Jambres hicieron en tiempos de Moisés.

7. »Pues Satán, príncipe de los malos espíritus, mora en él día y noche, en el nombre de Satán arroja los demonios, y en su nombre cura los enfermos y resucita a los muertos».

8. Pero Jesús conocía sus pensamientos y les dijo: «Vosotros sois maestros y conocéis la ley; todo lo que va contra sí mismo tiene que caer; una casa dividida no puede perdurar.

9. »Un reino que se hace la guerra a sí mismo se deshace en la nada.

10. »Si Satán arroja a los demonios, ¿cómo puede subsistir su reino?

11. »Si yo arrojo a los demonios por Belcebú, ¿por quién los arrojaréis vosotros?

12. »Pero si yo, en el santo nombre de Dios, arrojo a los demonios y hago caminar a los cojos, oír a los sordos, ver a los ciegos y hablar a los mudos, ¿no quiere decir eso que el reino de Dios ha llegado a vosotros?».

13. Los fariseos enmudecieron; no dieron ninguna respuesta.

14. Mientras Jesús hablaba, un mensajero se le acercó y le dijo: «Tu madre y tus hermanos desean hablar contigo».

15. Y Jesús preguntó: «¿Quién es mi madre y quiénes son mis hermanos?».

16. Y entonces habló en privado a los maestros extranjeros y a los doce. Dijo:

17. «Mirad, los hombres reconocen aquí a sus madres, padres, hermanos y hermanas carnales, pero cuando el velo sea levantado y los hombres caminen en el reino del alma...

18. »Las finas líneas de amor que atan a los grupos de parentesco carnal a través de familias desaparecerán.

19. »No es que el amor por cualquier persona vaya a decrecer, sino que los hombres verán en todos la maternidad, la paternidad y la hermandad que hay en todo hombre.

20. »Los grupos familiares de la tierra se perderán en el amor universal y la amistad divina».

21. Entonces dijo a las multitudes: «Quien vive la vida y

hace la voluntad de Dios es hijo de Dios, y es mi madre, mi padre, mi hermana y mi amigo».

22. Y luego se retiró a hablar con su madre y sus otros parientes carnales.

23. Pero vio a alguien más que a éstos: la doncella que una vez atravesó con su amor su misma alma, un amor más allá del amor de cualquier relación carnal...

24. Que fue la tentación más amarga en el templo de Heliópolis, junto al Nilo, que le cantó las canciones sagradas, estaba allí.

25. Se reconocieron el uno al otro como almas gemelas, y Jesús dijo:

26. «Dios nos ha traído un poder que los hombres no pueden comprender, un poder de pureza y amor...

27. »Para aligerar las cargas del momento, para ser bálsamo de las almas heridas...

28. »Para llevar a las muchedumbres a mejores caminos mediante canciones sagradas y una vida santa.

29. »Prestad atención, pues Miriam, que estuvo junto al mar y entonó el canto de victoria cuando Moisés mostraba el camino, cantará de nuevo.

30. »Y todos los coros del cielo se unirán y cantarán el himno gozoso.

31. »¡Paz, paz en la tierra, buena voluntad a los hombres!».

32. Y Miriam se acercó a las muchedumbres que estaban esperando y cantó de nuevo los cánticos de victoria, y todos exclamaron: «Amén».

CAPÍTULO 107

Un fariseo pide a Jesús signos de su misión mesiánica. Jesús le reprende porque no reconoce las señales que continuamente está dando. Jesús exhorta a la gente a recibir la luz para que así puedan llegar a ser luz.

1. Un fariseo, orgulloso de sí mismo, se levantó ante las muchedumbres y dijo a Jesús:

2. «Señor, quisiéramos que nos dieras una prueba. Si tú eres verdaderamente el Cristo que tiene que venir, entonces seguro que puedes hacer lo que los

magos negros no son capaces de hacer.

3. »Pueden hablar y retener a las muchedumbres con palabras de poder; y pueden curar a los enfermos y echar los demonios de los poseídos.

4. »Pueden controlar las tormentas, y el fuego, la tierra y el aire los oyen y responden cuando hablan.

5. »Así pues, si subes a esa torre y desde ahí vuelas sobre el mar, creeremos que eres un enviado de Dios».

6. Y Jesús dijo: «Ningún mago negro ha vivido nunca una vida Santa; tenéis día tras día una prueba de la vida del Cristo.

7. »Pero vosotros, escribas y fariseos malvados y adúlteros, no podéis ver un signo del espíritu, pues vuestros ojos espirituales están llenos del ser carnal.

8. »Buscáis una señal para satisfacer vuestra curiosidad. Andáis por los planos más bajos de la vida carnal y gritáis: "¡Fenómenos, mostradnos una señal y entonces creeremos!".

9. »No he sido enviado a la tierra para comprar la fe como los hombres compran el pescado, la fruta y los desechos de las calles.

10. »Los hombres creen que me hacen un gran favor al confesar su fe en mí y en el Santo Cristo.

11. »¿Qué me importa a mí como hombre si creéis o dejáis de creer?

12. »La fe no es algo que podáis comprar con monedas, no es algo que se pueda vender con oro.

13. »Una vez Mar, un mendigo, me siguió y gritó: "Dame una moneda de plata y entonces creeré en ti".

14. »Vosotros sois como este mendigo; ofrecéis vuestra fe a cambio de signos.

15. »Pero daré un signo a todo el mundo tan seguro como que el Cristo mora en mí.

16. »Todos habéis leído la parábola de Jonás y la ballena, donde se cuenta que el profeta pasó tres días y tres noches en el estómago del gran pez, y luego salió de allí.

17. »El hijo del hombre pasará tres días y tres noches en el corazón de la tierra y después saldrá de nuevo, y los hombres verán y conocerán.

18. »Mirad, la luz puede ser tan brillante que los hombres no puedan ver cosa alguna.

19. »La luz del espíritu se ha mostrado tan brillante en Galilea que los que ahora me oís estáis ciegos.

20. »Quizá habréis leído las palabras del profeta Azrael; dijo: "La luz resplandecerá con gran fuerza en la oscuridad de la noche y los hombres no la comprenderán".

21. »Ese tiempo ha llegado: la luz resplandece y vosotros no la veis.

22. »La reina de Sabá se sentaba en la noche más oscura y suspiraba por ver la luz.

23. »Vino a oír las palabras de sabiduría de los labios de Salomón y creyó.

24. »Y se convirtió en una antorcha viviente, y cuando llegó a su tierra, toda Arabia se llenó de luz.

25. »Un faro más grande que Salomón está aquí; el Cristo está presente; la Estrella del Día se ha levantado, y sin embargo vosotros rechazáis la luz.

26. »Acordaos de Nínive, la ciudad perversa de Asirir, que Dios señaló para ser destruida con temblores de tierra y llamas si sus habitantes no se convertían y caminaban por caminos de justicia.

27. »Y Jonás levantó la voz y dijo: "En cuarenta días Nínive será arrasada y toda su riqueza destruida".

28. »La gente oyó y creyó; se arrepintieron, volvieron a los caminos del bien y su ciudad no fue arrasada ni destruida.

29. »Os digo, hombres de Galilea, que Arabia y Nínive darán testimonio contra vosotros el día del juicio.

30. »Mirad, pues cada uno de vosotros tiene dentro de sí todos los fuegos de Dios, pero están apagados.

31. »La voluntad se encuentra atada por los deseos de la carne y no atrae a los éteres de los fuegos para que vibren en la luz.

32. »Así pues, mirad en vuestra alma y daos cuenta: ¿acaso la luz que se halla en vuestro interior no es oscura como la noche?

33. »No hay otro aliento que el Santo Aliento que pueda avivar nuestros fuegos de vida convirtiéndolos en llama viviente y transformándolos en luz.

34. »El Santo Aliento puede elevar los éteres de los fuegos a la luz y convertirlos en corazones de pureza y amor.

35. »Oíd, pues, hombres de Galilea: haceos puros de corazón, aceptad el Santo Aliento y vuestros cuerpos se llenarán de luz.

36. »Y al igual que una ciudad en la colina, vuestra luz brillará e iluminará el camino a otros hombres».

Capítulo 108

Jesús reprende a la gente por su egoísmo. Los cristianos asisten a un banquete y Jesús es censurado por los fariseos por no lavarse antes de comer. Jesús muestra la hipocresía de las clases gobernantes y las llena de maldiciones.

1. Las muchedumbres estaban envueltas en pensamientos egoístas; nadie reconocía los derechos de nadie.

2. El más fuerte empujaba a los débiles, los echaba a un lado y los pisoteaba en su prisa por ser el primero en obtener una bendición para sí mismo.

3. Y Jesús dijo: «Mirad la jaula de bestias salvajes; una cueva de víboras pestilentes, enloquecidas en su demoníaca codicia de ganancia egoísta.

4. »Os digo, hombres, que los beneficios que vienen a los hombres cuando no ven más allá de sí mismos son meros destellos en la luz de la mañana.

5. »No son reales, pasan y desaparecen. Hoy el alma egoísta es alimentada, pero no asimila la comida y no crece, por lo que debe ser alimentada una y otra vez.

6. »Mirad, un hombre egoísta poseído sólo por un espíritu del aire es liberado de él por la Palabra Todopoderosa.

7. »El espíritu vaga por lugares áridos buscando reposo sin encontrarlo.

8. »Y entonces vuelve de nuevo; el hombre egoísta no ha podido cerrar la puerta y echarle el cerrojo.

9. »El espíritu impuro encuentra toda la casa barrida y limpia; entra llevando a siete espíritus más impuros que él y se quedan allí a vivir.

10. »El último estado del hombre es siete veces más miserable que el primero.

11. »Y así es con vosotros, que arañáis las bendiciones que pertenecen a los otros hombres».

12. Mientras Jesús hablaba, una mujer que estaba cerca exclamó: «¡Bendita sea la madre de este hombre de Dios!».

13. Y Jesús dijo: «Sí, bendita ella; pero dos veces benditos los que oyen, reciben y viven la palabra de Dios».

14. Un fariseo rico preparó un banquete y Jesús y los doce, junto con los maestros de tierras lejanas, fueron invitados.

15. Y Jesús no se lavó las manos antes de comer, según las reglas más estrictas de los fariseos; y cuando el fariseo observó esto, quedó muy asombrado.

16. Y Jesús dijo: «Mi anfitrión, ¿por qué te asombras de que no me haya lavado las manos?

17. »Los fariseos se lavan las manos y los pies; se lavan el cuerpo cada día, pero por dentro están llenos de suciedad.

18. »Sus corazones están repletos de maldad, abuso y engaño.

19. »¿Acaso Dios, que hizo el exterior del hombre, no hizo también el interior?».

20. Y entonces dijo: «¡Ay de vosotros, fariseos!, pues sacáis el diezmo de la mente, y de todas las hierbas, y os olvidáis del juicio y el amor de Dios.

21. »¡Ay de vosotros, fariseos!, os gustan los asientos más altos en las sinagogas y tribunales y mandáis que os saluden en la plaza del mercado.

22. »¡Ay de vosotros que relucís en esta tierra! Nadie podría creer que sois sirvientes del Señor de los ejércitos por lo que hacéis».

23. Un escriba que estaba sentado a su lado exclamó: «Raboni, tus palabras son ásperas y en todo lo que dices nos censuras; ¿por qué?».

24. Y Jesús respondió: «¡Ay de vosotros, maestros de la ley! Cargáis grandes pesos sobre los hijos de los hombres; sí, pesos mucho más grandes de lo que pueden llevar, y nunca ayudáis cargando sobre vosotros ni el peso de una pluma.

25. »¡Ay de vosotros! Construís las tumbas de los profetas y videntes, aquellos a quienes

mataron vuestros padres y sois parte de sus crímenes.

26. »Y ahora mirad, pues Dios ha enviado de nuevo a sus santos apóstoles, profetas y videntes; y vosotros los estáis persiguiendo.

27. »Se acerca el tiempo en que pleitearéis contra ellos en los tribunales, los asesinaréis en las calles, los echaréis en las celdas de las prisiones y los mataréis con placer demoníaco.

28. »Os digo, hombres, la sangre de todos los santos de Dios que ha sido derramada desde Abel, el bueno, hasta la de Zacarías, padre del santo Juan...

29. »Que fue abatido junto al altar del Lugar Santo...

30. »La sangre de todos estos hombres santos ha enrojecido aún más las manos de esta generación impía.

31. »¡Ay de vosotros, maestros de la ley! Arrancáis las llaves del conocimiento de las manos de los hombres.

32. »Cerráis las puertas y no entráis, y no podéis soportar que entren los que tienen la voluntad de hacerlo».

33. Sus palabras provocaron a los fariseos y a los letrados y escribas que, resentidos, derramaron sobre él torrentes de injurias.

34. Las verdades que dijo llegaron como un rayo del cielo; los gobernantes deliberaban cómo podían atraparle por sus palabras y buscaban un medio legal de derramar su sangre.

Capítulo 109

Los cristianos van a un lugar retirado para rezar. Jesús les advierte de la levadura de los fariseos y les muestra cómo todos los pensamientos y hechos son registrados en el Libro de los Recuerdos de Dios. La responsabilidad del hombre y el cuidado de Dios.

1. Cuando el banquete hubo acabado, Jesús, con los maestros extranjeros y los doce, María, Miriam y un grupo de mujeres leales que creían en Cristo, fueron a un lugar retirado a rezar.

2. Y cuando su silencio hubo terminado, Jesús les dijo: «Estad en guardia; la levadura de los fariseos ha sido echada en cada una de las comidas de la vida.

3. »Es un veneno que emponzoñará todo lo que toque, y arruinará el alma igual que los humos demoníacos; es la hipocresía.

4. »Los fariseos parecen hermosos en el hablar, pero son diabólicos en su corazón.

5. »Creen que el pensamiento es algo que pueden encerrar dentro de sí.

6. »Parece que no saben que todo pensamiento y deseo deja una impresión y es después preservado en el Libro de la Vida, para ser revelado en cualquier momento que los maestros deseen.

7. »Lo que se piensa, se desea y se hace en la noche más oscura será proclamado en el día más brillante.

8. »Lo que se susurra al oído en el lugar secreto será dado a conocer en las calles.

9. »Y en el día del juicio, cuando todos los libros sean abiertos, estos hombres y todos los demás serán juzgados no por lo que han dicho o hecho.

10. »Lo serán por la forma en que usaron los pensamientos de Dios y los éteres del amor eterno.

11. »Pues los hombres pueden servirse de estos éteres para su ser carnal o para su santo ser interior.

12. »Mirad, estos hombres pueden matar el cuerpo de esta carne; pero ¿qué importancia tiene eso? La carne no es más que una cosa transitoria y pronto, por ley natural, pasará.

13. »Su muerte sólo acelera un poco la obra de la naturaleza.

14. »Y cuando matan la carne, llegan a los límites de su poder, pues no pueden matar el alma.

15. »Pero la naturaleza es el guardián del alma y de la carne, y en el tiempo de la cosecha todos los árboles de la vida son examinados por el juez.

16. »Y todo árbol que no lleva fruto bueno es arrancado por las raíces y echado a las llamas.

17. »¿A quién, pues, daréis importancia? No a quien sólo tiene el poder de matar la carne.

18. »Considerad a quien tiene el poder de disolver tanto el alma como el cuerpo en las llamas del fuego de la naturaleza.

19. »Pero el hombre es el rey; puede dirigir sus pensamientos,

sus amores y su vida, y ganar el premio de la vida eterna.

20. »No se os deja abandonados en vuestra lucha por la corona de la vida. Vuestro Padre vive y vosotros viviréis.

21. »Dios tiene cuidado de todo ser viviente. Él cuenta las estrellas, los soles y las lunas.

22. »Cuenta los ángeles, los hombres y todo lo que hay debajo: los pájaros, las flores, los árboles...

23. »Conoce por su nombre los mismos pétalos de la rosa, y cada una tiene su propio número en su Libro de la Vida.

24. »Y conoce cada cabello de tu cabeza y cada gota de sangre de tus venas por su número y ritmo.

25. »Oye la llamada del pájaro, el chirrido del grillo y el canto de la luciérnaga; y ni un solo gorrión cae en tierra sin su conocimiento y consentimiento.

26. »Un gorrión parece algo de poco valor; cinco gorriones valen en el mercado dos cuartos de penique, y sin embargo Dios cuida de cada uno de ellos.

27. »¿No cuidará mucho más de vosotros, que lleváis su imagen en vuestra alma?

28. »No temáis hacer confesión del Cristo ante los hijos de los hombres, pues Dios os tendrá como a sus hijos e hijas ante las huestes celestiales.

29. »Si negáis al Cristo ante los hijos de los hombres, entonces Dios no os recibirá como a uno de los suyos ante las huestes celestiales.

30. »Y os digo más: no temáis cuando los hombres os lleven ante los gobernantes de la tierra a responder de vuestra fe.

31. »Mirad, el Santo Aliento os enseñará en vuestra hora de necesidad lo que debéis decir y lo que es mejor que no digáis».

32. Y entonces los cristianos fueron de nuevo a enseñar a las muchedumbres.

Capítulo 110

Miriam entona una canción de victoria. La canción. Jesús revela el carácter simbólico del viaje de Israel desde Egipto a Caná.

1. Miriam se acercó a la muchedumbre y, levantando los

ojos al cielo, de nuevo los deleitó con el canto de victoria:

2. «Traed el arpa, la viña y la lira; traed los platillos más sonoros. Todos vosotros, coros del cielo, uníos al canto, al cántico nuevo.

3. »El Señor de los ejércitos se ha rebajado a oír los gritos de los hombres, y la ciudad de Belcebú se agita como una hoja al viento.

4. »La espada de Gedeón ha sido desenvainada de nuevo.

5. »El Señor ha descorrido con su propia mano las cortinas de la noche; el sol de la verdad inunda cielo y tierra.

6. »Los demonios de la oscuridad, de la ignorancia y de la muerte huyen deprisa; desaparecen como el rocío bajo el sol de la mañana.

7. »Dios es nuestra fuerza y nuestro canto, nuestra salvación y nuestra esperanza y construiremos de nuevo una mansión para él.

8. »Limpiará nuestros corazones y purificará todos sus aposentos. Somos el templo del Santo Aliento.

9. »Ya no necesitamos una tienda en el desierto, ni un templo construido con nuestras manos.

10. »No buscamos la Tierra Santa ni tampoco Jerusalén. ¡Aleluya, alabad al Señor!».

13. Y cuando la canción hubo terminado, las muchedumbres exclamaron: «Alabado sea Dios».

14. Y Jesús dijo: «¡Mirad el camino!

15. »Los hijos de los hombres han andado a tientas durante siglos en las tinieblas de la noche egipcia.

16. »Los faraones los han atado con sus cadenas.

17. »Pero Dios ha susurrado a través de las brumas del tiempo y les ha hablado de una tierra de libertad y amor.

18. »Y ha enviado sus Logos para iluminar el camino.

19. »El mar Rojo fluye entre la tierra prometida y las arenas de Egipto.

20. »El mar Rojo es la mente carnal.

21. »Mirad, el Logos extiende la mano; el mar divide; la mente carnal es partida en dos; los hijos de los hombres caminan por el árido desierto.

22. »Los faraones de los sentidos tratan de detener su huida, pero retornan las aguas del mar, y los faraones de los sentidos quedan atrapados en ellas y los hombres son liberados.

23. »Durante algún tiempo los hombres caminarán por el desierto del Pecado, pero el Logos les mostrará el camino.

24. »Y cuando por fin los hombres se acerquen a las orillas del Jordán, las aguas se detendrán y los hombres entrarán en su propia tierra».

CAPÍTULO 111

Jesús enseña. Un hombre le pide que obligue a su hermano a obrar con justicia. Jesús revela la luz divina, el poder de la verdad y la universalidad de las posesiones. Relata la parábola del hombre rico y su abundante cosecha.

1. Jesús enseñaba a las muchedumbres, y mientras hablaba, un hombre se le acercó y le dijo:

2. «Raboni, escucha mi súplica: mi padre murió y dejó una gran herencia, pero mi hermano se ha apoderado de todo y ahora rehúsa compartirlo conmigo.

3. «Te ruego que le ordenes hacer lo que es justo, y que me dé lo que es mío».

4. Y Jesús dijo: «No he venido a ser un juez de tales asuntos; no soy un agente de los tribunales.

5. »Dios no me envió a obligar a un hombre a obrar con justicia.

6. »En todos los hombres hay un sentido de la justicia, pero muchos no se dan cuenta.

7. »Los humos que nacen del egoísmo han formado una costra en su sentimiento de la justicia que cubre la luz interior que hay en él, y no pueden comprender ni reconocer los derechos de los demás hombres.

8. »Este velo no puede ser arrancado por la fuerza de los brazos, y no existe nada que pueda disolver esta costra excepto el conocimiento y el amor de Dios.

9. »Mientras los hombres están en el fango, el firmamento parece estar lejos; pero cuando se encuentran en la cima de la montaña, el firmamento está

cerca, y casi pueden tocar las estrellas».

10. Entonces Jesús, volviéndose a los doce, les dijo: «Mirad cuántos hay en el fango de la vida carnal.

11. »La levadura de la verdad cambiará la arcilla en roca sólida y los hombres podrán arder y encontrar el camino que conduce a la cima de la montaña.

12. »No podéis ir deprisa; pero debéis esparcir esta levadura con mano generosa.

13. »Cuando los hombres hayan aprendido la verdad que lleva en su rostro la ley del bien, se apresurarán a dar a cada hombre lo que merece».

14. Entonces Jesús dijo a la gente: «Prestad atención, no codiciéis nada. La riqueza de los hombres no consiste en lo que parece que tienen: tierras, plata y oro.

15. »Estos objetos son sólo riqueza prestada. Nadie puede atesorar los dones de Dios.

16. »Los elementos de la naturaleza son los elementos de Dios, y lo que es de Dios pertenece a todo hombre por igual.

17. »La riqueza del alma reside en la pureza de la vida y en la sabiduría que desciende del cielo.

18. »Mirad, las tierras de un hombre rico dieron cosecha abundante, y sus graneros resultaron ser demasiado pequeños para contener todo el grano, por lo que se dijo:

19. »"¿Qué haré? No puedo regalar el grano, no debo dejar que se pierda"; y entonces pensó:

20. »"Esto es lo que haré: derribaré estos graneros pequeños y construiré otros nuevos; allí almacenaré mi grano y diré:

21. »Alma mía, descansa; tienes suficiente para muchos años; come, bebe, llénate y alégrate".

22. »Pero Dios observó a aquel hombre y viendo su corazón egoísta, dijo:

23. »"Necio, esta misma noche tu alma abandonará su casa carnal; y entonces ¿quién va a disponer de la riqueza que has acumulado?".

24. »Hombres de Galilea, no acumuléis tesoros en los baúles de la tierra; la riqueza que atesoréis arruinará vuestra alma.

25. »Dios no da la riqueza a los hombres para que la amontonen en cámaras secretas. Los

hombres no son más que administradores de la riqueza de Dios y deben usarla para el bien común».

CAPÍTULO 112

Los cristianos en la casa de María de Magdala. Jesús llama a sus discípulos «pequeño rebaño» y los exhorta a que coloquen sus afectos en cosas divinas. Les enseña la vida interior.

1. Jesús dejó las muchedumbres y se fue con sus discípulos a la casa de María; y cuando estaban sentados a la mesa para cenar, dijo:

2. «Ovejas de mi pequeño rebaño, no temáis, es la voluntad de vuestro Padre que reinéis en el reino del alma.

3. »Un gobernante en la casa de Dios es sirviente del Señor de los Ejércitos, y el hombre no puede servir a Dios si no es sirviendo a los hombres.

4. »Un sirviente de la casa de Dios no puede ser sirviente de la casa de la riqueza, ni tampoco en la sinagoga del saber.

5. »Si estáis atados a vuestras tierras, a los lazos familiares o a las riquezas, vuestros corazones están unidos a lo terrenal, pues donde están vuestros tesoros ahí están vuestros corazones.

6. »Desprendeos de vuestra riqueza, distribuidla entre los pobres y poned vuestra confianza en Dios; de esta manera ni vosotros ni los vuestros pasaréis nunca necesidad.

7. »Esto es una prueba de fe, y Dios no aceptará el servicio del que no tiene fe.

8. »El tiempo está maduro; vuestro Maestro viene sobre las nubes y el cielo de Oriente brilla ya con su presencia.

9. »Poneos vuestros trajes de recepción y aprestaos para la lucha; preparad las lámparas, llenadlas de aceite y disponeos a recibir a vuestro Señor; y cuando estéis preparados, Él vendrá.

10. »Tres veces benditos son los sirvientes que están preparados para recibir a su Señor.

11. »Estad alerta, pues se ceñirá el manto, preparará un suntuoso banquete para todos y Él mismo se pondrá a servir.

12. »No importa cuándo venga; puede ser en la segunda vigilia

o en la tercera, pero benditos los servidores que están preparados para recibirle.

13. »No podéis dejar la puerta abierta e iros a dormir, esperándole así, tranquilamente, ignorando el momento fugaz de su venida.

14. »Pues seguramente vendrán ladrones que os quitarán los bienes, os atarán y os llevarán a sus guaridas.

15. »Y si no se os llevan, cuando el Maestro venga no considerará amigo a un guardián que se duerme, sino enemigo.

16. »Amados, éstos son tiempos en que todo hombre debe estar despierto y en su puesto, pues nadie puede predecir la hora y el día en que recibirá la revelación».

17. Y Pedro preguntó: «Señor, ¿esta parábola es para nosotros o para las muchedumbres?».

18. Y Jesús respondió: «¿Por qué necesitáis preguntar? Dios no es alguien que tiene respeto por unos y desdeña a otros.

19. »El que quiera, que venga y se ciña el manto, prepare su lámpara y encuentre un minarete en la torre de la vida donde pueda vigilar para prepararse a recibir al Señor.

20. »Pero vosotros habéis venido como hijos de la luz y habéis aprendido el lenguaje de la corte, así que podéis dirigir el camino.

21. »Pero puede que esperéis, creyendo que estáis preparados para recibir al Señor, y el Señor no venga.

22. »Y entonces quizá os impacientéis, empecéis a anhelar otra vez las cosas de la carne e impongáis vuestra propia ley.

23. »Pegando o maltratando a los sirvientes de la casa e hinchándoos de vino y carne.

24. »¿Y qué dirá el Señor cuando venga?

25. »Echará al siervo infiel de su casa y muchos años pasarán antes de que esté limpio y pueda ser hallado digno de recibir a su Señor.

26. »El sirviente que ha entrado en la luz, que conoce la voluntad del Amo y no la cumple; el guardián de confianza que se duerme en el minarete de la torre de la vida...

27. »Sentirá muchas veces el látigo de la justicia, mientras que quien no conoce la voluntad de

su Amo y no la cumple no recibirá un castigo tan grave.

28. »El hombre que se detiene ante la puerta de la oportunidad y no entra en ella, sino que sigue su camino...

29. »Vendrá de nuevo y encontrará la puerta bien cerrada, y cuando llame, la puerta no se abrirá.

30. »El guardián dirá: "Supiste una vez el santo y seña, pero lo olvidaste y ahora el Señor no te conoce; márchate".

31. »En verdad os digo: a quien se le ha dado mucho, mucho se le pedirá; a quien se le ha dado poco, poco se le pedirá».

Capítulo 113

En respuesta a una pregunta de Lamas, Jesús les enseña acerca del reino de la paz y el modo de llegar a él a través de los antagonismos. Los signos de los tiempos. El Santo Nombre como guía. Los cristianos van a Betsaida.

1. Después de cenar, los invitados y Jesús fueron a una sala espaciosa que había en la casa de María.

2. Y entonces Lamas dijo: «Por favor, dinos, Señor, ¿es ésta la aurora de la paz?

3. »¿Ha llegado el momento en que los hombres no harán más guerra?

4. »¿Eres tú de verdad el Príncipe de la Paz que los santos han dicho que iba a venir?».

5. Y Jesús contestó: «La paz reina ya; es la paz de la muerte.

6. »Una charca estancada está en paz. Cuando las aguas cesan de moverse, pronto se llenan de semillas de muerte, y la corrupción mora en cada gota.

7. »Las aguas vivientes saltan y se deslizan como corderos en primavera.

8. »Las naciones están corrompidas; duermen en los brazos de la muerte y deben ser despertadas antes de que sea demasiado tarde.

9. »En la vida encontramos antagonistas en acción: Dios me envió aquí para agitar hasta sus profundidades las aguas del mar de la vida.

10. »La paz sigue a la discordia; vengo para destruir esta paz de muerte. El Príncipe de la Paz debe ser primero príncipe de la discordia.

11. »Esta levadura de la verdad que he traído a los hombres agitará a los demonios, y las naciones, las ciudades y las familias harán la guerra consigo mismas.

12. »Los cinco que viven en una casa de paz serán divididos, y dos harán la guerra contra los otros tres.

13. »El hijo se levantará contra el padre y madre e hija disputarán entre sí; en verdad la discordia reinará en cada casa.

14. »El egoísmo, la codicia y la duda harán estragos y, por mi causa, la tierra será bautizada en sangre humana.

15. »Pero lo verdadero manda y cuando marchen las tinieblas, las naciones no lucharán más; el Príncipe de la Paz reinará.

16. »Mirad, las señales de lo que yo os digo están en el cielo, pero los hombres no pueden verlas.

17. »Cuando los hombres ven una nube que se levanta en el oeste, dicen: "Va a llover", y así ocurre; y cuando el viento sopla del sur, dicen: "Va a hacer calor", y así es.

18. »Los hombres pueden leer los signos de la tierra y del cielo, pero no son capaces de discernir los signos del Santo Aliento; sin embargo, vosotros conoceréis.

19. »La tormenta de la ira llega ya y el hombre carnal buscará una causa para acusaros ante los tribunales y echaros a las celdas de la prisión.

20. »Y cuando lleguen estos tiempos, dejad que os guíe la sabiduría; no os sintáis resentidos. El resentimiento fortalece la ira de los malvados.

21. »Hay poca conciencia de justicia y de misericordia en los hombres más viles de la tierra.

22. »Prestando atención en lo que hacéis y confiando en la guía del Santo Nombre, podéis hacer que crezca esta conciencia.

23. »Así lograréis que la ira de los hombres alabe al Señor».

24. Y los cristianos prosiguieron su camino, llegaron a Betsaida y allí enseñaron.

CAPÍTULO 114

Una gran tormenta en el mar destruye muchas vidas. Jesús hace una llamada de ayuda y la gente responde con mano generosa. En respuesta a la pregunta de un escriba, Jesús revela la filosofía de las catástrofes.

1. Mientras Jesús enseñaba, un hombre se le acercó y le preguntó: «Raboni, ¿puedo hablar?».

2. Y Jesús respondió: «Habla». Y entonces el hombre dijo:

3. «La pasada noche una tormenta hizo naufragar a muchas barcas de pesca, y las tripulaciones se hundieron y perecieron; ahora sus mujeres e hijos están en necesidad.

4. »¿Qué se puede hacer para ayudarlos en su amarga desgracia?».

5. Y Jesús dijo: «Es una digna petición. Vosotros, hombres de Galilea, prestad atención. No podemos traer de nuevo a la vida a estos hombres, pero sí podemos socorrer a los que dependían de ellos para tener su pan diario.

6. »A vosotros, administradores de la riqueza de Dios, os ha llegado una oportunidad; abrid vuestros baúles, sacad el oro que tenéis amontonado y derramadlo con mano generosa.

7. »Esta riqueza se guardó para momentos como éstos; cuando no se necesitaba era vuestra y la guardabais.

8. »Pero ahora no es vuestra, pues pertenece a aquellos que están en necesidad, y si no se la dais, atraeréis la ira de Dios sobre vuestras cabezas.

9. »No es caridad dar a los que necesitan; es sólo honradez, pues es dar a los hombres lo que es suyo».

10. Entonces Jesús se dirigió a Judas, uno de los doce, que era el tesorero del grupo, y dijo:

11. «Trae la caja donde guardamos el dinero; este dinero ya no es nuestro. Entrega cada cuarto de penique en ayuda de los que están en desgracia».

12. Pero Judas no quería dar el dinero a todos aquellos necesitados y habló con Pedro, Santiago y Juan.

13. Les dijo: «Dejaré una parte y entregaré el resto; con eso será suficiente, pues no conocemos a esos necesitados; ni siquiera sabemos sus nombres».

14. Pero Jesús dijo: «Judas, ¿cómo te atreves a pensar en juzgar el poder de la justicia?

15. »El Señor ha dicho la verdad; esta riqueza no nos pertenece. Tener esta desgracia ante nosotros y negarse a dar es robar.

16. »No tienes por qué temer; no pasaremos necesidad».

17. Entonces Judas abrió la caja del dinero y lo entregó todo.

18. Y hubo oro y plata, comida y ropa en abundancia para las necesidades de los afligidos.

19. Un escriba dijo: «Raboni, si Dios gobierna a los mundos y todo lo que hay en ellos, ¿acaso no trajo Él esta tormenta? ¿Acaso no fue Él quien mató a estos hombres?

20. »¿No ha traído, pues, esta amarga desgracia a esta gente? ¿O fue quizá para castigarlos por sus crímenes?

21. »Recordemos que una vez un grupo de fervientes judíos de Galilea fueron a Jerusalén y, en una fiesta, por crímenes imaginarios contra la ley romana...

22. »Fueron ejecutados en el mismo patio del templo por mandato de Poncio Pilato; y su sangre se convirtió en su sacrificio.

23. »¿No atrajo Dios esta matanza porque estos hombres eran doblemente viles?

24. »Y recordemos cómo una vez una torre llamada Siloam adornaba las defensas de Jerusalén, y sin causa aparente tembló y se desplomó en tierra: dieciocho hombres murieron.

25. »¿Eran estos hombres viles y murieron como castigo por algún crimen?».

26. Y Jesús dijo: «No podemos considerar un simple espacio de tiempo y juzgarlo todo.

27. »Hay una ley que los hombres deben reconocer: el resultado depende de la causa.

28. »Los hombres no son motas de polvo que flotan en el aire de una breve vida y luego se pierden en la nada.

29. »Son partes inmortales del todo eterno que van y vienen continuamente en el aire de la tierra y del más allá para desvelar el ser divino.

30. »Una causa puede ser una parte de una breve vida, pero los resultados no pueden ser percibidos hasta otra vida.

31. »La causa de tus resultados no puede ser encontrada en mi vida, ni tampoco la causa de

mis resultados ser encontrada en la tuya.

32. »Sólo puedo recoger si he sembrado, y debo recoger todo lo que he sembrado.

33. »La ley de todas las eternidades es conocida por las mentes maestras:

34. »Todo lo que los hombres hagan a los demás hombres el juez y el verdugo se lo hará a ellos.

35. »No percibimos el cumplimiento de esta ley entre los hijos de los hombres.

36. »Vemos cómo el débil es deshonrado, pisoteado y asesinado por aquellos que los hombres llaman fuertes.

37. »Vemos cómo hombres con cabezas como de madera se sientan en los tronos del estado.

38. »Son reyes y jueces, senadores y sacerdotes, mientras que los hombres de gran intelecto recogen la basura de las calles.

39. »Vemos cómo mujeres de poco sentido común y sin una pizca de otros conocimientos son pintadas y vestidas como reinas.

40. »Se convierten en las mujeres de las cortes de reyes títeres sólo porque tienen forma de algo bello, mientras que las propias hijas de Dios son sus esclavas, o les sirven como simples jornaleros en los campos.

41. »El sentido de la justicia clama al cielo: esto es un disfraz del derecho.

42. »Por eso cuando los hombres no ven más allá de un solo espacio de tiempo, no es extraño que digan: "Dios no existe, y si existe, es un tirano y debería morir".

43. »Si queréis juzgar rectamente la vida humana, debéis elevaros y situaros en la cúspide del tiempo y percibir los pensamientos y hechos de los hombres tal como han sucedido en las eras pasadas.

44. »Pues debemos saber que el hombre no es una criatura de barro, hecha para volverse fango de nuevo y desaparecer.

45. »Es parte del todo eterno. Nunca hubo un tiempo en que no existiera, ni lo habrá en que deje de existir.

46. »Y ahora mirad: los hombres que ahora son esclavos fueron antes tiranos, y los hombres que ahora son tiranos han sido esclavos.

47. »Los hombres que ahora sufren estuvieron una vez en

situaciones privilegiadas y gritaron con deleite desalmado mientras otros sufrían en sus manos.

48. »Los hombres están enfermos o son inválidos, cojos y ciegos porque en una ocasión transgredieron las leyes de la vida perfecta, y toda ley de Dios debe ser cumplida.

49. »El hombre puede escapar en esta vida del castigo que debería sufrir por sus malas acciones; pero todo hecho, palabra y pensamiento tiene sus propias medidas y límites.

50. »Es una causa y tiene sus propios resultados, y si se hace algo equivocado, el autor del hecho debe corregirlo.

51. »Y cuando todas las equivocaciones hayan sido corregidas, el hombre se elevará y será uno con Dios».

CAPÍTULO 115

Jesús enseña junto al mar. Relata la parábola del sembrador. Explica por qué enseña en parábolas. Relata la parábola del trigo y la cizaña.

1. Jesús estaba junto al mar y enseñaba, y como las muchedumbres se apretujaban cerca de él, se subió a una barca que estaba cerca y se separó un poco de la orilla. Entonces habló en parábolas; dijo:

2. «Mirad, un sembrador cogió sus semillas y fue a un campo a sembrar.

3. »Con mano generosa esparció las semillas, y una parte cayó en la tierra dura de los caminos que los hombres habían hecho.

4. »Y pronto fueron aplastadas bajo los pies de otros hombres; y los pájaros llegaron y se llevaron todas las semillas.

5. »Algunas cayeron en terreno pedregoso, donde había poca tierra; crecieron y pronto aparecieron las hojas, que prometían mucho.

6. »Pero el suelo no tenía profundidad, no pudieron ser

alimentadas y con el calor del mediodía se secaron y murieron.

7. »Algunas semillas cayeron entre cardos y no encontraron tierra donde crecer, por lo que se perdieron.

8. »Pero otras hallaron refugio en suelo rico y húmedo y crecieron aprisa; en el tiempo de la cosecha sucedió que algunas dieron el cien por cien, otras el sesenta y otras el treinta.

9. »Los que tengan oídos para oír que oigan; los que tengan corazones para comprender que comprendan».

10. Sus discípulos estaban junto a él en la barca y Tomás preguntó: «¿Por qué hablas en parábolas?».

11. Y Jesús respondió: «Mis palabras, como las palabras de todos los maestros, tienen doble sentido.

12. »Para vosotros, que comprendéis el lenguaje del alma, mis palabras tienen un significado más profundo que los demás hombres no pueden entender.

13. »El otro sentido de lo que digo es lo que toda la muchedumbre puede comprender; estas palabras son alimento para ellos; los pensamientos interiores son alimento para vosotros.

14. »Dejad que cada cual alcance y tome el alimento que esté preparado para recibir».

15. Y entonces habló para que todos pudieran oírle. Dijo: «Escuchad el significado de la parábola:

16. »Los hombres oyen mis palabras y no las comprenden, y entonces el ser carnal roba la semilla y ni un signo de vida aparece.

17. »Ésta es la semilla que cayó entre los caminos de los hombres.

18. »Otros escuchan las palabras de vida y las reciben con diligencia, parecen comprender la verdad y prometen mucho.

19. »Pero llegan las tribulaciones y aparece el desánimo; no hay profundidad de pensamiento; sus buenas intenciones se secan y mueren.

20. »Éstas son las semillas que cayeron en el suelo pedregoso.

21. »Y otros escuchan las palabras de la verdad y parecen conocer su valor; pero el deseo del placer, de la reputación, riqueza y fama llenan todo el

suelo; las semillas no reciben alimento y se pierden.

22. »Éstas son las semillas que cayeron entre los cardos y los espinos.

23. »Pero algunos escuchan las palabras de la verdad y las comprenden bien; llegan profundamente a sus almas; viven la vida santa y por ellos el mundo es bendito.

24. »Éstas son las semillas que cayeron en tierra fértil y dieron fruto abundante.

25. »Vosotros, hombres de Galilea, prestad atención a lo que oís y al cultivo de vuestros campos, pues si menospreciáis lo que se os ofrece este día, quizá el sembrador no venga más a vosotros, ni en esta era ni en la venidera».

26. Entonces Jesús contó otra parábola. Dijo:

27. «El reino puede compararse a un campo en el cual un hombre sembró buena semilla.

28. »Pero mientras dormía, un hombre malvado fue y sembró una gran cantidad de cizaña, y prosiguió su camino.

29. »La tierra era buena y el trigo y la cizaña crecieron; cuando los sirvientes vieron las espigas de cizaña en medio del trigo, encontraron al dueño del campo y le dijeron:

30. »"Seguramente sembraste buena semilla; ¿de dónde salen, pues, estas espigas?".

31. »El amo respondió: "Algún malvado ha sembrado semillas de cizaña".

32. »Preguntaron los sirvientes: "¿Salimos, las arrancamos de raíz y las quemamos en el fuego?".

33. »Pero el propietario contestó: "No, esto no estaría bien. El trigo y la cizaña crecen juntos en el suelo y si arrancáis la cizaña, destruiréis el trigo.

34. »Así pues, dejaremos que crezcan juntos hasta el día de la siega. Entonces diré a los segadores:

35. »Id y recoged la cizaña, atadla, quemadla en el fuego y guardad todo el trigo en mis graneros"».

36. Cuando hubo dicho eso, dejó la barca y subió a su casa, y sus discípulos le siguieron.

Capítulo 116

Los cristianos en la casa de Felipe. Jesús interpreta la parábola del trigo y la cizaña. Explica el crecimiento del reino con parábolas: la buena semilla, el crecimiento del árbol, la levadura y el tesoro escondido. Va a una montaña a rezar.

1. Los cristianos estaban en casa de Felipe y Pedro pidió a Jesús: «Señor, ¿puedes explicarnos el significado de las parábolas que has contado hoy, en especial la del trigo y la cizaña?».

2. Y Jesús dijo: «El reino de Dios es una dualidad; tiene forma externa e interna.

3. »Según lo ven los hombres, está compuesto de hombres, de aquellos que hacen confesión del nombre de Cristo.

4. »Por varias razones la gente forma parte de este reino exterior de nuestro Dios.

5. »El reino interior es el reino del alma, el reino de los puros de corazón.

6. »Puedo explicaros el reino exterior en parábolas. Mirad, he visto que echabais una gran red en el mar.

7. »Y cuando tirabais de ella, estaba llena de toda clase de peces, algunos buenos y otros malos, algunos grandes y otros pequeños; y he visto que guardabais los buenos y arrojabais los malos.

8. »El reino exterior es la red, donde toda clase de hombres son atrapados; pero en el día del reparto los malos serán echados fuera y los buenos serán guardados.

9. »Oíd, pues, el significado de la parábola del trigo y la cizaña:

10. »El sembrador es el hijo del hombre; el campo es el mundo y la buena semilla son los hijos de la luz; la cizaña son los hijos de las tinieblas y el enemigo, el ser carnal; el día de la cosecha es el final de la era, y los segadores son los mensajeros de Dios.

11. »El día del juicio final vendrá para todos los hombres; entonces la cizaña será recogida y arrojada al fuego.

12. »Y los buenos brillarán como soles en el reino del alma».

13. Y Felipe preguntó: «¿Deben los hombres y mujeres sufrir en las llamas porque no han

encontrado el camino de la vida?».

14. Y Jesús respondió: «El fuego purifica. El boticario echa al fuego los metales llenos de escoria.

15. »El metal inútil es consumido, pero ni un grano de oro se pierde.

16. »No hay hombre que no tenga dentro de sí ese oro que no puede ser destruido. Lo malo del hombre se consume en el fuego, pero el oro sobrevive.

17. »Os voy a explicar en parábolas el reino interior del alma:

18. »El hijo del hombre esparce las semillas de la verdad y Dios riega el suelo; las semillas cobran vida y crecen; primero aparece una brizna, luego el tallo y a continuación el grano en la espiga.

19. »Llega el tiempo de la cosecha y los segadores llevan las gavillas maduras al granero del Señor.

20. »Este reino del alma es también como una semilla pequeña que los hombres plantan en suelo fértil.

21. »(Un millar de estas semillas pesarían apenas un siclo.)

22. »Esta semilla tan pequeña empieza a crecer; va creciendo en la tierra y, al cabo de años de crecimiento, se convierte en un gran árbol, y los pájaros descansan en sus ramas frondosas y los hombres encuentran en él refugio del sol y la tormenta.

23. »El espíritu del reino del alma es también como esa levadura que una mujer puso en la harina y en poco tiempo toda la masa fermentó.

24. »El espíritu del reino del alma es también como un tesoro escondido en un campo que alguien encuentra, y enseguida va, vende todo lo que tiene y compra el campo».

25. Cuando Jesús hubo dicho esto, se fue solo a una montaña cercana a rezar.

Capítulo 117

Se celebra una fiesta real en Macareo. Juan el Precursor es decapitado. Su cuerpo es enterrado en Hebrón. Sus discípulos lamentan su muerte. Los cristianos cruzan el mar durante la noche. Jesús calma una tormenta.

1. Una fiesta real tuvo lugar en honor del cumpleaños del tetrarca en la fortaleza de Macareo, al este del mar Muerto.

2. El tetrarca Herodes y su mujer Herodías, junto con Salomé, estaban presentes, y también todos los hombres y mujeres de la corte real.

3. Y cuando el banquete terminó, todos los invitados y cortesanos se encontraban bebidos, saltando y bailando como niños juguetones.

4. Salomé, hija de Herodías, entró y bailó delante del rey. La belleza de su forma, su gracia y ademanes cautivaron al estúpido Herodes, que estaba medio borracho.

5. Llamó a su lado a la doncella y le dijo: «Salomé, has ganado mi corazón; puedes pedirme lo que quieras, que te lo concederé».

6. La muchacha se apresuró, con infantil alegría, a contarle a su madre lo que el rey le había dicho.

7. Y su madre le pidió: «Vuelve y dile que me dé la cabeza de Juan el Precursor».

8. La doncella corrió a decirle al rey lo que deseaba.

9. Y Herodes llamó a su verdugo de confianza y le dijo: «Ve a la torre y dile al guardián que vienes por mi autoridad a ejecutar al prisionero conocido por Juan».

10. El hombre fue y volvió al cabo de poco tiempo portando la cabeza sin vida de Juan, y Herodes se la ofreció a la doncella en presencia de los invitados.

11. La doncella se retiró a un lado; su inocencia había sido ultrajada al ver el sangriento regalo, y no quiso tocarlo.

12. Su madre, muy acostumbrada al crimen, cogió la cabeza y, mostrándola ante los invitados, dijo:

13. «Éste es el destino de todo hombre que se atreva a burlarse o a criticar los actos de quien está reinando».

14. La chusma embriagada contempló la horrible escena con deleite demoníaco.

15. La cabeza fue llevada de nuevo a la torre. El cuerpo fue entregado a los varones santos que habían sido amigos de Juan; lo colocaron en un féretro y se lo llevaron.

16. Pasaron por el Jordán, cruzándolo por el mismo sitio donde Juan había predicado la palabra por primera vez.

17. Y con él atravesaron las colinas judías.

18. Llegaron a la tierra sagrada, cerca de Hebrón, donde los cuerpos de los padres del Precursor yacían en sus tumbas.

19. Y allí lo enterraron, y luego prosiguieron su camino.

20. Cuando llegó la noticia a Galilea de que Juan estaba muerto, las gentes se reunieron para entonar los cantos de los muertos.

21. Y Jesús, junto con los maestros extranjeros y los doce, subieron a una barca para cruzar el mar de Galilea.

22. Un escriba, fiel amigo de Juan, se acercó al mar; llamó a Jesús y le pidió: «Raboni, déjame ir contigo».

23. Y Jesús le dijo: «Buscas un refugio seguro para estar a salvo de los malvados. Pero no habrá seguridad en tu vida si vienes conmigo.

24. »Pues los malvados tomarán mi vida igual que han tomado la de Juan.

25. »Los zorros de la tierra tienen madrigueras seguras y los pájaros, nidos entre las rocas ocultas, pero yo no tengo lugar donde reclinar mi cabeza y descansar confiado».

26. Entonces un apóstol dijo: «Señor, permíteme que me demore un poco, pues debo coger a mi padre, que ha muerto, y enterrarle en la tumba».

27. Pero Jesús dijo: «Los muertos pueden cuidar de los que mueren, pero los vivos esperan a los que viven; ven y sígueme».

28. Llegó la tarde; tres barcos se hicieron a la mar y Jesús descansó en la barca principal, donde quedó dormido.

29. Y se desató una tormenta; las barcas se movían como juguetes en el mar.

30. Las aguas barrían la cubierta y los robustos barqueros temían que todo se perdiera.

31. Y Tomás encontró al Maestro profundamente dormido; le llamó y Jesús se despertó.

32. Y Tomás le dijo: «¡Mira la tormenta! ¿No te preocupas de nosotros? Las barcas se están hundiendo».

33. Y Jesús se levantó y alzó la mano; habló a los espíritus de los vientos y de las olas tal como los hombres hablan a los hombres.

34. Y he aquí que los vientos cesaron de soplar; las olas acudieron temblorosas a besar sus pies, y el mar estaba en calma.

35. Y entonces dijo: «Hombres de fe, ¿dónde está vuestra fe? Pues podéis hablar y los vientos y las olas os oirán y os obedecerán».

36. Los discípulos estaban asombrados. Se preguntaban: «¿Quién es este hombre para que incluso los vientos y las olas obedezcan su voz?».

Capítulo 118

Los cristianos en Gadara. Jesús arroja una legión de espíritus impuros del cuerpo de un hombre. Los espíritus entran en animales viciosos, que se precipitan al mar y se ahogan. La gente tiene miedo y le pide a Jesús que abandone la ciudad. Retorna a Cafarnaún con sus discípulos.

1. La mañana llegó y los cristianos tomaron tierra en la región de los geracenos.

2. Fueron a Gadara, ciudad principal de los geracenos, y allí estuvieron unos días enseñando.

3. La leyenda dice que Gadara es sagrada para los muertos, y todas las colinas de los alrededores son conocidas como tierra santa.

4. Las colinas son los cementerios de todas las regiones de los alrededores; están llenas de tumbas y muchos muertos de Galilea son enterrados en ese lugar.

5. Los espíritus de los muertos recientes que no pueden elevarse a planos superiores permanecen en las tumbas que contienen la carne y los huesos de

lo que una vez fueron sus moradas mortales.

6. A veces toman posesión de los vivos y los torturan de mil maneras.

7. Por toda Gadara había hombres poseídos, y no existía nadie con poder suficiente para aliviarlos de ellos.

8. Y para que, cuando se encontraran con estos enemigos ocultos, supieran el modo de librarse de ellos, el Maestro llevó a los maestros extranjeros y a los doce a las tumbas.

9. Y cuando estaban cerca de las puertas, se encontraron con un poseído: había una legión de espíritus impuros en este hombre y lo habían hecho fuerte.

10. Nadie podía atarle de ningún modo, ni siquiera con cadenas, pues por muy fuertes que fueran, podía romperlas y proseguir su camino.

11. Estos espíritus impuros no pueden vivir a la luz; se revelan en la oscuridad.

12. Cuando Jesús llegó, llevó consigo la luz de la vida y todos los malos espíritus fueron turbados.

13. El jefe de la legión llamó a Jesús desde el interior del hombre: «Jesús, Enmanuel, te rogamos que no nos envíes a las profundidades. No nos hagas sufrir antes de tiempo».

14. Y Jesús les preguntó: «¿Cuántos sois y cuál es vuestro nombre?».

15. El espíritu maligno respondió: «Nuestro nombre es legión y nuestro número es el número de la bestia».

16. Y Jesús habló; y con una voz que hizo temblar a las mismas colinas, exclamó: «Salid, no poseáis más a este hombre».

17. Todas las colinas estaban llenas de animales impuros que se alimentaban allí y extendían la plaga entre las gentes del país.

18. Y cuando los espíritus malignos suplicaron que no se los echara sin tener antes una morada, el Maestro dijo:

19. «Salid y tomad posesión de esos cuadrúpedos impuros».

20. Y ellos, junto con todos los espíritus malignos de las tumbas, salieron y entraron en los animales que habían originado la plaga.

21. Éstos, enfurecidos, se precipitaron al mar y se ahogaron.

22. Toda la tierra quedó liberada del contagio, y los espíritus impuros no aparecieron más.

23. Pero cuando las gentes vieron los prodigios que Jesús había hecho, se alarmaron. Dijeron:

24. «Si puede liberar la región de la plaga y echar a los espíritus impuros, es porque se trata de un hombre de tal poder que puede devastar nuestra tierra a voluntad».

25. Entonces se acercaron a él y le rogaron que no se quedara en Gadara.

26. Y Jesús no permaneció más tiempo allí; con los otros maestros y los doce subió a las barcas para marcharse.

27. El hombre que había sido liberado de la legión de espíritus impuros se acercó a la orilla y le pidió: «Señor, déjame ir contigo».

28. Pero Jesús dijo: «No está bien; ve a tu casa y cuenta lo que ha ocurrido para que todos sepan lo que el hombre puede hacer cuando está en armonía con Dios».

29. Entonces aquel hombre fue por toda Decápolis relatando lo ocurrido.

30. Los cristianos se hicieron a la mar y, volviendo por donde habían llegado, regresaron a Cafarnaún.

Capítulo 119

La gente de Cafarnaún recibe a Jesús. Mateo da un banquete. Los fariseos censuran a Jesús por comer con pecadores. Les dice que ha sido enviado para salvar a los pecadores. Enseña sobre el ayuno y la filosofía de lo bueno y lo malo.

1. La noticia de que Jesús había vuelto se extendió pronto por toda la región y las muchedumbres acudieron a recibirle.

2. Mateo, uno de los doce, hombre de riqueza, cuya casa estaba en Cafarnaún, preparó un gran banquete, y Jesús, junto con los maestros extranjeros, los doce y gente de toda clase de pensamiento, fueron invitados.

3. Y cuando los fariseos observaron que Jesús se sentaba a comer con publicanos y gente de mala reputación, dijeron:

4. «¡Qué vergüenza! Este hombre que pretende ser un hombre de Dios se junta con publicanos, con prostitutas y con la gente más vulgar.

5. Cuando Jesús conoció sus pensamientos, dijo: «Los que ya están bien no pueden ser curados; los puros no necesitan ser salvados.

6. »Los que están bien ya están sanos y los puros ya están salvados.

7. »Los que aman la justicia y hacen el bien no necesitan arrepentirse; no vine para ellos, sino para los pecadores».

8. Un grupo de discípulos de Juan que habían oído que éste había muerto llevaban luto por él.

9. Ayunaban y rezaban en sus corazones, lo cual fue observado por los fariseos, que fueron a Jesús y le preguntaron:

10. «¿Por qué los seguidores de Juan ayunan y tus discípulos no?».

11. Y Jesús respondió: «Mirad, vosotros sois maestros de la ley, deberíais saberlo; podríais decírselo a ellos.

12. »¿Qué beneficio se saca ayunando?». Los fariseos enmudecieron; no respondieron.

13. Entonces dijo Jesús: «La fuerza vital de los hombres depende de lo que comen y beben.

14. »¿Acaso la vida del espíritu es más fuerte cuando la fuerza vital es débil? ¿Acaso se alcanza la santidad pasando hambre por propia voluntad?

15. »Un glotón es un pecador a los ojos de Dios, pero no es santo quien, menospreciando hacer uso de la fuerza que Dios ha dado, debilita su cuerpo volviéndose incapaz de realizar las duras tareas de la vida.

16. »Juan está muerto y sus seguidores ayunan apenados.

17. »Su amor por él los obliga a mostrar respeto, pues piensan, y así se les ha enseñado, que es pecado tratar ligeramente la memoria de los muertos.

18. »Para ellos es un pecado y está bien que ayunen.

19. »Cuando los hombres desafían sus conciencias y no escuchan su voz, su corazón se llena de congoja y se vuelven incapaces para la tarea de la vida, incurriendo así en pecado.

20. »La conciencia puede ser enseñada. Un hombre puede hacer en conciencia lo que otro hombre no puede.

21. »Lo que para mí es pecado quizá no lo sea para vosotros. El lugar que ocupáis en el camino de la vida determina lo que es pecado.

22. »No existe ninguna ley inmutable sobre lo que está bien, pues el bien y el mal son juzgados por otras cosas.

23. »Un hombre puede ayunar y ser bendecido por su profunda sinceridad.

24. »Otro, en cambio, puede ayunar y ser maldecido por su falta de fe en una acción impuesta.

25. »No podéis hacer un lecho que se acople a la forma de cualquier hombre. Si podéis hacer uno que se acople a vosotros, ya es suficiente.

26. »¿Por qué estos hombres que me siguen deben hacer ayuno o cualquier otra cosa que debilite su fuerza? La necesitan para servir a la raza humana.

27. »Llegará el tiempo en que Dios os dejará a vuestra voluntad y haréis conmigo lo que Herodes hizo con Juan.

28. »Y en el horror de aquella hora estos hombres ayunarán.

29. »Los que tengan oídos para oír que oigan; los que tengan corazones para sentir que comprendan».

Capítulo 120

Nicodemo en un banquete. Pregunta a Jesús por qué la religión cristiana no se introduce con más facilidad reformando los ritos judíos. Jesús le responde negativamente y expone sus razones. Jesús cura a una mujer que tenía hemorragia. Resucita a la hija de Jairo. Desaparece cuando las gentes quieren adorarle.

1. Nicodemo, que una vez acudió a Jesús durante la noche para aprender el camino de la vida, era uno entre los invitados del banquete.

2. Se acercó a Jesús y dijo: «Raboni, ¿es verdad que las leyes judías y sus prácticas no concuerdan?

3. »El sacerdocio necesita ser reformado; los dirigentes deben ser más misericordiosos y bondadosos; los jueces, más justos, y la gente no tiene por qué llevar cargas tan pesadas.

4. »¿No podríamos llevar a cabo estas reformas sin destruir los ritos de los judíos?

5. »¿No podrías armonizar tu gran misión con la de los escribas y fariseos? ¿No podría ser el sacerdocio un beneficio para tu divina filosofía?».

6. Pero Jesús respondió: «No puedes poner vino nuevo en odres viejos, pues al purificarse se expande y los recipientes viejos no pueden soportar la tensión; se rompen y todo el vino se pierde.

7. »Los hombres no arreglan una prenda usada poniendo un remiendo nuevo que no puede acoplarse a la tela, vieja ya con el tiempo, porque entonces aparece una rasgadura más grande todavía.

8. »El vino viejo debe ser guardado en odres viejos; pero el nuevo exige recipientes nuevos.

9. »La verdad espiritual que traigo es nueva para esta generación, y si la ponemos en los odres viejos de las formas judías, se perderá.

10. »Debe expandirse; los antiguos recipientes no pueden contenerlo, se romperían.

11. »¡Mirad el reino del Cristo! Es tan viejo como Dios mismo, y sin embargo es tan nuevo como el sol de la mañana; sólo puede contener la verdad de Dios».

12. Y mientras hablaba, entró un jefe de la sinagoga, de nombre Jairo, e inclinándose a los pies de Jesús, le suplicó:

13. «¡Maestro, escucha mi ruego! Mi hija está muy enferma, temo que va a morir; pero sé que si tú quieres, con sólo venir y pronunciar la Palabra, mi hija vivirá».

14. (Era su única hija, una niña de doce años de edad.)

15. Y Jesús no se demoró; se fue con aquel hombre, y mucha gente los siguió.

16. Mientras caminaban, una mujer que había sufrido hemorragia durante muchos años y que había sido tratada por doctores de todos los lugares, a la que le habían dicho que no podría vivir, se levantó de la cama y salió precipitadamente al encuentro de Jesús.

17. Se dijo: «Si puedo tocar su túnica, entonces estoy segura de que sanaré».

18. Le tocó y al instante la hemorragia cesó y quedó curada.

19. Jesús sintió que el poder de curación había salido de él y, dirigiéndose a la multitud, preguntó:

20. «¿Quién ha tocado mi túnica?».

21. Y Pedro respondió: «Nadie lo puede decir; las muchedumbres te están empujando; mucha gente puede haber tocado tu túnica».

22. Mas Jesús contestó: «Alguien de fe, pensando en curarse, ha tocado mi túnica, pues de mí ha salido el poder de curación».

23. Cuando la mujer supo que lo que había hecho era conocido, se acercó, se arrodilló a los pies de Jesús y se lo contó todo.

24. Y Jesús dijo: «Tu fe te ha curado, vete en paz».

25. Mientras hablaba, un sirviente de la casa de Jairo llegó y dijo: «Mi señor Jairo, no molestes al Señor para que venga; tu hija está muerta».

26. Pero Jesús le habló así: «Jairo, hombre de fe, no permitas que tu fe tiemble en estos momentos de prueba.

27. »¿Qué dijo el sirviente: la hija está muerta? ¿Qué es la muerte?

28. »Es la salida del alma de esta morada carnal.

29. »El hombre es el señor del alma y de su hogar. Cuando el hombre es capaz de elevarse sobre la duda y el miedo, puede limpiar la casa vacía y traer de nuevo al inquilino».

30. Entonces, tomando consigo a Pedro, Santiago y Juan, a Jairo y a la madre de la niña, entró en la habitación de la muerta.

31. Y cuando se cerraron las puertas ante la multitud, pronunció una palabra que sólo las almas pueden comprender, y entonces tomó a la muchacha de la mano y dijo:

32. «¡*Talitha cumi*; niña, levántate!». El alma de la muchacha regresó, y ella se levantó para pedir comida.

33. Toda la gente de la ciudad estaba asombrada y muchos adoraban a Jesús como Dios.

34. Pero, como un fantasma de la noche, desapareció y se fue.

CAPÍTULO 121

Los cristianos en Nazaret. Miriam entona una canción cristiana de alabanza. Jesús enseña en la sinagoga. Cura a un mudo que estaba poseído. Las gentes no creen en él. Los fariseos le consideran un instrumento de Belcebú. Los cristianos van a Caná.

1. Era un día de fiesta en Nazaret. La gente se había reunido para celebrar un gran acontecimiento.

2. Jesús y los maestros extranjeros, junto con los doce, María, madre del Señor, y Miriam, estaban allí.

3. Y cuando la gente se hallaba reunida en la gran sala de la ciudad, Miriam, la agraciada cantora, se levantó y entonó un canto de alabanza.

4. Aunque sabían quién era la que cantaba, enseguida cautivó todos los corazones.

5. Durante muchos días cantó los himnos de Israel y luego se fue.

6. Llegó el sábado y Jesús acudió a la sinagoga. Tomó el Libro de los Salmos y leyó:

7. «Bendito es el hombre que pone su fe en Dios, que no respeta al orgulloso ni al que miente.

8. »Oh Señor, mi Dios, maravillosas son las obras que has hecho por nosotros, y los pensamientos que para nosotros tienes son incontables.

9. »No pides sacrificios ni ofrendas de sangre; no quieres ofrendas quemadas ni ofrendas de pecado.

10. »He aquí que vengo a hacer tu voluntad, oh Dios; tu ley está en mi corazón.

11. »He predicado la palabra de justicia y paz a las multitudes y he proclamado la palabra de mi Dios abiertamente.

12. »No he escondido la justicia en mi corazón, y he declarado tu fe y gracia.

13. »No he guardado tu tierna bondad y tu verdad lejos de los hombres; las he declarado ante las multitudes.

14. »Oh Señor, ensancha mis labios para que pueda pregonar tu alabanza; no traigo sacrificios de sangre ni holocaustos de pecado.

15. »Los sacrificios que quiero traerte, oh Señor, son pureza de vida, un corazón contrito

y un espíritu lleno de fe y amor, pues esto tú lo recibes con agrado».

16. Y cuando hubo leído esto, devolvió el libro al que lo guardaba y dijo:

17. «Hasta estos confines de la tierra ha llegado el mensaje de Dios.

18. »Nuestra gente ha exaltado los ritos de los sacrificios y ha ignorado la misericordia, la justicia y los derechos de los hombres.

19. »Oíd, fariseos, sacerdotes y escribas, vuestro Dios está harto de sangre; Dios no atiende vuestras oraciones; os presentáis ante vuestras víctimas ardientes, pero es en vano.

20. »Convertíos a los testimonios de la ley; convertíos, volved a Dios y viviréis.

21. »No dejéis que vuestros altares sean maldecidos de nuevo con el humo de la inocencia.

22. »Presentad a Dios como sacrificio un corazón roto y contrito.

23. »Levantad las cargas que habéis impuesto a vuestros semejantes.

24. »Si no me escucháis y no abandonáis vuestras costumbres, Dios castigará a esta nación con una terrible maldición».

25. Cuando hubo dicho todo esto, se retiró; toda la gente estaba asombrada y se preguntaban:

26. «¿De dónde sacó este hombre todo este conocimiento y poder? ¿De dónde proviene toda su sabiduría?

27. »¿Acaso no es el hijo de María, cuya casa está en el camino de Marmión?

28. »¿No son sus hermanos Judas, Santiago y Simón, conocidos entre nuestros hombres honorables? ¿No están sus hermanas aquí con nosotros?».

29. Pero todos se sentían ofendidos por las palabras que había pronunciado.

30. Y Jesús dijo: «Un profeta no es honrado en su tierra natal; no es bien recibido entre los suyos; sus enemigos están en su casa».

31. Y no realizó muchos prodigios en Nazaret, porque la gente no tenía fe en él. No permaneció allí mucho tiempo.

32. Pero cuando se iba de allí, dos ciegos le siguieron y gritaron: «¡Hijo de David, escucha! Ten piedad, Señor, y abre nuestros ojos para que podamos ver».

33. Y Jesús les preguntó: «¿Creéis que puedo abrir vuestros ojos y hacer que veáis?».

34. Respondieron: «Sí, Señor, sabemos que si pronuncias la Palabra, podremos ver».

35. Y Jesús tocó sus ojos y pronunció la Palabra. Dijo: «Según vuestra fe, así sea».

36. Y fueron bendecidos; abrieron los ojos y vieron.

37. Y Jesús les pidió: «No contéis esto a nadie».

38. Pero ellos se fueron y propagaron la noticia por toda la región.

39. Mientras Jesús proseguía su camino, le llevaron a un hombre mudo que estaba poseído.

40. Y Jesús pronunció la Palabra y el espíritu impuro salió de aquel hombre; su lengua quedó suelta; habló y dijo: «Alabado sea Dios».

41. Las gentes estaban asombradas. Dijeron: «Esto es un gran portento; nunca habíamos visto tal suceso».

42. Los fariseos también estaban sorprendidos, pero afirmaron:

43. «Hombres de Israel, alerta: este Jesús es un instrumento de Belcebú; cura a los enfermos y arroja los espíritus en nombre de Satanás».

44. Pero Jesús no respondió y se fue.

45. Con los maestros extranjeros y los doce fueron a la ciudad donde una vez había convertido el agua en vino, y allí permanecieron algunos días.

CAPÍTULO 122

Los cristianos permanecen siete días haciendo oración. Jesús da su autoridad a los doce y los envía a predicar su misión apostólica, con instrucciones de reunirse con él en Cafarnaún.

1. Los cristianos oraron en silencio durante siete días, y entonces Jesús llamó a los doce y les dijo:

2. «Mirad, las muchedumbres se aglomeran junto a nosotros dondequiera que vamos; las gentes están confusas, vagan de aquí para allá como ovejas sin redil.

3. »Necesitan el cuidado de un pastor; quieren una mano amorosa que los guíe hacia la luz.

4. »El grano está maduro; la mies es mucha pero los obreros, pocos.

5. »La hora ha llegado; debéis ir solos por todos los pueblos y ciudades de Galilea a enseñar y a curar».

6. Y entonces insufló sobre ellos y les dijo: «Recibid el Santo Aliento».

7. Les dio a cada uno la Palabra del poder, y dijo: «Mediante esta Palabra Todopoderosa arrojaréis los espíritus, curaréis a los enfermos y devolveréis la vida a los muertos.

8. »No vayáis a las tierras de los asirios o de los griegos; no vayáis a Samaria; visitad sólo las tribus dispersas de vuestros hermanos.

9. »Y cuando vayáis, proclamad: "El reino del Cristo ha venido".

10. »Habéis recibido en abundancia y debéis dar con generosidad.

11. »Pero debéis ir con fe, sin muletas en las que apoyaros.

12. »Dad todo vuestro oro y plata a los pobres; no os llevéis dos túnicas, ni sandalias de repuesto; tomad simplemente vuestra vara.

13. »Sois los labradores de Dios y Él no dejará que paséis necesidad.

14. »En cualquier lugar adonde vayáis, buscad a los hombres de fe; permaneced con ellos hasta que os marchéis.

15. »Vais por mí y obráis por mí. Quien os reciba y os acoja, a mí me recibe y a mí me acoge.

16. »Y quienes cierren las puertas ante vosotros, rehúsan recibirme a mí.

17. »Si no sois admitidos con amabilidad en una ciudad, no os llevéis un mal pensamiento; no opongáis resistencia.

18. »Un mal pensamiento de cualquier clase os afectará, disipará vuestro poder.

19. »Cuando no seáis recibidos con cortesía, marchaos, pues hay multitudes de hombres que quieren la luz.

20. »Mirad, os envío como corderos en medio de lobos; tenéis que ser astutos como serpientes y cándidos como palomas.

21. »Sed discretos en vuestro hablar, pues los fariseos y los escribas buscarán una causa para arrestaros en todo lo que digáis.

22. »Y seguramente encontrarán un medio de acusaros en falso y llevaros a los tribunales.

23. »Y los jueces declararán que sois culpables de algún crimen, y os sentenciarán para ser azotados y llevados a prisión.

24. »Pero no temáis cuando os lleven ante el juez; no os preocupéis por lo que debéis hacer o por las palabras que tenéis que decir.

25. »El Santo Aliento os guiará en aquella hora y os mostrará esas palabras que debéis decir.

26. »Estad seguros de que así sucederá; no sois vosotros quienes habláis; es el Santo Aliento el que os da las palabras y mueve vuestros labios.

27. »El evangelio que predicáis no traerá la paz, sino que suscitará la ira de las multitudes.

28. »El hombre carnal aborrece la verdad y daría su vida por aplastar la tierna planta antes del tiempo de la cosecha.

29. »Y esto traerá la confusión a los hogares que antes eran hogares de paz estancada.

30. »El hermano entregará a su hermano a la muerte; el padre se quedará a un lado para ver cómo los hombres ejecutan a su hijo, y el hijo testificará en los tribunales contra su padre y alegremente contemplará cómo matan a su madre.

31. »Y los hombres os odiarán sólo porque pronunciáis el nombre de Cristo.

32. »¡Tres veces bendito será el hombre que tenga fe en este día venidero de ira!

33. »Cuando seáis perseguidos en un lugar, buscad refugio en otro.

34. »Y cuando encontréis a un enemigo demasiado fuerte para vosotros, recordad, el ojo del hombre está en vuestra puerta; puede hablar por vosotros y todas las huestes celestiales os defenderán.

35. »Pero no tengáis vuestra vida presente en gran estima.

36. »Vendrá el momento en que los hombres arrebatarán mi vida; no tenéis por qué esperar que a vosotros os dejen con vida, pues os asesinarán en el nombre de Dios.

37. »Los hombres me llaman Belcebú y a vosotros os calificarán de demonios.

38. »No temáis por lo que los hombres os digan o hagan, ya que no tienen poder sobre el

alma; pueden abusar del cuerpo carnal y destruirlo, pero no pueden hacer nada más.

39. »No conocen al Dios que tiene el fin del alma en sus manos y puede destruirla.

40. »El Cristo es el rey de hoy, y los hombres deben reconocer su poder.

41. »Quien por encima de todo lo demás no ama al Cristo, que es el amor de Dios, nunca puede obtener el premio de la conciencia del espíritu.

42. »Y aquellos que aman a sus padres o a sus hijos más que al Cristo nunca pueden llevar el nombre de Cristo.

43. »Y quien ama a su propia vida más que al Cristo no puede agradar a Dios.

44. »Y el que persigue la vida la perderá, mientras que el que dé su vida por Cristo la salvará».

45. Cuando Jesús hubo dicho esto, envió a los doce de dos en dos y les ordenó que se reunieran con él en Cafarnaún.

46. Fueron por todas las ciudades de Galilea, enseñando y curando en espíritu y en poder.

CAPÍTULO 123

Jesús da su autoridad a los maestros extranjeros y los envía al mundo como apóstoles. Él va solo a Tiro y reside en la casa de Raquel. Cura a un niño poseído. Va a Sidón y luego a las montañas del Líbano. Visita el monte Hermón, Cesarea de Filipo, Decápolis y Gadara, y regresa a Cafarnaún. Recibe a los doce, que le informan sobre su tarea.

1. El Maestro cristiano permaneció un tiempo en oración y luego llamó a los maestros extranjeros y les dijo:

2. «Mirad, envié a los doce apóstoles a Israel, pero a vosotros os envío a todo el mundo.

3. »Nuestro Dios es uno, es Espíritu y verdad, y todos los hombres son amados por él.

4. »Es el Dios de todos los hijos de la India y del lejano Oriente; de Persia y las tierras del norte; de Grecia, Roma y Occidente; de Egipto y las tierras del sur, de las grandes tierras del otro lado del mar y de las islas de los océanos.

5. »Si Dios enviara el pan de vida a uno y no a todos los que,

habiéndose elevado a la conciencia de la vida, pueden recibir el pan de la vida, sería injusto y ese acto haría temblar al mismo trono celestial.

6. »Por eso os ha llamado desde los siete centros del mundo, ha insuflado el aliento de sabiduría y poder en vuestras almas, y ahora os envía como portadores de la luz de la vida, como apóstoles de la raza humana.

7. »Id y proclamad el evangelio del Cristo».

8. Y entonces insufló sobre los maestros y dijo: «Recibid el Santo Aliento», y le dio a cada uno la Palabra del Poder.

9. Y cada uno se fue y todas las tierras fueron benditas.

10. Entonces Jesús se fue solo por las colinas de Galilea y, al cabo de unos días, llegó a la costa de Tiro y residió en la casa de Raquel.

11. No anunció su llegada, pues no iba a enseñar; quería comunicarse con Dios en un lugar donde pudiera ver las aguas del Gran Mar.

12. Pero Raquel propagó la noticia y las muchedumbres se aglomeraron junto a su casa para ver al Señor.

13. Una mujer griega, de Fenicia, acudió allí con su hija, que estaba poseída, y suplicó:

14. «¡Oh Señor, ten misericordia de mi hogar! Mi hija está poseída; pero yo sé que si tú pronuncias la Palabra, quedará libre. ¡Hijo de David, escucha mi ruego!».

15. Pero Raquel dijo: «Buena mujer, no molestes al Señor. No ha venido a Tiro a curar; ha venido para hablar con Dios junto al mar».

16. Y Jesús dijo: «No he sido enviado para los griegos ni para los sirofenicios; vengo sólo para mi pueblo, Israel».

17. Entonces la mujer cayó a sus pies y le rogó: «Señor, Jesús, te suplico que salves a mi hija».

18. Y Jesús le dijo: «Bien sabes lo que dice el proverbio: "No está bien que uno dé el pan de los hijos a los perros"».

19. Y entonces la mujer respondió: «Sí, Jesús, lo sé, pero los perros comen las migajas que caen de la mesa de su señor».

20. Y Jesús afirmó: «No he visto fe tan grande, ni siquiera entre los judíos; en verdad te digo, mujer, no eres una sirviente, ni mucho menos una perra».

21. Entonces le dijo: «Según tu fe, así sea».

22. La mujer se fue y cuando se encontró con su hija, vio que estaba curada.

23. Jesús permaneció muchos días en Tiro; luego se fue y estuvo un tiempo en Sidón, junto al mar.

24. Y después prosiguió su viaje. Caminó en silenciosa meditación por las montañas del Líbano y por sus valles y bosques.

25. Su misión en la tierra llegaba rápidamente a su fin; buscaba fuerza y la encontró.

26. El monte Hermón estaba cerca y Jesús deseaba arrodillarse junto a la famosa montaña del cántico hebreo

27. Subió a las elevadas cimas del monte y, levantando los ojos al cielo, habló con Dios.

28. Los maestros de los tiempos antiguos se revelaron y hablaron largamente del reino del Cristo...

29. De las grandes obras que había hecho, de la conquista de la cruz que tendría lugar próximamente y de la victoria sobre la muerte.

30. Después de eso, Jesús siguió viajando; fue a Cesarea de Filipo y permaneció algunos días en casa de Susana.

31. Luego recorrió toda la Decápolis alentando a los que le conocían como el Cristo y preparándolos para el día del Calvario.

32. A continuación fue a Gadara, y muchos amigos le dieron la bienvenida.

33. Chuza, administrador de la casa de Herodes Antipas, estaba allí y Jesús subió con él a la nave real, cruzó el mar y llegó a Cafarnaún.

34. Cuando la gente supo que Jesús estaba en casa, acudieron a darle la bienvenida.

35. Al cabo de poco tiempo llegaron los apóstoles y le relataron su viaje por Galilea.

36. Le contaron las obras que habían realizado mediante la sagrada Palabra, y Jesús les dijo: «Habéis obrado bien».

SECCIÓN XVII

PE

El tercer año del ministerio cristiano de Jesús

Capítulo 124

Los cristianos cruzan el mar. Jesús da lecciones a sus discípulos sobre doctrinas secretas. Enseña a las gentes. Alimenta a más de cinco mil. Los discípulos cruzan el mar de regreso. Se levanta una tormenta. Jesús se les acerca caminando sobre las aguas. La fe de Pedro es puesta a prueba. Desembarcan en Genesaret.

1. Los doce apóstoles habían alcanzado el estado de conciencia del espíritu y Jesús les pudo revelar los significados más profundos de su misión en el mundo.

2. En el plazo de una semana iba a tener lugar la gran fiesta de los judíos, y Mateo preguntó: «¿No nos preparamos para ir a Jerusalén?».

3. Pero Jesús respondió: «No iremos a la fiesta; el tiempo es breve y tengo muchas cosas que deciros; venid conmigo a un lugar tranquilo y descansad un rato».

4. Entonces tomaron sus barcas, cruzaron el mar y llegaron a un lugar desierto cerca de Betsaida.

5. La gente los vio pasar y los siguieron en grandes multitudes.

6. Jesús tuvo compasión de la ansiosa muchedumbre y se acercó y les enseñó durante todo el día, pues buscaban una luz y eran como ovejas sin redil.

7. Cuando llegó la noche, los doce dudaban sobre lo que iban

a hacer las muchedumbres. Tomás dijo:

8. «Señor, estamos en un lugar desierto, las multitudes no tienen nada que comer y están débiles por falta de comida: ¿qué vamos a hacer?».

9. Jesús respondió: «Id y dad de comer a las multitudes».

10. Y Judas sugirió: «¿Bajamos a la ciudad a comprar doscientos peniques de pan para que coman?».

11. Jesús le contestó: «Mirad nuestras provisiones y ved cuántos panes tenemos».

12. Entonces Andrés dijo: «No tenemos pan, pero hemos encontrado a un muchacho que tiene hogazas y dos peces pequeños; sin embargo, esto no va a ser suficiente para dar de comer a uno de cada diez».

13. Mas Jesús le ordenó: «Manda a las gentes que se sienten en la hierba en grupos de doce». Y todos obedecieron.

14. Jesús cogió los panes y los peces, y mirando al cielo, pronunció la sagrada Palabra.

15. Partió el pan y se lo dio a los doce; les dio también los peces y les dijo: «Id y dad de comer a las muchedumbres».

16. Y todos comieron y quedaron satisfechos.

17. Había unos cinco mil hombres, un grupo de niños y bastantes mujeres.

18. Y cuando todos se sintieron saciados, el Maestro dijo:

19. «No dejéis que ni una sola migaja se desperdicie; id y recoged los trozos de pan y pescado para otros que puedan pasar necesidad».

20. Recogieron los trozos y llenaron doce cestos.

21. La gente estaba desconcertada por ese maravilloso acto de poder. Decían: «Ahora sabemos que Jesús es el profeta que nos anunciaron que había de venir». Y todos exclamaron al unísono: «¡Gloria al rey!».

22. Cuando Jesús los oyó decir: «¡Gloria al rey!», llamó a los doce y les ordenó tomar las barcas y pasar al otro lado antes que él.

23. Y él se fue solo a un lugar de la montaña a orar.

24. Los doce embarcaron creyendo que llegarían a Cafarnaún en poco tiempo, pero de repente se levantó una terrible tormenta y se encontraron a merced de las olas.

25. Y en la cuarta vigilia de la noche, el viento se convirtió en un vendaval y estaban muy atemorizados.

26. Y en medio de la cegadora tormenta vieron una forma moviéndose sobre las olas; parecía que era un hombre, y uno de ellos exclamó: «Es un espíritu, un signo de cosas malignas».

27. Pero Juan distinguió la forma y dijo: «Es el Señor».

28. Y entonces el viento dejó de soplar tan intensamente, y Pedro se levantó y exclamó:

29. «¡Señor, mi Señor! Si eres tú realmente, mándame ir hacia ti por encima de las olas».

30. La forma extendió la mano y dijo: «Ven».

31. Y Pedro avanzó sobre las olas, sólidas como la roca; caminaba sobre ellas.

32. Caminó hasta que pensó: «¿Qué ocurriría si las olas se abrieran bajo mis pies?».

33. Y entonces las olas se abrieron y empezó a hundirse. Con alma temerosa exclamó: «¡Oh, Señor, sálvame o estoy perdido!».

34. Y Jesús lo tomó de la mano y exclamó: «¡Hombre de poca fe! ¿Por qué dudas?». Y le condujo hasta la barca.

35. La tormenta había perdido fuerza y los vientos se habían calmado; se encontraba ya cerca de la costa y, cuando llegaron a tierra, estaban en el valle de Genesaret.

CAPÍTULO 125

Los cristianos son recibidos en Genesaret. Muchos siguen a Jesús por los panes y los peces. Les habla del pan de la vida. Habla de su carne y de su sangre como símbolos del pan y el agua de la vida. La gente se siente ofendida y muchos de sus discípulos dejan de seguirle.

1. Pronto se esparció la noticia por todo el valle de Genesaret de que Jesús y los doce habían llegado, y muchos fueron a verlos.

2. Llevaron a sus enfermos y los pusieron a los pies del Maestro, quien durante todo el día enseñó y curó.

3. Las multitudes del otro lado que habían sido alimentadas el día anterior y otros grupos de

gente bajaron a ver al Señor; pero como no le encontraron, le siguieron buscando en Cafarnaún.

4. Y al no encontrarle en su casa, continuaron hasta Genesaret. Lo encontraron allí y le preguntaron: «Raboni, ¿cuándo llegaste a Genesaret?».

5. Y Jesús les respondió: «¿Por qué habéis cruzado el mar? No habéis venido por el pan de la vida.

6. »Habéis venido a satisfacer vuestros seres egoístas; se os dio de comer el otro día junto al mar, y ahora queréis más panes y peces.

7. »La comida que tomasteis era alimento para la carne y pronto pasará.

8. »Hombres de Galilea, no busquéis la comida que perece, buscad la comida que alimenta el alma; mirad, yo os traigo comida del cielo.

9. »Comisteis la carne de los peces y fuisteis saciados, pero yo os traigo ahora la carne de Cristo para que comáis y viváis para siempre.

10. »Nuestros padres comieron el maná del desierto y la carne de codornices, y también bebieron el agua del manantial que Moisés hizo brotar de la roca; pero todos ellos están muertos.

11. »El maná y las codornices eran símbolos de la carne de Cristo y las aguas de la roca eran símbolos de su sangre.

12. »Pero, mirad, el Cristo ha venido; él es el pan de vida que Dios ha dado al mundo.

13. »Quien coma la carne de Cristo y beba su sangre nunca morirá, nunca tendrá más hambre y nunca tendrá más sed.

14. »Quien coma este pan del cielo y beba estas aguas del manantial de la vida nunca se perderá; esto es lo que alimenta al alma y purifica la vida.

15. »Dios ha dicho: "Cuando el hombre se haya purificado, lo elevaré al trono del poder"».

16. Entonces Jesús y los doce fueron a Cafarnaún; y Jesús entró en la sinagoga y enseñó.

17. Y cuando llegaron los judíos, que le habían oído en Genesaret, dijeron:

18. «Este hombre está fuera de sí. Le oímos decir: "Yo soy el pan de vida que viene del cielo, pero todos sabemos que no es más que un hombre, el hijo de

un hombre venido de Nazaret; conocemos a su madre y a su familia».

19. Jesús conocía sus pensamientos y les dijo: «¿Por qué murmuráis y discutís entre vosotros?

20. »El Cristo es la vida eterna; él vino del cielo; tiene las llaves y nadie entra en el cielo si no ha sido saciado con el Cristo.

21. »Vine en carne para hacer la voluntad de Dios, y esta carne y sangre están repletas del Cristo. Yo soy el pan que viene del cielo.

22. »Cuando comáis esta carne y bebáis esta sangre, tendréis la vida eterna; y si lo deseáis, podéis convertiros en el pan de la vida».

23. Mucha gente estaba furiosa. Decían: «¿Cómo este hombre puede darnos a comer su carne y a beber su sangre?».

24. Sus discípulos se sentían apenados al oírlo decir esas cosas y muchos dieron la vuelta y dejaron de seguirle.

25. Dijeron: «Es horrible que afirme: "Si no coméis mi carne y bebéis mi sangre, no entraréis en la vida"».

26. No podían comprender la parábola que había relatado.

27. Y Jesús dijo: «Tropezáis y caéis ante la verdad. ¿Qué haréis cuando veáis este cuerpo y esta sangre transmutados en formas superiores?

28. »¿Qué diréis cuando veáis al hijo del hombre ascendiendo sobre las nubes del cielo?

29. »¿Qué diréis cuando veáis al hijo del hombre sentado en el trono de Dios?

30. »La carne no es nada; el espíritu es el poder utilizador. Las palabras que yo hablo son espíritu, son vida».

31. Cuando Jesús vio que muchos que habían sido tan abiertos en su profesión de fe en él ahora se daban la vuelta y se iban, preguntó a los doce:

32. «¿También vosotros me abandonaréis en esta hora y os iréis?».

33. Pero Pedro respondió: «Señor, no tenemos otro lugar adonde ir; tú tienes las palabras de la vida eterna; sabemos que nos has sido enviado por Dios».

Capítulo 126

Los escribas y fariseos visitan a Jesús. Le censuran por comer sin haberse lavado las manos. Defiende sus actos y les da una lección sobre hipocresía. Explica a los doce en privado sus enseñanzas públicas.

1. Un grupo de escribas y fariseos llegaron de Jerusalén para conocer el poder que residía en Jesús.

2. Pero cuando se enteraron de que él y sus discípulos no seguían la costumbre de los judíos de lavarse las manos antes de comer, quedaron sorprendidos.

3. Y Jesús dijo: «La hipocresía reina entre vosotros, escribas y fariseos. De vosotros escribió Isaías:

4. »"Esta gente me honra con los labios, pero sus corazones están lejos de mí. En vano me adoran; sus doctrinas son los dogmas y los credos de los hombres".

5. »Vosotros, hombres que os consideráis hijos de Dios, rechazáis las leyes de Dios y enseñáis que Él os dio las leyes ceremoniales que observáis, y decís que la vida espiritual es mancillada si uno no se lava las manos antes de comer».

6. Sus acusadores no respondieron, y entonces dijo:

7. «¡Escuchadme, hombres de Israel! El pecado es hijo del corazón. La mente carnal atrapa el pensamiento y hace de él una monstruosa esposa; la esposa es el pecado y el pecado es hijo de la mente.

8. »Lo que hace que un hombre peque no es la comida que come.

9. »El pan, el pescado y otros alimentos no son más que tazas que llevan material a las células para la construcción de la casa humana, y cuando su función se ha cumplido son arrojados como desechos.

10. »La vida de la planta y la carne que sirven para construir la casa humana no es nunca alimento para el alma. El espíritu no se nutre de cadáveres de animales o plantas.

11. »Dios alimenta el alma directamente del cielo; el pan de la vida viene de lo alto.

12. »El aire que respiramos está cargado del Santo Aliento, y todo aquel que lo desee

puede tomar esta Santa Respiración.

13. »El alma discierne, y quien quiera la vida de Cristo podrá aspirarla. Según vuestra fe, así será.

14. »El hombre no es parte de su lugar de residencia; la casa no es el hombre.

15. »El mundo inferior construye la casa carnal y la mantiene en buen estado; el mundo Superior, en cambio, proporciona el pan de la vida espiritual.

16. »Los lirios más hermosos crecen en aguas estancadas y en las aguas más sucias.

17. »La ley de la carne exige que uno mantenga el cuerpo limpio.

18. »La ley del espíritu invita a la pureza de pensamiento, palabra u obra».

19. Cuando llegó el atardecer, se encontraron en la casa. Los doce tenían muchas cosas que decir y muchas cuestiones que tratar.

20. Natanael preguntó: «¿Era una parábola lo que dijiste de la casa carnal? Si es así, ¿qué significa?».

21. Y Jesús respondió: «¿No puedes discernir? ¿No te das cuenta todavía de que el hombre no peca por lo que toma por su boca?

22. »Lo que come no entra en su alma; es materia para la carne, huesos y músculos.

23. »Para el espíritu todo está limpio.

24. »Lo que hace que un hombre peque proviene de sus pensamientos carnales, y estos pensamientos brotan del corazón y generan un sinfín de maldades.

25. »Del corazón provienen los asesinatos, robos y necedades. Todos los actos egoístas y sensuales brotan del corazón.

26. »El comer sin haberse lavado las manos no hace que el hombre peque».

27. Y Pedro dijo: «Señor, lo que has dicho hoy ha ofendido profundamente a los escribas y fariseos».

28. Y Jesús replicó: «Los escribas y fariseos no son los vástagos del árbol de la vida; no son plantas de Dios; son plantas de los hombres, y toda planta ajena será arrancada.

29. »No os fijéis en estos hombres; son guías ciegos guiando a una multitud de ciegos.

30. »Los guías y los que son guiados caminan juntos y juntos caerán en la fosa».

Capítulo 127

Los cristianos cruzan el mar camino de Decápolis. Jesús encuentra un lugar retirado donde enseña en privado a los doce. Permanecen tres días allí y luego van a un pueblo junto al mar.

1. Jesús tomó a los doce y con ellos cruzó el mar por la noche, hasta que llegaron a los confines de Decápolis.

2. Quería encontrar un lugar secreto donde pudiera estar a solas para revelarles los acontecimientos venideros.

3. Fueron a una montaña cercana y allí permanecieron tres días en oración.

4. Entonces Jesús les dijo: «Estad alerta, se acerca el tiempo en que dejaré de estar con vosotros en forma carnal.

5. »Os he enseñado que no merece entrar en la vida aquel que le da tanto valor a ésta que no es capaz de entregarla en sacrificio voluntario para salvar a su hermano.

6. »He venido como ejemplo para los hijos de los hombres, y no les he escatimado mi ayuda.

7. »Cuando pasé las siete pruebas de Heliópolis, consagré mi vida a salvar al mundo.

8. »En el desierto de Judea luché con los enemigos más fuertes del hombre y allí reafirmé mi consagración al servicio de mis semejantes.

9. »No he desfallecido en pruebas y tribulaciones; cuando vinieron falsos acusadores no les respondí.

10. »Dios me dio la Palabra Salvadora y la he pronunciado con frecuencia, curando a los enfermos, arrojando a los espíritus impuros y resucitando a los muertos.

11. »Os he enseñado a pronunciar la Palabra y os la he dado.

12. »Dentro de poco volveremos a Jerusalén y uno de vosotros que ahora me escucha me

entregará en manos de los malvados.

13. »Los escribas y fariseos me acusarán en falso, me llevarán a juicio y con el consentimiento de Roma seré crucificado».

14. Entonces Pedro dijo: «Señor, eso no va a suceder. Los soldados romanos tendrán que pisar los cadáveres de doce muertos antes de tocar al Señor».

15. Pero Jesús replicó: «El salvador del mundo no puede oponer resistencia.

16. »Vine a salvar al mundo y he dado vuestros nombres ante los más altos tribunales del cielo, y habéis sido confirmados como salvadores del mundo.

17. »Y ni un solo nombre, excepto el de aquel que me traicionará, caerá en desgracia.

18. »Me voy, y aunque mi carne desaparezca, mi alma permanecerá todo el tiempo con vosotros para guiaros y bendeciros.

19. »Los malvados os prenderán en las calles mientras os arrodilláis en oración; os acusarán de algún crimen ante la ley y os llevarán a la muerte creyendo que sirven a su Dios.

20. »Pero no desfallezcáis; la carga será pesada, pero con la conciencia del deber cumplido, la paz de Dios levantará vuestro peso, disipará el dolor y allanará el camino.

21. »Nos encontraremos donde no pueden llegar los verdugos carnales, y allí serviremos a los crueles hombres que en su ignorancia nos torturaron y nos llevaron a la muerte.

22. »¿Acaso podemos evitar esta injuria y matanza de nuestras vidas? No somos más que criaturas sujetas a la vejez y al flujo de las cosas carnales. De otro modo no sería un sacrificio de la vida.

23. »Pero somos maestros de las cosas del tiempo. Si pedimos ayuda, todos los espíritus del fuego, tierra y aire saldrán en nuestra defensa.

24. »Podemos dar una orden y acudirán numerosas legiones del mundo de los ángeles que derribarán a nuestros enemigos.

25. »Pero es mejor que ni un solo poder del cielo o de la tierra acuda a aliviarnos. Y que incluso Dios cubra su faz y aparente no oírnos.

26. »Del mismo modo que yo soy ejemplo para vosotros, así vosotros sois ejemplo para la paz humana. Mostramos con nuestra no resistencia que entregamos nuestras vidas en voluntario sacrificio a los hombres.

27. »Pero mi ejemplo no terminará con la muerte. Mi cuerpo será depositado en una tumba, donde carne alguna ha yacido anteriormente, como símbolo de la pureza de la vida en la muerte.

28. »Y en la tumba permaneceré tres días en dulce comunión con el Cristo, y con mi Padre-Dios y mi Madre-Dios.

29. »Y entonces, como símbolo de la ascensión del alma a la vida superior, mi carne desaparecerá de la tumba.

30. »Será transmutada a una forma Superior y entonces, en presencia de todos vosotros, ascenderé hacia Dios».

31. Jesús y los doce se dirigieron a un pueblo junto al mar.

Capítulo 128

Jesús va por la noche a una montaña a rezar. Sus discípulos y la gente del pueblo le encuentran y les enseña durante tres días. Alimenta a más de cuatro mil personas. Los cristianos van a Cesarea de Filipo. Consideran la personalidad de Cristo. Pedro es elegido cabeza apostólica.

1. Por la noche, mientras los discípulos dormían, Jesús se levantó y se fue solo a un lugar de una montaña que se hallaba a seis millas de distancia, para orar.

2. Y por la mañana, cuando los doce despertaron, no encontraron al Señor; toda la gente del pueblo le buscó, y cuando el sol había pasado su punto más alto, le encontraron en la garganta de la montaña.

3. Acudieron multitudes de gente que llevaban a sus enfermos, y Jesús les enseñó y curó.

4. Y cuando llegó la noche la gente no se quería ir, por lo que durmieron en el suelo para estar cerca del Señor.

5. Tres días y tres noches permanecieron las multitudes en

aquel lugar, y nadie tenía nada para comer.

6. Jesús tuvo compasión de ellos y les dijo: «Si despido a la gente quizá no lleguen a sus hogares, pues están débiles; algunos han recorrido un largo camino».

7. Y sus discípulos dijeron: «¿Dónde encontraremos suficiente comida para alimentarlos a todos? Hay cuatro mil hombres, más las mujeres y los niños».

8. Y Jesús preguntó: «¿Cuántos panes tenéis?».

9. Respondieron: «Siete, y algunos peces pequeños».

10. Y Jesús ordenó: «Id e invitad a la gente a sentarse en grupos de doce, tal como lo hicisteis el otro día cuando las multitudes fueron alimentadas».

11. Y cuando las gentes se hubieron sentado en grupos de doce, trajeron los panes y los peces.

12. Y Jesús miró al cielo y pronunció la Palabra; y a continuación cortó los siete panes en pedazos pequeños e hizo lo mismo con los peces.

13. Cada trozo de pan se convirtió en una hogaza, y cada pedazo de pescado, en un pescado.

14. Los doce fueron y repartieron a todos. La gente comió y fue saciada; todos los trozos que quedaron fueron recogidos y se llenaron siete cestos con lo que sobró.

15. Entonces las gentes se fueron y Jesús y los doce tomaron los barcos y se marcharon al Dálmata, junto al mar.

16. Allí permanecieron muchos días y Jesús habló a los doce de la luz interior que nunca muere.

17. Les habló del reino del Cristo en el interior del alma, del poder de la fe, del secreto de la resurrección de los muertos, de la vida inmortal y de cómo los vivos pueden ayudar a los muertos.

18. Y luego subieron a las barcas y llegaron a la costa del norte de Galilea, y en Corazín, donde vivía la familia de Tomás, dejaron las barcas y prosiguieron el viaje.

19. Y llegaron a Merón, donde las aguas cristalinas parecen atrapar las imágenes del cielo y reflejar la gloria del Señor de los ejércitos.

20. Y allí permanecieron algunos días en meditación.

21. Luego continuaron el viaje y llegaron a la tierra de Cesarea de Filipo.

22. Mientras caminaban y hablaban entre sí, preguntó el Maestro: «¿Qué dicen las gentes del hijo del hombre? ¿Quién creen que soy?».

23. Mateo respondió: «Algunos dicen que eres David que ha vuelto de nuevo; otros, que eres Enoc, Salomón o Set».

24. Andrés dijo a su vez: «Oí exclamar a un jefe de la sinagoga: "Este hombre es Jeremías, pues habla como escribió Jeremías"».

25. Natanael añadió: «Los maestros extranjeros que estuvieron un tiempo con nosotros declararon que Jesús es Gautama que ha vuelto de nuevo».

26. Santiago dijo: «Creo que la mayoría de los maestros judíos piensan que eres la reaparición de Elías en la tierra».

27. Juan tomó la palabra y afirmó: «Cuando estábamos en Jerusalén, oí exclamar a un vidente: "Este Jesús no es otro que Mequisedec, el rey de la paz, que vivió hace dos mil años y dijo que volvería de nuevo"».

28. Y Tomás añadió: «El tetrarca Herodes cree que eres Juan, que ha resucitado de entre los muertos.

29. »Su conciencia le estorba; el espíritu del asesinado Juan aparece en sus sueños y le atemoriza como un espectro de la noche».

30. Y Jesús preguntó: «¿Y tú quién crees que soy?».

31. Y Pedro respondió: «Tú eres el Cristo, el amor de Dios manifestado a los hombres».

32. Y Jesús dijo: «Tres veces bendito eres tú, Simón, hijo de Jonás, pues has declarado la verdad que Dios te ha mostrado.

33. »Tú eres una roca y serás un pilar en el templo del Señor de los ejércitos.

34. »Tu confesión es la piedra angular de la fe, una roca de fortaleza, y sobre esta roca será edificada la Iglesia de Cristo.

35. »Y los poderes del infierno y de la muerte no prevalecerán contra ella.

36. »Te entrego las llaves para que abras las puertas de la salvación a los hijos de los hombres.

37. »El Santo Aliento vendrá sobre ti y sobre los diez y te erguirás ante las doce naciones de la tierra para proclamar la alianza de Dios con los hombres.

38. »Hablarás las palabras del Santo Aliento y darás a conocer lo que Dios requiera de los hombres como señal de su fe en Cristo».

39. Entonces, volviéndose a los doce, dijo: «Lo que hoy habéis oído no lo digáis a nadie».

40. Después de eso subieron a la casa de Susana y allí permanecieron muchos días como invitados.

CAPÍTULO 129

Jesús enseña a la gente. Va con Pedro y Juan a una montaña elevada y se transfigura ante ellos.

1. Las nuevas de que Jesús y los doce habían llegado se extendieron con rapidez y mucha gente fue a verle.

2. Y Jesús dijo: «Venís a verme, pero esto no significa nada. Si queréis las bendiciones del Cristo, tomad vuestra cruz y seguidme.

3. »Si entregáis vuestra vida a cualquier fin egoísta, la perderéis.

4. »Si dais vuestra vida en servicio a vuestros semejantes, la salvaréis.

5. »Esta vida no es más que un espacio de tiempo, una burbuja que dura un día. Pero hay una vida que nunca muere.

6. »¿Qué ganáis si conseguís el mundo pero perdéis vuestra alma?

7. »Si queréis encontrar la vida espiritual, la vida del hombre en Dios, debéis caminar por el camino angosto y cruzar la puerta estrecha.

8. »El camino es Cristo, y también la puerta; tenéis que ascender por el camino de Cristo. Nadie llega a Dios si no es a través de Cristo.

9. »El reino de Cristo vendrá, y algunos de los que me escucháis no cruzaréis las puertas de la muerte sin haber visto el reino llegar con su poder».

10. Durante diez días el Maestro y los doce permanecieron en Cesarea de Filipo.

11. Luego Jesús, tomando consigo a Pedro, Santiago y Juan, se fue a la cima de una montaña a orar.

12. Mientras oraba apareció una luz brillante; su forma se volvió tan radiante como una piedra preciosa.

13. Su cara resplandecía como el sol, sus vestiduras parecían tan blancas como la nieve; el hijo del hombre se había transformado en el hijo de Dios.

14. Se transfiguró para que los hombres de la tierra pudieran ver las posibilidades del hombre.

15. Cuando su gloria se manifestó, los tres discípulos estaban dormidos; un maestro tocó sus ojos y dijo: «Despertad y ved la gloria del Señor».

16. Y despertaron y vieron la gloria del Señor; aún más, contemplaron la gloria del mundo celestial, pues vieron dos hombres al lado del Señor.

17. Pedro preguntó al maestro que los había despertado: «¿Quiénes son estos hombres que están al lado del Señor?».

18. El maestro respondió: «Esos hombres son Moisés y Elías, que han venido para que sepáis que el cielo y la tierra son uno; los maestros de aquí y allá son uno.

19. »El velo que separa los mundos es sólo un velo etéreo. Para aquellos que purifican su corazón mediante la fe, el velo es apartado y pueden ver y saber que la muerte es algo ilusorio».

20. Y Pedro exclamó: «¡Alabado sea Dios!». Y luego se dirigió hacia Jesús y le dijo: «Señor y maestro mío, ésta es la puerta del cielo; bueno sería permanecer aquí.

21. »¿Bajamos y traemos tres tiendas; una para ti, otra para Moisés y otra para Elías?». Mas Jesús no respondió.

22. Moisés y Elías conversaron con Jesús en el monte. Hablaban sobre la cercana prueba del Señor.

23. Sobre su muerte, sus días en la tumba, sobre las maravillas de la mañana de la resurrección, la transmutación de su carne y su ascensión en nubes de luz.

24. Todo ello símbolo del camino que todo hombre debe recorrer, símbolo del modo en que los hijos de los hombres llegan a ser hijos de Dios.

25. Los tres discípulos estaban sorprendidos; de repente los éteres vibraron con cantos, y formas tan ligeras como el aire se movieron por los alrededores de la cima de la montaña.

26. Y desde la gloria del mundo superior oyeron una voz que decía:

27. «Éste es el hijo del hombre, el que yo he elegido para manifestar al Cristo de los hombres. Que le escuche toda la tierra».

28. Cuando los discípulos oyeron la voz, se llenaron de temor; cayeron en tierra y rezaron.

29. Y Jesús se acercó, los tocó y dijo: «Levantaos, no temáis; mirad, estoy aquí».

30. Entonces se levantaron, miraron y no vieron a nadie; aquellos hombres habían desaparecido. Sólo el Maestro se hallaba con ellos.

31. Mientras Jesús y los tres bajaban de la cima, hablaron sobre el significado de lo ocurrido, Jesús se lo explicó todo y luego dijo:

32. «Hasta que haya resucitado de entre los muertos no contéis a nadie lo que habéis visto».

33. Pero los discípulos no pudieron comprender el significado de las palabras: hasta que haya resucitado de entre los muertos.

34. Y Jesús les habló una vez más sobre su muerte y resurrección del sepulcro, y sobre el reino del alma que se manifestaría en gloria y poder.

35. Mas Pedro dijo: «Los escribas enseñan que antes que el rey venga, Elías aparecerá».

36. Y Jesús respondió: «Elías ya ha venido, pero los escribas y fariseos no le recibieron.

37. »Los hombres le ultrajaron, le ataron, le arrojaron a una mazmorra, y gritaron con delicia demoníaca al verle morir.

38. »Lo que a él le hicieron, a mí me lo harán».

39. Entonces los discípulos comprendieron que hablaba de Juan, a quien Herodes había mandado matar.

Capítulo 130

Jesús y los tres discípulos regresan a Cesarea de Filipo. Los nueve restantes no pueden curar a un niño epiléptico. Jesús le cura y reprende a sus discípulos por su falta de confianza en Dios. Los cristianos vuelven a Cafarnaún.

1. Cuando Jesús, Pedro, Santiago y Juan llegaron a las puertas de la ciudad, una multitud de gente abarrotaba el camino.

2. Los nueve apóstoles que no fueron con Jesús a la montaña habían tratado de curar a un niño epiléptico que estaba poseído, pero no lo consiguieron, de modo que las gentes esperaban la llegada del Señor.

3. Cuando Jesús llegó, el padre del niño se arrodilló ante él e imploró su ayuda.

4. Le dijo: «Maestro, te suplico que veas a mi hijo con compasión; es mi único hijo, es epiléptico y sufre mucho.

5. »A veces se quema con el fuego, otras veces se cae al agua y casi se ahoga y durante el día cae frecuentemente a tierra, rechina los dientes y echa espumarajos por la boca.

6. »Llevé a mi hijo a tus discípulos pero no pudieron aliviarle».

7. Mientras hablaba, un sirviente llevó al niño ante el Señor (el niño no habló pues era mudo), y al instante cayó al suelo, arrojando espumarajos y retorciéndose en agonía.

8. Y Jesús preguntó: «¿Cuánto tiempo hace que está así de atormentado?».

9. El padre respondió: «Desde la infancia; hemos buscado ayuda en muchas tierras sin encontrarla; pero yo creo que tú puedes pronunciar la Palabra y mi hijo se curará».

10. Y Jesús dijo: «La fe es el poder de Dios. Todo es posible para aquel que cree en su corazón».

11. El padre irrumpió en lágrimas y exclamó: «Señor, yo creo; ayuda a mi poca fe».

12. Y Jesús pronunció la Palabra de poder; el niño epiléptico estaba desmayado, ya no respiraba, y toda la gente decía: «Está muerto».

13. Mas Jesús le tomó de la mano y dijo: «Levántate», y se levantó y habló.

14. La gente estaba atónita, muchos dijeron: «Éste es un

hombre de Dios, pues semejante poder nunca fue dado a un hombre».

15. Entonces Jesús y los doce se fueron a casa, y después de haber comido un poco, los nueve discípulos dijeron:

16. «Señor, ¿por qué no pudimos curar al niño? Pronunciamos la Palabra, pero aún así no surtió efecto».

17. Jesús respondió: «Vuestro gran éxito en todas vuestras obras os ha vuelto despreocupados, y os olvidasteis de reconocer el poder de dios.

18. »Sin el espíritu de la Palabra, la Palabra es como una charla sin sentido; os olvidasteis de rezar.

19. »No hay fe sin la oración confiada. La fe son las alas de la oración; mas las alas solas no vuelan.

20. »Mediante la oración y la fe podéis arrojar las montañas al mar, y las colinas se moverán como corderos a vuestras órdenes.

21. »Este fracaso os hará bien. Aprendemos las mayores lecciones de la vida a través de los errores que cometemos».

22. Y mientras los discípulos se hallaban sentados meditando lo que habían oído, Jesús dijo: «Que estas palabras penetren en vuestros corazones.

23. »Está muy próxima la hora en que tendréis que llevar solos vuestra carga, pues no tendréis mi presencia carnal.

24. »Caeré en manos de hombres malvados y me matarán en un monte al otro lado de la muralla de Bezetha.

25. »Y depositarán mi cuerpo en una tumba donde por medio de la sagrada Biblia será guardado y preservado tres días; entonces me levantaré de nuevo».

26. Los doce estaban tristes; no comprendían; sin embargo, temían pedirle que les revelase el significado de sus palabras.

27. Al día siguiente el Maestro y los doce emprendieron su viaje de retorno, y pronto se hallaron en Cafarnaún.

Capítulo 131

Jesús y Pedro pagan el tributo. Los discípulos luchan por la supremacía. Jesús los reprende. Les enseña muchas lecciones prácticas. La parábola del buen pastor.

1. Cuando Jesús y los doce se encontraban descansando en casa, el recaudador se acercó a Pedro y le preguntó: «¿Pagáis tú y Jesús el tributo?».

2. Pedro respondió: «Pagamos todo lo que se nos manda».

3. Y Jesús preguntó: «¿De quién recogen los publicanos este tributo especial, de los extranjeros o de los hijos nativos?».

4. Y Pedro respondió: «Los extranjeros son los únicos que deben pagar este tributo».

5. Entonces Jesús dijo: «Todos nosotros somos hijos nativos y somos libres; mas para no causar contienda alguna pagaremos el tributo». Sin embargo, no tenían dinero con que pagar.

6. Y Jesús dijo: «Ve al mar; arroja la red y obtendrás un pez; en su interior hallarás un óbolo y con él pagarás tu tributo y el mío».

7. Pedro hizo como Jesús dijo; encontró el dinero y pagó el tributo.

8. Mientras tanto Jesús oyó a sus discípulos que disputaban entre sí. El espíritu del ser carnal se movía en sus corazones; se preguntaban quién era el más grande ante los ojos de Dios y de los hombres.

9. Y Jesús les dijo: «¡Avergonzaos! El más grande es el servidor de los demás». Y llamó hacia sí a un niño; lo tomó en sus brazos y dijo:

10. «El más grande es este niño pequeño; si queréis ser grandes, tenéis que ser como este niño en inocencia, verdad y pureza.

11. »Los grandes hombres no menosprecian las cosas pequeñas de la tierra; el que ama y honra a un niño como éste a mí me ama y aprecia; y el que le desprecia a mí me desprecia.

12. »Si queréis entrar por la puerta del reino, debéis ser humildes como este niño.

13. »Oídme, hombres: este niño, como cualquier otro niño, tiene a alguien que defiende su causa ante el trono de dios.

14. »Si le despreciáis, sufriréis las consecuencias, pues os digo que contempla el rostro de Dios en todo momento del día.

15. »Y oídme una vez más: aquel que haga vacilar y caer a un pequeñuelo será señalado maldito; mejor sería que lo arrojasen al mar.

16. »¡Mirad, hay ofensas por todas partes! Los hombres hallan ocasiones de pecar y caen, pero crecen más fuertes al levantase.

17. »Pero ¡ay de aquel que haga vacilar y caer a otros hombres!

18. »Estad en guardia, hombres de Dios, no sea que hagáis caer a otro hombre; estad alerta para que vosotros mismos no caigáis en el camino del pecado.

19. »Si vuestras manos os hacen pecar, más os valdría cortároslas; es preferible no tener manos y no ser culpable ante los ojos de Dios y de los hombres, que ser físicamente perfectos y perder vuestra alma.

20. »Y si vuestros pies causan algún mal, más os valdría cortároslos; es preferible entrar en la vida sin pies que caer bajo la maldición.

21. »Y si vuestros ojos u oídos son causa de que pequéis, es mejor perderlos que perder vuestra alma.

22. »Vuestros pensamientos, palabras y obras serán probados con fuego.

23. »Recordad que sois la sal de la tierra; pero si perdéis las virtudes de la sal, no sois más que un desecho a los ojos de Dios.

24. »Mantened las cualidades de la sal de la vida y mantened la paz entre vosotros.

25. »El mundo está lleno de hombres que no tienen consigo la sal de la vida y están perdidos. Yo he venido para buscar y salvar a los perdidos.

26. »¿Qué creéis? Si un pastor tiene cien ovejas y una de ellas se ha descarriado, ¿no abandonará las noventa y nueve...

27. »Y recorrerá las sendas del desierto y las cumbres de las montañas para buscar a la que perdió?

28. »En verdad así hará; y si la encuentra, se alegrará y regocijará con ella más que con las noventa y nueve que no se perdieron.

29. »De la misma manera habrá gran regocijo en las cortes humanas del cielo cuando una vida que se ha descarriado por caminos de pecado es encontrada y devuelta al redil.

30. »Sí, habrá gran alegría, más alegría que la sentida por todos los hombres rectos que nunca se descarriaron».

31. Y Juan dijo: «Maestro, ¿quién puede buscar y salvar a los que están perdidos? Y ¿quién puede curar a los enfermos y arrojar a los demonios de los poseídos?

32. »Cuando veníamos por el camino vimos a un hombre que no era de los nuestros exorcizar a los demonios y curar a los enfermos.

33. »Lo hacía con la sagrada Palabra y en el nombre de Cristo, pero se lo prohibimos, pues no caminaba con nosotros».

34. Y Jesús dijo: «Hijos de los hombres, ¿acaso imagináis que son vuestros los poderes de Dios?

35. »¿Y acaso creéis que todo el mundo debe esperar a que realicéis la labor de Dios?

36. »Dios no es un hombre que deba tener un cuidado especial por alguien en particular otorgándole regalos especiales.

37. »No prohibáis a ningún hombre hacer la labor de Dios.

38. »Ningún hombre puede pronunciar la sagrada Palabra, curar a los enfermos y arrojar a los espíritus impuros en el nombre de Cristo, si no es un hijo de Dios.

39. »El hombre del que habláis es uno de nosotros. Quien recoja en el granero del cielo es uno de nosotros.

40. »Quien dé un vaso de agua en el nombre de Cristo es uno de nosotros; así Dios lo considerará».

Capítulo 132

Jesús defiende a un hombre sentenciado por haber robado pan. El veredicto es revocado. El hombre sale libre y las gentes proveen las necesidades de su pobre familia.

1. Una multitud de gente llenaba las calles. La guardia iba camino del tribunal con un

hombre acusado de haber robado pan.

2. Poco después el hombre fue llevado ante el juez para responder a la acusación.

3. Jesús y los doce se encontraban allí. La cara y las manos de aquel hombre reflejaban las marcadas líneas del trabajo y la necesidad.

4. Una mujer ricamente ataviada, que le acusaba, se adelantó y afirmó: «Yo misma atrapé a este hombre; le conozco muy bien, pues ayer vino a mendigarme pan.

5. »Y, cuando le eché de mi puerta, debería haberse percatado de que yo no estaba dispuesta a ayudar a alguien como él, pero hoy volvió de nuevo y se llevó el pan.

6. »Es un ladrón y exijo que sea encarcelado».

7. Los sirvientes también testificaron contra el hombre; fue declarado culpable y los soldados estaban a punto de llevárselo.

8. Pero Jesús, saliendo al paso, exclamó: «Juez y oficiales, no os apresuréis en llevaros a este hombre.

9. »¿Es ésta la tierra de la justicia y de la rectitud? ¿Podéis acaso acusar y sentenciar a los hombres al castigo de cualquier crimen sin haber testificado ellos mismos?

10. »La ley romana no permitirá tal parodia de la justicia; pido que dejéis hablar a este hombre».

11. Entonces el juez llamó de nuevo al hombre y dijo: «Si tienes algo que contar, dilo».

12. Bañado en lágrimas, el infortunado se aproximó y dijo: «Tengo esposa e hijos pequeños que se están muriendo de hambre; he contado mi caso muchas veces, pero nadie quiso escucharme.

13. »Esta mañana, al salir de mi tugurio desolado en busca de trabajo, mis hijos lloraban de hambre, y resolví alimentarlos o morir.

14. »Cogí el pan, y ahora apelo ante Dios: ¿fue un crimen hacerlo?

15. »Esta mujer me arrebató la hogaza y la arrojó a los perros; llamó a los oficiales y aquí me encuentro.

16. »Buena gente, haced conmigo lo que queráis, mas salvad

a mi esposa y a mis pequeños de la muerte».

17. Entonces Jesús preguntó: «¿Quién es el culpable en este caso?

18. »Yo acuso a esta mujer de criminal ante los ojos de Dios.

19. »Y acuso a este juez de criminal ante el tribunal de la justicia humana.

20. »Y acuso a estos sirvientes y a estos oficiales de participar en el crimen.

21. »Acuso a la gente de Cafarnaún de crueldad y robo por no escuchar los gritos de la pobreza y la necesidad, y por negar a unos desamparados aquello que les pertenecía por derecho y ley.

22. »Y apelo a los que están aquí presentes y pregunto: ¿no están mis acusaciones basadas en la rectitud y la verdad?».

23. Y todos contestaron: «Sí».

24. La mujer que hizo la acusación enrojeció de vergüenza; el juez retrocedió aterrorizado y los soldados rompieron las cadenas del hombre y echaron a correr.

25. Y Jesús dijo: «Dad a este hombre lo que necesita, soltadle y alimentad a su esposa y a sus pequeños».

26. Las gentes le dieron en abundancia y el hambre se fue.

27. Y Jesús añadió: «No hay ley exacta para juzgar el crimen. Los hechos deben ser siempre bien expuestos para que el juicio pueda tener lugar.

28. »Hombres de corazón, poneos en el lugar de este hombre y decidme: ¿qué hubierais hecho?

29. »El ladrón cree que todos los demás son como él y así los juzga.

30. »El hombre que juzga duramente es aquel cuyo corazón está lleno de crímenes.

31. »La mujer de mala vida que guarda escondida su maldad tras lo que ella llama respetabilidad no tiene una palabra de piedad para la honesta mujer pública que no pretende ser más que lo que es.

32. »No debéis censurar hasta que estéis libres de pecado, pues os digo que pronto el mundo olvidará el significado de la palabra acusada».

CAPÍTULO 133

Los doce van a la fiesta de Jerusalén, pero Jesús se queda en Cafarnaún. Elige a setenta discípulos y los envía a enseñar y a curar. Acude solo a la fiesta y por el camino cura a diez leprosos. Enseña en el templo.

1. La fiesta de la cosecha se aproximaba y los doce partieron hacia Jerusalén; mas Jesús no se fue con ellos, sino que se quedó en Cafarnaún.

2. Entre las multitudes que le seguían había muchos que no fueron a la fiesta, pues no eran judíos.

3. Y Jesús llamó a setenta de esos discípulos y les dijo: «El reino de Cristo no es sólo para los judíos; es para todos los hombres.

4. »He elegido a doce para predicar el evangelio, primero a los judíos, pues ellos son judíos.

5. »Doce es el número de los judíos y siete el número del todo, que incluye a todo hombre.

6. »Dios es el diez, el santo Job.

7. »Cuando Dios y el hombre son multiplicados, surge el número setenta, la cifra de la hermandad del hombre.

8. »Os envío de dos en dos; no sólo a los judíos sino a toda nación bajo el firmamento, a los griegos y a los asirios, a los samaritanos y a las naciones más allá de los mares, a todos los hombres.

9. »No necesitáis ir lejos, pues tanto aquí como en Samaria hay hombres de todas las tierras.

10. »Levantaos e id; mas id con fe; no llevéis oro ni plata, ni vestido, ni calzado de repuesto.

11. »Id en el sagrado nombre; confiad en Dios y nunca pasaréis necesidad.

12. »Y que éste sea vuestro saludo adondequiera que vayáis: "La paz sea con vosotros, buena voluntad para todos".

13. »Y si en la casa vive un hijo de la paz, os abrirá la puerta de par en par y entraréis; y la santa paz morará en esa casa».

14. Y los setenta partieron en parejas; fueron a Samaria y por el camino decían: «¡La paz sea con vosotros, buena voluntad para todos!

15. »Arrepentíos, alejaos del pecado y poned vuestra casa en

orden, porque el hijo del hombre que lleva la imagen del Cristo vendrá y podréis ver su faz».

16. Entraron en todas las poblaciones de Samaria; predicaron en Tiro y en Sidón, junto al mar. Algunos fueron a Creta, otros a Grecia y otros a Gilead, y allí enseñaron.

17. Jesús se quedó solo, y se fue a la fiesta por el camino de Samaria; cuando cruzaba Siquer, los leprosos le vieron y un grupo de diez le llamaron desde lejos. diciendo:

18. «Señor Jesús, detente y habla la Palabra para que quedemos limpios».

19. Y Jesús dijo: «Id y presentaos a los sacerdotes».

20. Se fueron, y por el camino la lepra fue curada. Uno de ellos, nativo de Samaria, regresó para dar gracias y alabar al Señor.

21. Y Jesús le dijo: «Diez fueron curados; ¿dónde están los otros nueve? Levántate y sigue tu camino; tu fe te ha salvado.

22. »Has desvelado tu corazón y has demostrado que eres digno del poder; los otros nueve volverán a ver la lepra en sus manos y pies».

23. Y Jesús prosiguió su camino; llegó a Jerusalén durante la fiesta y fue a los patios del templo.

24. Y reprendió a los escribas y fariseos, a los sacerdotes y a los doctores de la ley por su hipocresía y egoísmo.

25. La gente sencilla estaba asombrada y se preguntaba: «¿De dónde viene la sabiduría de este hombre? Habla como un sabio».

26. Y Jesús dijo: «No aprendí la sabiduría del Santo de los santos en las escuelas de los hombres; mi enseñanza no es mía: hablo las palabras de aquel que me ha enviado para hacer su voluntad.

27. »Si alguien quiere saber de dónde sale lo que digo, tiene que hacer la voluntad de Dios.

28. »Moisés os dio la luz, pero ninguno de vosotros la habéis observado; ¿cómo podéis, pues, juzgar el valor de hombre alguno?

29. »Una vez, en este patio, curé a un hombre en sábado y, enfurecidos, quisisteis quitarme la vida; y ahora porque os digo la verdad, queréis matarme de nuevo».

30. Un escriba habló y dijo: «Necio, estás poseído, ¿quién quiere matarte?».

31. La gente del pueblo decía: «¿No es Jesús a quien los gobernantes querían matar desde hace tiempo? Y ahora viene a predicar en el atrio del templo.

32. »Si es culpable de crímenes tan monstruosos, ¿por qué no se lo llevan encadenado?».

33. Y Jesús afirmó: «Todos me conocéis y sabéis de dónde vengo; mas no conocéis al Dios que me ha enviado aquí y cuyas palabras hablo».

34. Las multitudes de nuevo se pusieron de su parte. Decían: «Si éste no es el Cristo que Dios prometió revelar a los hombres, ¿acaso hará Él mayores prodigios cuando venga que los que hace este hombre?».

35. Los fariseos y los sacerdotes, encolerizados, ordenaron a sus oficiales que le prendieran antes que desapareciera. Pero los oficiales, poseídos de miedo, no le tocaron.

36. Y Jesús dijo: «Estoy aquí, mas por poco tiempo, y luego iré hacia aquel que me ha enviado aquí a hacer su voluntad.

37. »Ahora me buscáis y me podéis hallar; mas vendrá el momento en que me buscaréis y no me encontraréis, pues adonde yo voy vosotros no podéis ir».

38. La gente se preguntó: «¿Adónde irá que los hombres no puedan encontrarle? ¿Irá quizá a Grecia a enseñar a los griegos? ¿O irá a predicar a Egipto o Asiria?».

39. Pero Jesús no respondió; abandonó el atrio del templo sin ser visto por la multitud y se fue.

CAPÍTULO 134

Jesús enseña en el templo. Sus palabras irritan a las autoridades del templo. Nicodemo le defiende. Pasa la noche en oración en el monte de los Olivos. Al día siguiente enseña de nuevo en el templo. Le llevan a una adúltera para que la juzgue.

1. En el último día de la fiesta, cuando las multitudes estaban en los patios del templo, Jesús dijo:

2. «Quien tenga sed que venga a mí y beba.

3. »El que cree en mí y en el Cristo que Dios ha enviado puede beber la copa de la vida y de lo más íntimo de su ser brotarán arroyos de agua viva.

4. »El Santo Aliento se posará sobre él y respirará la Respiración, hablará las palabras y vivirá la vida».

5. Las gentes estaban divididas en sus opiniones respecto a él. Algunos decían: «Este hombre es un profeta del Dios viviente».

6. Otros afirmaban: «Es el Mesías que nuestros profetas anunciaron que iba a venir».

7. Y otros, en cambio, opinaban: «No puede ser el Cristo, pues viene de Galilea; el Cristo debe venir de Belén, donde vivió David».

8. De nuevo los sacerdotes y fariseos enviaron a sus oficiales a presentarlo ante la justicia para que diera cuenta de su vida; pero los oficiales regresaron sin haberle prendido.

9. Los gobernantes de la sinagoga montaron en cólera y preguntaron: «¿Por qué no le arrestasteis y le trajisteis ante el tribunal?».

10. Los oficiales contestaron: «Nunca oímos hablar a un hombre como él».

11. Enfurecidos, los fariseos se pusieron de pie y exclamaron: «¿Os habéis vuelto locos? ¿Os han engañado? ¿Acaso también sois discípulos de ese hombre?

12. »¿Por ventura hay algún gobernante o fariseo que crea en él? El vulgo quizá crea; son unos malditos que no saben nada».

13. Pero Nicodemo replicó ante los gobernantes del templo: «¿Pueden los jueces judíos juzgar a un hombre y sentenciarle sin haber escuchado su defensa? Permitid a Jesús que se defienda ante el tribunal».

14. Los gobernantes respondieron: «Este Jesús es un hombre astuto; si le permitimos que se defienda, nos responderá cara a cara, y las multitudes se reirán de nosotros y se pondrán de su lado.

15. »Además, sabes tan bien como nosotros que los profetas no vienen de Galilea».

16. Los gobernantes del templo sintieron la fuerza de la que los oficiales y Nicodemo habían hablado, y callaron.

17. La gente se fue cada uno a su casa; pero Jesús se dirigió al monte de los Olivos y allí pasó toda la noche en oración.

18. Por la mañana, cuando el sol apenas había despuntado, Jesús regresó y mucha gente acudió a verle a los patios del templo, donde se sentó y enseñó a las multitudes.

19. Los escribas y fariseos estaban todavía alerta y buscaban una causa para condenarle por algo que pudiera decir.

20. Los oficiales del templo habían sorprendido en el mismo acto criminal a una mujer de mala vida y, mientras Jesús enseñaba, llevaron a la mujer, la colocaron en medio y dijeron:

21. «Raboni, esta vil mujer ha sido sorprendida en adulterio. La ley de Moisés dice que semejante mujer debe morir apedreada hasta la muerte; ¿cuál crees tú que ha de ser su castigo?».

22. Y Jesús se inclinó, hizo una figura en el suelo y en ella puso el número de un alma, y se sentó en silenciosa meditación.

23. Y cuando los sacerdotes pidieron que hablara, dijo: «Aquel que esté libre de pecado que arroje la primera piedra».

24. Cerró los ojos y no dijo nada más. Cuando se levantó y vio a la mujer que estaba sola, le preguntó:

25. «¿Dónde están los hombres que te trajeron aquí, los que te acusaban?».

26. La mujer respondió: «Todos se han ido; no hubo nadie que pudiera condenarme».

27. Y Jesús le dijo: «Yo tampoco te condeno; vete en paz y no peques más».

CAPÍTULO 135

Jesús enseña en el templo. Revela algunos de los significados más profundos del misterio cristiano. Los gobernantes del templo, muy enojados, intentan apedrearle, pero él desaparece.

1. La fiesta había terminado y Jesús, Pedro, Santiago y Juan se habían sentado en la tesorería del templo.

2. Los otros nueve habían regresado a Cafarnaún.

3. La gente llenaba los patios del templo, y Jesús dijo:

4. «Yo soy la lámpara, Cristo es el aceite de la vida y el Santo Aliento el fuego. ¡Mirad la luz! Aquel que me siga no caminará en las tinieblas, sino que obtendrá la luz de la vida».

5. Un doctor de la ley dijo: «Das testimonio de ti mismo, tu testimonio no es verdadero».

6. Y Jesús respondió: «Si yo doy testimonio de mí mismo, digo la verdad, porque sé de dónde vine y adónde voy.

7. »Y nadie más puede testificar por mí, pues nadie sabe de dónde vengo, ni adónde voy.

8. »Mis obras son testigos de la verdad de lo que digo. Como hombre no podría pronunciar las palabras que hablo; son las palabras del Santo Aliento, y mi Padre testifica por mí».

9. El doctor de la ley replicó: «¿Dónde vive tu padre?».

10. Y Jesús respondió: «No me conoces, pues de otro modo conocerías a mi Padre, y si conocieras a mi Padre, conocerías al hijo, porque el Padre y el hijo son uno.

11. »Me voy y no me encontraréis; pues adonde yo voy no podéis venir, ya que no conocéis el camino.

12. »No podéis encontrar el camino porque vuestros corazones son insensibles, vuestros oídos sordos y vuestros ojos ciegos.

13. »La luz de la vida no puede brillar a través del oscuro velo que habéis corrido sobre vuestros corazones.

14. »No conocéis al Cristo y si el Cristo no está dentro del corazón, no existe la luz.

15. »Vine para manifestar el Cristo a los hombres y no me recibisteis; viviréis en la oscuridad y en la sombra de la tumba hasta que creáis las palabras que digo.

16. »Pero vosotros envileceréis al hijo del hombre, lo levantaréis en alto y reiréis al verlo morir.

17. »Mas entonces vendrá una pequeña luz y sabréis que soy lo que soy».

18. La gente no entendía el significado de sus palabras.

19. Entonces, dirigiéndose a los que creían en él, les dijo: «Si vivís en Cristo y Cristo vive en vosotros, y si guardáis mis palabras en vuestros corazones...

20. »Seréis el camino, seréis los discípulos en el camino, conoceréis la verdad y la verdad os hará libres».

21. Las gentes seguían sin comprenderle y dijeron: «Somos descendientes de Abraham y ya somos libres; nunca fuimos esclavos de ningún hombre; ¿por qué dices que seremos libres?».

22. Jesús respondió: «¿No sabéis que todo el que comete pecado es esclavo del pecado y vive atado a él?

23. »Si no pecáis seréis libres; pero si el pecado está en vuestro pensamiento, palabra u obra, entonces seréis esclavos, y sólo la verdad podrá liberarnos; si sois libres a través de Cristo, entonces sois libres de verdad.

24. »Sois la descendencia de Abraham, y sin embargo queréis matarme sólo porque hablo la verdad de Abraham.

25. »Vosotros sois los hijos de la carne de Abraham; pero yo os digo que hay un Abraham espiritual al que no conocéis.

26. »En espíritu sois los hijos de vuestro padre, y vuestro padre es el diablo; seguís sus palabras y hacéis su voluntad.

27. »Él fue un asesino desde el principio; no puede hablar la verdad, y cuando dice una mentira habla de lo que le es propio y natural; él es en sí una mentira, y es padre de sí mismo.

28. »Si fueseis hijos de mi Padre-Dios, entonces podríais oír sus palabras; yo hablo las palabras de Dios, pero no las podéis soportar».

29. Un fariseo se levantó y dijo: «Este hombre no es uno de nosotros, es un maldito samaritano y está poseído».

30. Mas Jesús no prestó atención a las palabras de fariseo o escriba alguno; sabía que todos conocían que era judío.

31. Entonces dijo: «El que guarda mis palabras nunca morirá».

32. Un doctor de la ley afirmó: «Ahora sí que sabemos que está poseído. Nuestro padre Abraham está muerto; todos los profetas están muertos y sin embargo este hombre dice: "El que guarda mis palabras nunca morirá.

33. »¿Es por ventura este hombre más grande que nuestro padre Abraham? ¿Acaso está por

encima de todos los profetas que han muerto?"».

34. Y Jesús replicó: «Vuestro padre Abraham se alegró viendo este día; lo vio y se regocijó».

35. El doctor de la ley les dijo: «Necio, ¿no tienes cincuenta años y has visto a Abraham?».

36. Y Jesús dijo: «Antes de los días de Abraham estaba yo».

37. Esto volvió a enfurecer a los escribas y fariseos, que tomaron piedras para apedrearle, pero desapareció como un fantasma de la noche, y la gente no supo adónde fue.

CAPÍTULO 136

Jesús enseña en el templo. Cuenta la parábola del buen samaritano. Va a Betania. Enseña en la casa de Lázaro. Reprende a Marta por sus preocupaciones por las cosas de esta vida.

1. Jesús enseñó de nuevo en los patios del templo.

2. Un maestro de la ley fue enviado para hacerle preguntas y así poder encontrar una causa de censura para acusarle de crimen.

3. Le pidió: «Señor, dime qué debo hacer para alcanzar la vida eterna».

4. Jesús le respondió: «Conoces la ley; ¿qué es lo que dice?».

5. El doctor de la ley contestó: «Amarás al Señor tu Dios con todo tu corazón, con toda tu alma, con toda tu fuerza y con toda tu mente, y amarás al prójimo como a ti mismo».

6. Y Jesús dijo: «Has contestado bien; haz esto y obtendrás la vida eterna».

7. El letrado quiso saber: «¿Y quién es mi prójimo?».

8. Jesús contestó: «Un hombre iba de Jerusalén a Jericó y por el camino se topó con unos ladrones que le golpearon, le robaron sus pertenencias y le dejaron sangrando a un lado del camino.

9. »Un fariseo acertó a pasar por allí; vio al hombre herido pero no tenía tiempo que perder y siguió adelante.

10. »Un levita pasó por allí y vio a aquel hombre pero temía manchar sus vestiduras sacerdotales y se marchó.

11. »Un doctor de la ley que iba a Jericó observó al hombre

moribundo y pensó: "Si me pudiera dar dinero ayudaría a este hombre; pero no le queda nada para darme y no tengo tiempo para caridad"; y se fue.

12. »Más tarde un extranjero de Samaria pasó por allí; vio al hombre herido y su corazón se llenó de pena; se detuvo y desmontó de su caballo.

13. »Reanimó al hombre y lo colocó sobre su caballo, lo llevó a una posada y encargó al posadero que le alimentase hasta que repusiera las fuerzas.

14. »Dio al posadero todo su dinero y le dijo: "Tus intereses quizá cuesten más de lo que te doy, pero atiende a este infortunado y cuando vuelva de nuevo te lo pagaré todo"; y se fue.

15. »Y bien, maestro de la ley, ¿cuál de esos cuatro fue el prójimo para aquel que cayó en manos de ladrones?».

16. El doctor de la ley respondió: «El hombre que demostró misericordia y se preocupó de él».

17. Y Jesús dijo: «Ve, obra así y vivirás».

18. Entonces Jesús, Pedro, Santiago y Juan partieron hacia Betania, donde Lázaro vivía.

19. Y María se sentó a los pies de Jesús para oírle hablar las palabras de vida, mientras Marta servía.

20. Y Marta la llamó, pero María no quiso abandonar al Señor para ayudarla a servir.

21. Entonces Marta le dijo a Jesús: «¿No te importa que María me cargue con todo el peso del servicio de la casa durante todo el día? Te ruego que le mandes que me ayude».

22. Mas Jesús le respondió: «Te preocupas demasiado, Marta, por tus invitados; no necesitas afligirte tanto por las cosas de la vida.

23. »Te agotas preocupándote de nimiedades, descuidando lo más necesario.

24. »Tu hermana ha elegido la mejor parte, una parte que nadie le puede arrebatar».

Capítulo 137

Jesús y sus discípulos van a un lugar retirado para orar. Jesús enseña a Lázaro a rezar. La oración perfecta. Valor de la oración constante. Parábola de la mujer tenaz.

1. Al atardecer Jesús, Pedro, Santiago, Juan y Lázaro fueron a las afueras de la ciudad para rezar. Y Lázaro le pidió: «Enséñame a rezar».

2. Y Jesús dijo: «La oración que enseñé a los doce cuando estábamos en Galilea es aceptable para Dios; cuando oréis simplemente decid:

3. »Padre-Dios nuestro que estás en los cielos; santo es tu nombre; venga a nosotros tu reino; hágase tu voluntad así en el cielo como en la tierra.

4. »Danos hoy el pan que necesitamos.

5. »Ayúdanos a olvidar las deudas que nos deben; que nuestras propias deudas sean perdonadas.

6. »Y protégenos de las provocaciones del tentador que sean demasiado grandes de sobrellevar.

7. »Y cuando vengan, danos fuerzas para vencerlas».

8. Jesús dijo: «La respuesta a vuestra oración quizá no venga inmediatamente.

9. »Pero no os descorazonéis; repetid una y otra vez vuestra oración, pues Dios la oirá».

10. Entonces contó una parábola. Dijo: «Una mujer estaba sola en su casa de noche y he aquí que llegaron huéspedes, que tenían mucha hambre, pues no habían probado bocado en todo el día.

11. »La mujer no tenía pan; así pues, a medianoche fue a llamar a una amiga y le dijo: "Préstame tres panes, pues me han llegado huéspedes y no tengo nada para darles de comer".

12. »La amiga contestó: "¿Por qué me importunas a medianoche? La puerta está cerrada y mis niños están conmigo, no puedo levantarme a darte pan; mañana satisfaré tu necesidad".

13. »La mujer suplicó una y otra vez, y como insistió tanto sin hacer caso de la negativa, la amiga se levantó y le dio pan.

14. »He aquí lo que os digo: pedid y recibiréis; buscad con

confianza y hallaréis; llamad y la puerta se os abrirá.

15. »Todo es vuestro; y cuando pidáis, no lo hagáis como un mendigo, sino como un niño, y seréis satisfechos.

16. »Si un hijo pide pan a su padre, el padre no le dará una piedra.

17. »Si pide pescado, no le dará un cangrejo; y si pide un huevo, no le dará un guijarro del arroyo.

18. »Ahora bien, si los hombres carnales dan tan abundantemente a hijos de su carne, ¿no os dará el Padre celestial en abundancia cuando le recéis?».

CAPÍTULO 138

Los cristianos en Jerusalén. Encuentran a un ciego de nacimiento. Jesús da una lección sobre la causa de las enfermedades y las catástrofes. Cura al ciego y éste lo defiende en la sinagoga ante los sacerdotes.

1. El Señor fue a Jerusalén con Pedro, Santiago y Juan; era el día del sábado.

2. Mientras iban caminando vieron a un hombre que no podía ver: era ciego de nacimiento.

3. Pedro dijo: «Señor, si la enfermedad y las imperfecciones son causadas por el pecado, ¿quién fue el pecador en este caso: los padres o él mismo?».

4. Y Jesús respondió: «Los dolores son pagos parciales de una o más deudas contraídas.

5. »Hay una ley de recompensa que nunca falla y se resume en esta regla de la vida:

6. »Todo lo que el hombre haga a otro, otro hombre le hará a él.

7. »En esto encontramos el significado de la ley judía expresado en las palabras: diente por diente y vida por vida.

8. »Quien injurie a alguien de pensamiento, palabra u obra será considerado un deudor ante la ley, y otro le injuriará a él de igual modo en pensamiento, palabra u obra.

9. »Y quien derrame la sangre de cualquier hombre llegará el tiempo en que su sangre también será derramada por otro hombre.

10. »El dolor es una celda en la cual el hombre debe permanecer hasta que haya pagado sus deudas, o bien hasta que un maestro lo libere para que tenga una oportunidad mejor de pagarlas.

11. »El dolor es un signo seguro de que uno tiene deudas que pagar.

12. »¡Mirad a este hombre! Una vez en otra vida fue un hombre cruel y destruyó brutalmente los ojos de uno de sus semejantes.

13. »Los padres de este hombre una vez vieron a un pobre ciego y lo echaron de su puerta».

14. Entonces Pedro preguntó: «¿Acaso borramos las deudas de otros hombres cuando los curamos mediante la Palabra, los liberamos de sus espíritus impuros o los rescatamos de cualquier clase de desgracia?».

15. Y Jesús respondió: «Nosotros no podemos pagar las deudas de ningún hombre, pero por la Palabra podemos aliviarlo de sus aflicciones y desgracias.

16. »Y podemos liberarlo, para que pueda pagar las deudas que debe, dando su vida en voluntario sacrificio por los hombres u otros seres vivientes.

17. »Podemos liberar a este hombre para que pueda servir mejor a la raza humana y pague sus deudas».

18. Entonces Jesús llamó al hombre y le preguntó: «¿Quieres ser libre? ¿Quieres recobrar la vista?».

19. El hombre replicó: «Todo lo que tengo lo daría con agrado si pudiera ver».

20. Y Jesús tomó saliva y un poco de barro, hizo un ungüento y lo puso en los ojos del viejo.

21. Pronunció la Palabra y dijo: «Ve a Siloam y lávate; mientras te lavas, di Jahhevahe. Haz esto siete veces y podrás ver».

22. El hombre fue conducido hasta Siloam; se lavó los ojos, dijo la Palabra e instantáneamente sus ojos se abrieron y vio.

23. La gente que había visto al hombre durante muchos años mendigando y sentado al borde del camino quedó muy sorprendida al comprobar que veía.

24. Se decían: «¿No es este hombre el ciego de nacimiento

Job, que solía mendigar por los caminos?».

25. Él los oyó hablar entre ellos y les dijo: «Sí, soy el mismo».

26. La gente le preguntó: «¿Cómo te curaste? ¿Quién te abrió los ojos?».

27. Él les respondió: «Un hombre al que llaman Jesús hizo un ungüento con saliva y barro, me lo puso en los ojos y me ordenó decir una palabra y bañarme en Siloam siete veces».

28. Cierto escriba pasaba por allí y vio al hombre y le oyó decir que Jesús, con la Palabra, había abierto sus ojos.

29. Así pues, llevó al hombre a la sinagoga para que relatase la historia a los sacerdotes, quienes interrogaron al hombre sobre el milagro.

30. El hombre replicó: «Nunca vi la luz hasta este día, pues era ciego de nacimiento.

31. »Esta mañana estaba sentado cerca de Siloam y un hombre que nunca había visto me puso en los ojos un ungüento que la gente dice que era barro; él me mandó decir una palabra y lavarme los ojos con agua siete veces. Hice lo que me había ordenado y pude ver».

32. Un escriba preguntó al hombre: «¿Quién fue el que te abrió los ojos?».

33. El antiguo ciego replicó: «Algunos dicen que su nombre es Jesús y que viene de Galilea, pero otros dicen que es el hijo de Dios».

34. Un fariseo se levantó y dijo: «Hoy es sábado; un hombre que hace una obra como ésta, sin guardar el sábado, no puede ser el hijo de Dios».

35. Algunos de los sacerdotes estaban muy sorprendidos y afirmaron: «Un hombre malvado jamás podría haber hecho un milagro así; debe de poseer el poder de Dios». De este modo discutían entre ellos.

36. Preguntaron a aquel hombre: «¿Qué piensas de este hombre de Galilea?».

37. Y él espondió: «Es un profeta enviado por Dios».

38. Muchos judíos no creyeron que aquel hombre había sido ciego de nacimiento y dijeron: «No existe poder que pueda abrir los ojos de un ciego de nacimiento».

39. Y entonces llevaron a sus padres ante los fariseos para que dieran testimonio de él.

40. Dijeron: «Este es nuestro hijo, que nació ciego. No sabemos cómo ha obtenido la visión; él es mayor y os lo puede decir, preguntadle».

41. Pero tenían miedo de decir lo que creían —que Jesús era el Cristo, venido para manifestar el poder de Dios—, pues temían ofender a los sacerdotes y que los expulsasen de la sinagoga.

42. Los gobernantes dijeron de nuevo: «Este Jesús es un malvado». El hombre que había sido curado se presentó otra vez y respondió:

43. «Este Jesús puede ser un pecador o un santo, no lo sé; pero hay algo que sí sé: antes estaba ciego y ahora veo».

44. Entonces los escribas y fariseos le injuriaron, diciéndole:

45. «Eres un seguidor de este Galileo. Nosotros seguimos a Moisés y no conocemos a este hombre, ni sabemos de dónde viene».

46. El hombre replicó: «Me asombra que no sepáis de dónde viene. Sin embargo, Él ha abierto mis ojos.

47. »Dios no escucha las oraciones de los pecadores, y debéis saber que no es un malvado pues, si así fuera, no podría emplear el poder de Dios».

48. Los fariseos replicaron: «¡Miserable! ¡Fuiste engendrado y nacido en el pecado, y ahora pretendes enseñarnos la ley a nosotros!». Y lo echaron de la sinagoga.

Capítulo 139

Jesús encuentra e instruye al ciego. Revela los misterios del reino. El rebaño. Se declara a sí mismo pastor. Va a la casa de Masalia, donde reside varios días.

1. Cuando Jesús escuchó lo que había ocurrido y cómo los sacerdotes habían arrojado de la sinagoga al hombre que él había curado, le preguntó:

2. «¿Crees en Dios y en el hijo de Dios?».

3. El hombre respondió: «Creo en Dios, pero ¿quién es el hijo de Dios del que hablas?».

4. Y Jesús respondió: «El hijo de Dios es el que te está hablando».

5. Entonces el hombre preguntó: «¿Por qué dices el hijo de Dios? ¿No hay más que uno?».

6. Y Jesús contestó: «Todos los hombres son hijos de Dios por nacimiento; Dios es el Padre de la raza humana; pero no todos son hijos de Dios por fe.

7. »Aquel que alcanza la victoria sobre sí mismo es por fe el hijo de Dios, y quien te está hablando la ha alcanzado y por eso es llamado hijo de Dios, pues él es el modelo para los hijos de los hombres.

8. »Quien cree y hace la voluntad de Dios es hijo de Dios por fe».

9. El hombre, lleno de gozo, exclamó: «Señor, creo en Dios y en el hijo de Dios».

10. Y Jesús dijo: «He venido para abrir las puertas de las prisiones y hacer que los ciegos vean, pero los fariseos son ciegos de nacimiento.

11. »Y cuando pongo el bálsamo de la verdad en sus ojos, les mando que vayan a lavarse y pronuncio ante ellos la sagrada Palabra, no vienen a mí, pues aman las tinieblas».

12. Una gran muchedumbre se apiñaba junto al Señor, y él se acercó y dijo:

13. «Hombres de Israel, os digo: el redil de Dios es grande; sus paredes son fuertes y tienen una puerta en el este, y aquel que no entra en el redil por la puerta, sino que se mete por otro sitio, es un ladrón que viene a robar.

14. »El pastor de las ovejas se acerca a la puerta y dice la contraseña; llama y el vigilante le abre las puertas.

15. »Y entonces el pastor llama a sus ovejas por su nombre; ellas escuchan su voz, le siguen y entran por la puerta del redil.

16. »Las ovejas no conocen la voz del extraño; no le seguirán, sino que huirán de él».

17. La gente no comprendió la parábola que Jesús había contado, y él les dijo:

18. «Cristo es la entrada del redil; yo soy el pastor de las ovejas, y aquel que me sigue a través de Cristo entrará en el redil donde fluyen las aguas vivientes y se encuentran los pastos abundantes.

19. »Vendrán falsos profetas que pretenderán ser los pastores del rebaño; dirán que conocen el camino, pero desconocen la palabra del poder. El vigilante no les abrirá la puerta y las ovejas no acudirán a su llamada.

20. »El pastor de las ovejas dará su vida para salvar a su rebaño.

21. »Cuando los lobos infestan el redil, el pastor asalariado huye para salvar su vida, y entonces los corderos pequeños son devorados y el rebaño dispersado.

22. »Yo soy el pastor; conozco las ovejas de Dios y ellas conocen mi voz, igual que Dios me conoce a mí y yo le conozco a Él.

23. »El padre me ama con un amor inmortal, pues yo doy mi vida por mis ovejas.

24. »Yo doy mi vida cuando quiero y puedo recuperarla de nuevo, pues todo hijo de Dios tiene el poder, por fe, de dejar a un lado su carne mortal y recuperarla de nuevo. Éstas son las palabras que he recibido de Dios».

25. Las gentes discutieron de nuevo entre sí; estaban divididos en sus pareceres con respecto al Cristo. No podían comprender las palabras que Jesús había pronunciado.

26. Algunos decían: «Es un poseído o está loco; ¿por qué escuchar sus palabras?».

27. Otros en cambio replicaban: «Sus palabras no son las de un poseído. ¿Acaso pueden los espíritus impuros abrir los ojos de un ciego de nacimiento?».

28. Después de ese hecho, Jesús dejó Jerusalén y permaneció varios días con Masalia.

CAPÍTULO 140

Jesús y los tres discípulos regresan a Cafarnaún. Jesús recibe el mensaje de los setenta. Recorre toda Galilea con sus discípulos inspirando a los creyentes. Cura a una mujer. Relata la parábola de la pequeña semilla y el gran árbol.

1. Llegó el momento de la vuelta de los tres elegidos y de los otros diez que Jesús había enviado a predicar a tierras lejanas.

2. Y Jesús, Pedro, Santiago y Juan comenzaron su viaje de retorno a Galilea.

3. Atravesaron Samaria y pasaron por muchos pueblos y ciudades; en todas partes las gentes se aglomeraban para ver al hombre de quien habían predicado los setenta, y Jesús enseñaba y curaba a los enfermos.

4. Y cuando llegaron a Cafarnaún, los setenta que estaban allí se llenaron de gozo y dijeron:

5. «El Espíritu del Señor de los ejércitos estuvo con nosotros durante todo el camino, llenándonos con su presencia.

6. »El poder de la sagrada Palabra se manifestó en nosotros: curamos a los enfermos, hicimos que los cojos caminaran, que los sordos oyeran y que los ciegos vieran.

7. »Los mismos demonios temblaron cuando pronunciamos la Palabra y se sometieron».

8. Y Jesús dijo: «Mientras caminabais, los cielos se iluminaron y la tierra se llenó de luz; parecía que se encontraba y se fundía en uno, y vi a Satanás cayendo de los cielos, como un relámpago.

9. »Estad alerta, pues tenéis poder para pisar serpientes y escorpiones, y éstos son los símbolos de los enemigos de los hombres. Estáis protegidos en el camino del bien y nada os puede dañar.

10. »Y mientras caminabais, oí decir al Maestro. "Bien hecho".

11. »Pero no podéis regocijaros porque por la Palabra tengáis el poder de curar a los enfermos y hacer que los demonios tiemblen, pues tal regocijo proviene del ser carnal.

12. »Regocijaos cuando las naciones de la tierra tengan oídos para oír la Palabra, ojos para ver la gloria del Señor y corazones para sentir la respiración interior del Santo Aliento.

13. »Y podéis estar contentos, pues vuestros nombres están escritos en el Libro de la Vida».

14. Entonces Jesús miró al cielo y dijo: «Te doy gracias, Padre, Señor del cielo y de la tierra, porque te has revelado a los niños y les has enseñado a iluminar el camino y guiar a los sabios hacia ti.

15. »Lo que tú me diste yo se lo he dado a ellos, y mediante

la sagrada Palabra les he otorgado un corazón comprensivo.

16. »Para que así puedan conocerte y venerarte a través del Cristo, que fue, es y por siempre será».

17. Y entonces les dijo aparte a los setenta y a los doce: «Benditos son vuestros ojos por ver lo que veis.

18. »Y benditos son vuestros oídos por oír lo que oís.

19. »Y benditos son vuestros corazones porque comprendéis.

20. »En edades pasadas los sabios de la tierra, profetas, videntes y reyes desearon oír, ver y conocer lo que vosotros habéis oído, visto y conocido; pero no lo consiguieron».

21. Y Jesús les dijo de nuevo: «He caminado junto a vosotros durante muchas lunas y os he dado el pan del cielo y la copa de la vida.

22. »He sido vuestro sostén y vuestro soporte; pero ahora que conocéis el camino y tenéis la fuerza para manteneros solos, os digo: mirad, voy a dejar mi cuerpo para ir hacia aquel que es el Todo.

23. »En cuarenta días nos dirigiremos a Jerusalén, donde encontraré el altar del Señor y daré mi vida en voluntario sacrificio por los hombres.

24. »Levantémonos, recorramos todas las costas de Galilea y saludemos con alegría a todos los hijos de Dios en la fe».

25. Entonces se levantaron y partieron; entraron en cada ciudad y pueblo de la costa, y en todas partes decían: «Las bendiciones del Cristo estén con vosotros para siempre».

26. En una ciudad subieron a la sinagoga el día del sábado y Jesús enseñó.

27. Y mientras hablaba, los hombres le acercaron en una camilla a una mujer completamente encorvada a causa de una enfermedad; no se había levantado de la cama sin ayuda desde hacía dieciocho años.

28. Jesús posó su mano sobre la mujer y dijo: «Levántate, queda libre de tu enfermedad».

29. Y mientras él pronunciaba la Palabra, la mujer se encontró enderezada y llena de fuerza; se levantó, caminó y dijo: «Alabado sea Dios».

30. El jefe de la sinagoga estaba enfurecido, pues Jesús había curado en sábado.

31. Pero no se atrevió a censurarlo abiertamente, sino que, volviéndose a las multitudes, dijo:

32. «Hombres de Galilea, ¿por qué rompéis las leyes de Dios? Cada semana tiene seis días para que podáis trabajar y traer a los afligidos para que sean curados.

33. »Éste es el día que Dios ha bendecido, el día del sábado, en el cual los hombres no deberán trabajar».

34. Y Jesús respondió: »¡Fariseos y escribas hipócritas! Sacáis de las cuadras a vuestros animales de carga en sábado y les dais de comer y beber; ¿acaso no es esto un trabajo?

35. »Esta hija de vuestro padre Abraham, que ha estado enferma durante dieciocho años, ha acudido con fe para ser liberada.

36. »Decidme: ¿es un crimen romper sus ataduras y liberarla en sábado?».

37. El jefe de la sinagoga se enfureció y toda la gente se alegró y exclamó: «¡He aquí al Cristo!».

38. Y Jesús les contó una parábola. Dijo: «El reino del Cristo se asemeja a una pequeña semilla que se entierra en el suelo.

39. »Crece y al cabo de muchos años se convierte en un gran árbol, y muchas gentes pueden descansar bajo su sombra, y los pájaros hacen sus nidos y alimentan a sus crías entre sus frondosas ramas».

CAPÍTULO 141

Jesús pronuncia palabras de aliento. Reprende a un fariseo entrometido. Asiste a un banquete de bodas. Cura a un enfermo de gota. Reprende a los invitados que buscan los asientos de honor. Relata la parábola del banquete de bodas.

1. Jesús partió a otra ciudad de la costa y pronunció palabras de ánimo para aquellos que le seguían.

2. Y uno, adelantándose, preguntó: «Señor, ¿son pocos los que entran en la vida?».

3. Y Jesús respondió: «El camino que conduce a la vida es escabroso; la fuente es estrecha y bien guardada. Pero todo aquel que busque con fe encontrará

el camino, y aquellos que conozcan la Palabra podrán entrar.

4. »Muchos buscan el camino por motivos egoístas; llaman a la puerta de la vida, pero es en vano.

5. »El vigía desde la torreta dice: "No os conozco; vuestra forma de hablar es la de Ashdod, y vuestros vestidos son los del pecado; partid y seguid vuestro camino".

6. »Y se irán entre llantos y rechinar de dientes.

7. »Y se enfurecerán cuando vean a su padre Abraham con Isaac, Jacob y los profetas, descansando en el reino de Cristo, y se vean a sí mismos excluidos.

8. »Mirad: os digo que acudirán hombres de lejanos países, del este, del oeste, del norte y del sur, y se sentarán conmigo en la conciencia de la vida.

9. »Y os digo que los últimos serán los primeros, y los primeros serán los últimos.

10. »Todos los hombres son llamados al reino de Cristo; pero pocos los elegidos, pues sólo los puros de corazón pueden ver al rey».

11. Y mientras hablaba, un fariseo se levantó y dijo: «Hombre de Galilea, si quieres salvar tu vida no te quedes aquí; huye inmediatamente, pues Herodes ha jurado matarte y sus oficiales te están buscando».

12. Pero Jesús replicó: «¿Por qué los fariseos se preocupan tanto por mi vida?». Y entonces le dijo al hombre que había hablado:

13. «Ve y dile a ese zorro taimado que yo curo a los enfermos y arrojo los espíritus impuros hoy, mañana y los días venideros, y que luego compareceré.

14. »Ve y dile que nada temo en Galilea, pues será en Jerusalén donde deberé enfrentarme a la ira cruel de los hombres».

15. Mientras permanecían en aquel lugar un fariseo invitó a Jesús y a unos pocos de sus seguidores a cenar con él el día del sábado para celebrar el matrimonio de su hijo.

16. Entre los invitados había uno afligido por la enfermedad de la gota.

17. Y Jesús dijo a aquellos que habían sido enviados para acusarle de algún crimen por sus propias palabras:

18. «Vosotros, abogados y fariseos, ¿qué decís sobre faltar a

la ley por curar en sábado? Aquí hay un hombre, uno de los vuestros, que está dolorosamente afligido.

19. »¿Acaso debo, mediante el poder de Dios, pronunciar la Palabra que sana y mirar a este hombre?».

20. Los abogados y fariseos enmudecieron, no contestaron nada.

21. Entonces Jesús pronunció la Palabra curadora y sanó al hombre, que se fue lleno de alegría.

22. Jesús dijo de nuevo a los abogados y fariseos: «¿Quién de vosotros que tenga un caballo o una vaca, si cayera en un pozo en sábado, no llamaría a sus amigos para que le ayudaran a sacarla?».

23. Ninguno se atrevió a responder.

24. Y Jesús miró a los invitados de la fiesta y, al verlos agolpándose para conseguir los mejores asientos, los reprendió:

25. «Hombres egoístas, ¿por qué lucháis para conseguir los mejores puestos cuando sois tan sólo huéspedes invitados? No demostráis a nuestro anfitrión la cortesía de la vida.

26. »Cuando sois invitados a un banquete de bodas, os deberíais sentar en los asientos más humildes hasta que el anfitrión os coloque donde él desee.

27. »Quizá podáis, sin ser invitados, tomar el mejor asiento; pero cuando un hombre más honorable venga y el anfitrión os invite a levantaros y tomar un lugar peor para que así él pueda honrar a su mejor invitado, no podréis evitar el sonrojaros de pura vergüenza en vuestra humillación.

28. »Pero si tomáis el asiento más bajo y después sois honrados por vuestro anfitrión a colocaros en un asiento superior, seréis estimados como huésped honorable.

29. »En este hecho apreciamos un principio de la vida: que quien se exalte a sí mismo será humillado y quien se humille será exaltado ante los hombres».

30. Entonces Jesús habló a todos los invitados y les dijo: «Cuando uno de vosotros haga una fiesta no debería ser para los amigos, parientes o ricos.

31. »Pues ellos consideran tal cortesía un préstamo que se les hace y se sentirán llamados

a celebrar una fiesta más grande para vosotros, tan sólo para pagar la deuda.

32. »Cuando hagáis una fiesta, invitad a los pobres, a los cojos y a los ciegos; en esto os espera una bendición, pues bien sabéis que no conseguiréis nada a cambio; mas, en la conciencia de ayudar a aquellos necesitados, seréis recompensados».

33. Y entonces contó una parábola: Dijo: «Un hombre rico preparó una fiesta; envió a sus sirvientes para que invitaran a sus elegidos; mas éstos no deseaban asistir a ella y se excusaron del modo que pensaron que iba a satisfacer la voluntad del anfitrión.

34. »Uno dijo: "Acabo de comprar tierras y debo ir para demostrar mi título de pertenencia; ruego ser excusado".

35. »Otro dijo a su vez: "Debo ir a demostrar mi propiedad sobre unas ovejas que he comprado; ruego ser excusado".

36. Y un tercero afirmó: "Hace muy poco tiempo que me he casado, así que no puedo ir; ruego ser excusado".

37. »Y cuando los sirvientes volvieron y contaron al hombre que había preparado la fiesta que aquellos que había invitado no asistirían...

38. »El hombre sintió pena en su corazón; y entonces envió a sus sirvientes a las calles y callejuelas de la ciudad para que llevasen a la fiesta a los pobres, los lisiados y los ciegos.

39. »Los sirvientes partieron, encontraron a los pobres, lisiados y ciegos, y los llevaron a casa; pero aún quedaba espacio para más gente.

40. »El anfitrión entonces envió a sus soldados para que obligasen a la gente a ir a su fiesta; y entonces la casa quedó repleta.

41. »Dios ha hecho una fiesta para los hombres. Hace muchos años envió a sus sirvientes para que llamaran a los hijos favoritos. Aquéllos no escucharon su llamada y no acudieron a la fiesta.

42. »Entonces envió a sus sirvientes a los extraños y a las multitudes; acudieron, pero todavía había espacio para más.

43. »Prestad atención, pues Él enviará a sus ángeles con poderosas trompetas y los hombres serán obligados a acudir a la fiesta».

CAPÍTULO 142

El camino del discípulo, sus dificultades. La cruz y su significado. El peligro de la riqueza. El joven que amaba la riqueza más que a Cristo. Parábola del hombre rico y Lázaro.

1. Jesús y los doce partieron a otra ciudad y, al entrar en ella, dijeron: «La paz sea con vosotros; buena voluntad para todos».

2. Una multitud de gente los seguía y el Maestro les dijo: «Atención, vosotros me seguís por motivos egoístas.

3. »Si queréis seguirme en amor, ser discípulos del Santo Aliento y obtener al final la corona de la vida, debéis abandonar todo lo que pertenezca a la vida carnal.

4. »No os engañéis; escuchad y considerad el precio.

5. »Si uno quiere construir una torre, o una casa, primero se sienta y calcula lo que cuesta para asegurarse de que tiene oro suficiente para terminarla.

6. »Pues sabe bien que si comete un fallo en su empresa, puede perder toda su riqueza y ser el blanco de las burlas.

7. »Si un rey desea conquistar el reino de otro rey, llama a sus hombres de confianza y ellos sopesan bien su poder, pues no medirá sus armas con alguien de poder invencible.

8. »Apreciad bien el sacrificio antes de que comencéis a seguirme, pues representará el abandono de vuestra vida y de todo lo que tenéis.

9. »Si vosotros amáis a vuestro padre, madre, esposa o hijo más de lo que amáis al Cristo, no podéis seguirme.

10. »Si amáis la riqueza o el honor más de lo que amáis al Cristo, no podéis seguirme.

11. »Los senderos de la vida carnal no van hacia lo alto de la montaña, sino que bordean el monte de la vida, y si os dirigís directamente a la puerta superior de la conciencia, atravesaréis los caminos de la vida carnal sin pisarlos.

12. »Y así es como los hombres llevan la cruz; ningún hombre puede llevar la cruz de otro.

13. »Toma tu cruz y sígueme a través de Cristo en el camino del verdadero discípulo; éste es el sendero que conduce a la vida.

14. »Este camino de vida es llamado la perla del más elevado valor, y aquel que la encuentra debe poner todo lo que tiene bajo sus pies.

15. »Mirad, un hombre encontró en cierto campo los indicios de una maravillosa mina de oro, y fue, vendió su casa y todo lo que tenía y compró el campo; entonces se alegró por su riqueza».

16. Pero allí estaban presentes ricos escribas y fariseos que amaban su dinero, sus vínculos y tierras, y se burlaban para menospreciar lo que Jesús había dicho.

17. Entonces Jesús les habló y dijo: «Vosotros sois los hombres que os justificáis ante los hombres; Dios conoce la maldad de vuestro corazón.

18. »Y debéis saber que todo lo que es venerado y exaltado por la mente carnal es una abominación ante los ojos de Dios».

19. Y Jesús se fue y cuando partía un joven corrió, se arrodilló a sus pies y dijo: «Buen maestro, dime lo que debo hacer para obtener la vida eterna».

20. Y Jesús dijo: «¿Por qué me llamas bueno? No hay nadie verdaderamente bueno más que el mismo Dios.

21. »Dios ha dicho: "Si quieres entrar en la vida, guarda los mandamientos de la ley"».

22. El joven preguntó: «¿A qué mandamientos se refería?».

23. Y Jesús contestó: «No matarás, no robarás, no cometerás adulterio, no dirás falso testimonio.

24. »Y amarás a tu Dios con todo tu corazón y al prójimo como a ti mismo».

25. El hombre replicó: «Estas cosas las he observado desde la juventud; ¿qué es lo que me falta aún?».

26. Y Jesús respondió: «Una cosa te falta, tu corazón está sujeto a las cosas terrenas; no eres libre.

27. »Ve, vende todo lo que tienes, da todo tu dinero a los pobres, sígueme y obtendrás la vida eterna».

28. El hombre se afligió por lo que el Maestro le había dicho, pues era rico; escondió su rostro y se fue apenado.

29. Jesús miró a aquel hombre triste y afirmó: «Es muy duro para los hombres de cuantiosas

riquezas cruzar la puerta del reino del alma».

30. Sus discípulos quedaron sorprendidos por lo que había dicho.

31. Él les contestó, diciendo: «Os digo, hombres, que aquellos que confían en las riquezas no pueden confiar en Dios, no pueden entrar en el reino del alma.

32. »Es más fácil para un camello pasar por el ojo de una aguja que para un rico encontrar el camino de la vida». Y sus discípulos preguntaron: «¿Entonces quiénes pueden encontrar el camino? ¿Quiénes pueden ser salvados?».

33. Jesús dijo: «Si el rico diera su oro y el poderoso besara el polvo, Dios los salvaría».

34. Entonces les contó esta parábola:

35. «Un hombre rico vivía espléndidamente. Vestía las prendas más finas que el hombre podía hacer; su mesa estaba repleta de los manjares más caros del país.

36. »Un mendigo, ciego y lisiado, cuyo nombre era Lázaro, acostumbraba a sentarse al lado de la puerta donde estaban los desperdicios de aquella casa para poder así compartir con los perros las sobras de la mesa del hombre rico.

37. »Sucedió que Lázaro murió y los ángeles le llevaron al regazo de nuestro padre Abraham.

38. »El hombre rico también murió y fue enterrado en una costosa tumba; pero abrió los ojos entre los fuegos purificadores y se sintió insatisfecho.

39. »Vio al mendigo descansando tranquilamente en el regazo de su padre Abraham, y en la amargura de su alma exclamó:

40. »"¡Padre Abraham, ten misericordia de tu hijo; estoy atormentado en estas llamas!

41. »Envía a Lázaro, te suplico, para que me dé un poco de agua y así pueda refrescar mi lengua reseca".

42. »Pero Abraham replicó: "Hijo mío, en la vida mortal tuviste las mejores cosas de la tierra y Lázaro tuvo las peores. Tú no le diste ni un vaso de agua, sino que le arrojaste de tu puerta.

43. »La ley debe ser cumplida y Lázaro ahora es consolado mientras que tú estás pagando lo que debes.

44. »Además, hay un gran abismo entre el lugar en que estás y nosotros, y aunque quisiera no podría enviarte a Lázaro, ni tú puedes subir hasta nosotros hasta que hayas pagado tus deudas".

45. »De nuevo el hombre, lleno de angustia, dijo: "Oh, Padre Abraham, te ruego, envía a Lázaro de vuelta a la tierra, a la casa de mi padre, para que pueda contar a mis cinco hermanos que todavía viven los horrores de este lugar, no sea que se reúnan conmigo y no contigo".

46. »Y Abraham contestó: "Tienen las palabras de Moisés y de los profetas; que las escuchen".

47. »El hombre replicó: "No escucharán la palabra escrita; sin embargo, si un hombre volviera del sepulcro podrían creer".

48. »Pero Abraham replicó: "Si ellos no escuchan las palabras de Moisés y los profetas, no se persuadirán ni aunque un resucitado estuviera en medio de ellos"».

49. Y Pedro dijo: «Señor, nosotros hemos dejado todo lo nuestro para seguirte; ¿cuál será nuestra recompensa?».

50. Y Jesús respondió: «En verdad os digo que vosotros, que habéis abandonado todo para seguirme, entraréis con Cristo en una nueva vida escondida profundamente en Dios.

51. »Os sentaréis conmigo en el trono de poder y conmigo juzgaréis a las tribus de Israel.

52. »Y aquel que conquiste el ser carnal y me siga a través de Cristo tendrá cien veces más de la riqueza que tenga en la tierra, y en el mundo venidero obtendrá la vida eterna».

Capítulo 143

Rectitud en las recompensas. Jesús relata la parábola del amo y los trabajadores. Revela las leyes divinas del divorcio. El misterio del matrimonio.

1. El Señor se encontraba junto al mar; las multitudes estaban allí y un hombre se le acercó y le preguntó:

2. «¿Acaso Dios otorga recompensas por una acción como hacen los hombres?».

3. Y Jesús contestó: «Los hombres nunca saben lo que otros hombres han hecho; así de relativa es esta vida.

4. »Puede parecer que un hombre lleva a cabo una gran acción; quizá sea juzgada por los hombres merecedora de gran recompensa.

5. »Otro, en cambio, puede parecer que ha fracasado en los campos de cosecha de la vida, y puede ser deshonrado ante los ojos de los hombres.

6. »Los hombres desconocen los corazones de sus semejantes; sólo Dios los conoce y cuando el día llegue, él recompensará con la vida al hombre que cayó bajo las cargas diarias y arrojará afuera al que era el ídolo de los corazones de los hombres».

7. Y entonces contó una parábola y les dijo: «El reino del alma es como un hombre que poseía muchas tierras.

8. »Por la mañana partió a la plaza del mercado a buscar gente para recoger el grano.

9. »Encontró a tres hombres; quedó en dar a cada uno un penique al día por sus servicios y los envió a su campo.

10. »De nuevo fue al mercado en la tercera hora del día, encontró allí a cinco hombres esperando y les dijo: "Id a servir en mi campo y os pagaré lo que es justo"; y ellos fueron y sirvieron.

11. »Partió otra vez; era la hora sexta del día; siete hombres estaban esperando en la plaza y él los envió a servir al campo.

12. »Y en la hora undécima salió de nuevo; doce hombres estaban allí en aparente ociosidad y él les preguntó: "¿Por qué estáis aquí ociosos todo el día?".

13. »Ellos respondieron: "Porque no tenemos ningún trabajo que hacer; ningún hombre nos ha contratado".

14. »Entonces los envió a servir a su campo.

15. »Cuando llegó el atardecer, el hombre dijo a su mayordomo: "Llama a los trabajadores del campo y págales por sus servicios". Y a todos se les pagó, recibiendo cada uno un penique como salario.

16. »Cuando los doce que habían servido sólo desde la hora undécima recibieron cada

uno un penique de sueldo, los otros tres se sintieron dolorosamente agraviados. Dijeron:

17. »"Estos doce sólo han servido una hora escasa y reciben lo mismo que nosotros que hemos trabajado durante las horas calurosas del día; ¿no deberíamos recibir al menos dos peniques como paga?".

18. »El hombre replicó: "Amigos míos, no cometo ninguna falta con vosotros. ¿Acaso no quedamos de acuerdo cuando fuisteis a trabajar? ¿No os he pagado todo?

19. »¿Qué os importa si pago a estos hombres una suma mayor o menor? Tomad lo que es vuestro y marchaos, pues daré a los doce lo mismo que a los tres, los cinco y los siete.

20. »Ellos han hecho lo que han podido y vosotros no habéis hecho más de lo que podéis.

21. »El salario del hombre está basado en el intento de su corazón"».

22. Mientras Jesús predicaba, un fariseo se acercó y le preguntó: «Señor, ¿estás de acuerdo con que un hombre repudie a su esposa?».

23. Y Jesús respondió: «Deberías saberlo; ¿qué dice la ley?».

24. El fariseo replicó: «La ley dice que el hombre puede repudiar a su esposa».

25. Y Jesús dijo: «La dureza de los corazones de los hombres induce a los que hacen la ley a hacer previsiones tales como ésa; pero en un principio no era así.

26. »Dios hizo a la mujer para el hombre, y fueron uno; y después dijo: "El hombre abandonará a su padre y a su madre y se unirá a su mujer; ya no estarán divididos; serán uno, una sola carne".

27. »Lo que Dios ha unido ningún hombre puede separar».

28. Cuando salieron hacia la casa, un hombre se tomó la libertad de preguntar otra vez sobre el asunto del divorcio.

29. Y Jesús contestó de nuevo lo mismo que le había dicho al fariseo; y entonces expuso la más alta ley de la vida matrimonial:

30. «Quien repudie a su esposa, a no ser que sea una mujer de mala vida, y tome otra esposa comete adulterio.

31. »La mujer que abandone al hombre, a no ser que sea un libertino y un adúltero, y se convierta en la esposa de otro hombre comete adulterio».

32. Y Tomás preguntó: «¿Qué es el adulterio?».

33. Y Jesús contestó: «El hombre que abriga pensamientos lujuriosos, que codicia a otra mujer que no sea su esposa, es un adúltero.

34. »La esposa que abriga pensamientos lujuriosos y codicia a otro hombre que no esté casado con ella, que no sea su esposo, es una adúltera.

35. »Los hombres no pueden hacer una ley para atar dos corazones.

36. »Cuando dos son atados por amor, no tienen pensamiento de lujuria. La mujer no puede dejar al hombre y el hombre no tiene el deseo de arrojar a su esposa.

37. »Cuando hombres y mujeres abrigan pensamientos lujuriosos y codician cualquier otra carne, no son uno ni están unidos por Dios».

38. Y Felipe preguntó: «Señor, ¿hay alguien que haya sido unido por Dios con los santos lazos del matrimonio?».

39. Y Jesús respondió: «Dios conoce al puro de corazón; los hombres y mujeres lujuriosos no son sino criaturas de ser lujurioso; no pueden unirse entre sí ni unirse con Dios».

40. Nataniel quiso saber: «¿No está bien que los hombres se abstengan de tomar el voto de matrimonio?».

41. Y Jesús dijo: «Los hombres no son puros porque permanezcan solteros. El hombre que tiene lujuria es un adúltero, tenga esposa o no».

42. Y entonces les dijo a todos ellos: «Los hombres conocen algunas cosas porque les son dichas, mientras que no conocen otras hasta que les es abierta la puerta de la conciencia.

43. »Yo hablo de un misterio que ahora no podéis comprender; pero algún día lo comprenderéis.

44. »Un eunuco es un hombre que no incurre en la lujuria; algunos hombres son eunucos de nacimiento, otros lo son por el poder del hombre y otros tantos, por el Santo Aliento, que

los libera en Dios a través de Cristo.

45. »Aquel que esté preparado para recibir la verdad que yo hablo la recibirá».

Capítulo 144

Los cristianos en Tiberio. Jesús habla de la vida interior. Relata la parábola del hijo pródigo. El resentimiento del hermano mayor.

1. Cuando habían viajado por las ciudades y pueblos del país de Galilea, el Señor llegó con sus discípulos a Tiberio, donde encontraron a unos pocos que amaban el nombre de Cristo.

2. Y Jesús les contó muchas cosas sobre la vida interior; pero cuando las multitudes se acercaron, relató una parábola. Dijo:

3. «Cierto hombre con grandes posesiones tenía dos hijos. El hijo más joven creció cansado de la vida del hogar y dijo:

4. »"Padre mío, te ruego que dividas tu riqueza y me des la parte que me pertenece, pues voy a buscar fortuna en otro país".

5. »El padre hizo como su hijo deseaba, y con su riqueza el joven partió hacia tierras extranjeras.

6. »Era un libertino y pronto gastó toda su riqueza en caminos de pecado.

7. »Cuando no le quedaba nada más que hacer, encontró empleo en los campos cuidando cerdos.

8. »Como estaba hambriento y nadie le daba nada de comer, acabó alimentándose con las algarrobas que daba a los cerdos.

9. »Y después de muchos días se dijo a sí mismo: "Mi padre es un hombre rico; tiene una veintena de sirvientes que son bien alimentados mientras que yo, su hijo, estoy en estos campos pasando hambre entre los cerdos.

10. »No espero ser recibido de nuevo como hijo, pero iré a la casa de mi padre y haré confesión de mis malas acciones.

11. »Y diré: 'Padre mío, he venido de nuevo; he malgastado mi riqueza en los caminos del pecado; no merezco ser llamado hijo tuyo.

12. »No pido ser recibido de nuevo como hijo, pero déjame

un lugar entre tus sirvientes donde pueda tener cobijo de las tormentas y tenga lo suficiente para comer'. Sí, eso le diré".

13. »Y se levantó y se encaminó hacia la casa de su padre; al llegar, su madre le vio cuando todavía se encontraba a gran distancia.

14. »(Un corazón de madre puede sentir el primero y más débil anhelo de un hijo errante).

15. »El padre llegó, y caminaron de la mano al encuentro del muchacho, y hubo alegría, gran alegría.

16. »El muchacho trató enconadamente de suplicar misericordia y un lugar entre los sirvientes; pero el amor era demasiado grande para escuchar sus ruegos.

17. »La puerta le fue abierta de par en par y encontró la bienvenida en el corazón de su madre y en el corazón de su padre.

18. »El padre llamó a los sirvientes y les ordenó buscar el vestido más fino para él, las sandalias más escogidas para sus pies y un anillo del oro más puro para lucir en su mano.

19. »Y entonces el padre dijo: "Sirvientes míos, id y matad el ternero cebado; preparad una fiesta, pues estamos alegres.

20. »Nuestro hijo, que creíamos que estaba muerto, está aquí vivo; un tesoro que dábamos por perdido ha sido hallado".

21. »La fiesta fue preparada con celeridad y todos estaban felices, y el hijo mayor, que se hallaba trabajando en un campo distante y no sabía que su hermano había regresado, llegó a casa.

22. »Y cuando se enteró del motivo de toda la felicidad, se sintió ofendido y no quería entrar en la casa.

23. »Su padre y su madre le suplicaron con lágrimas en los ojos que ignorara los caprichos y locuras de su hijo, pero él no quería. Dijo:

24. »"Durante todos estos años he permanecido en el hogar, he trabajado todos los días, no he desobedecido tus órdenes más severas.

25. »Y sin embargo nunca mataste un becerro para mí, ni hiciste una simple fiesta para regocijarme con mis amigos.

26. »Pero cuando tu hijo, este que ha ido derrochando la mitad de tu fortuna en caminos de pecado, vuelve a casa, porque no podía hacer nada más, matas para él el ternero cebado y le preparas una fiesta maravillosa".

27. »Su padre dijo: "Hijo mío, todo lo que tengo es tuyo y siempre estás con nosotros compartiendo nuestras alegrías.

28. »Está bien demostrar nuestro contento cuando tu hermano, quien es muy querido por nosotros y a quien creíamos muerto, regresa vivo a nuestra casa.

29. »Puede haber sido un disipado; puede haberse relacionado con mujeres de mala vida y ladrones, pero aun así es tu hermano y nuestro hijo"».

30. Entonces Jesús dijo a todos los que podían oír: «El que tenga oídos para oír y corazón para comprender entenderá el significado de esta parábola».

31. Y Jesús y los doce apóstoles se fueron a Cafarnaún.

Capítulo 145

Jesús habla del establecimiento del reino cristiano y de la futura venida del Señor. Exhorta a la fe. Parábola del juez injusto. Parábola del fariseo y el publicano.

1. Un grupo de fariseos fueron a hablar con Jesús y dijeron: «Raboni, te hemos oído decir: "El reino está próximo".

2. »Leemos en Daniel que el Dios del cielo formará un reino, y preguntamos: ¿es éste el reino de Dios del que tú hablas? Si es así, ¿cuándo vendrá?».

3. Y Jesús dijo: «Todos los profetas han hablado de este reino de Dios, y está muy próximo; pero los hombres no pueden ver cómo viene.

4. »Nunca puede ser visto con los ojos carnales; está dentro.

5. »Mirad, he dicho, y ahora lo digo de nuevo: nadie más que los puros de corazón pueden ver al rey, y todos los puros de corazón son súbditos del rey.

6. »Convertíos y alejaos del pecado; preparaos, preparaos de verdad; el reino está próximo».

7. Y entonces habló a sus discípulos y dijo: «Las estaciones del hijo del hombre han pasado.

8. »Llegará el momento en que por encima de todo desearéis ver de nuevo uno de estos días; pero no lo podréis ver.

9. »Y muchos dirán: "Mirad, aquí está Cristo" o "mirad, allí está Cristo". No os dejéis engañar; no sigáis sus caminos.

10. »Pues cuando el hijo del hombre venga de nuevo, ningún hombre necesitará señalar el camino; pues como el relámpago ilumina los cielos, así el hijo del hombre iluminará los cielos y la tierra.

11. »Pero, mirad, os digo que muchas generaciones pasarán antes de que el hijo del hombre venga en poder, y cuando venga, nadie dirá: "Mirad, el Cristo está aquí o está allí".

12. »Pero tal como ocurrió antes del diluvio en tiempo de Noé, así ocurrirá. La gente comía, bebía, se regocijaba y cantaba alegremente.

13. »Y no supieron su suerte hasta que el arca fue acabada y Noé entró en ella; pero entonces llegó el diluvio y los barrió a todos.

14. »Así sucedió también en tiempos de Lot; la gente comía, bebía, compraban, vendían, sembraban y cosechaban, andaban por caminos de pecado y no se preocupaban.

15. »Pero cuando el justo Lot salió de las puertas de su ciudad, tembló la tierra bajo las gentes y cayó fuego de azufre del cielo.

16. »Las fauces de la tierra se abrieron y tragaron sus hogares y su riqueza, y todos se hundieron para siempre.

17. »Así será cuando venga el hijo del hombre con su poder.

18. »Os ordeno a vosotros, hombres, como a su tiempo ordenaré a los demás: no intentéis salvar vuestra riqueza, o perderéis vuestras vidas. Id y no miréis atrás a los desmoronados muros del pecado. No olvidéis lo que le sucedió a la mujer de Lot.

19. »Quien trate de salvar su vida la perderá y quien libremente dé su vida en servicio a la vida la salvará.

20. »Entonces vendrá el tiempo de la criba. Dos hombres estarán en la cama: uno será llamado y el otro dejado; dos mujeres estarán trabajando juntas:

una será arrebatada y la otra abandonada».

21. Y sus discípulos le pidieron: «Explícanos esta parábola, ¿o no es una parábola?».

22. Y Jesús dijo: «Los sabios entenderán, pues donde el pan del cielo está, allí encontraréis a los puros de corazón; y donde yazca el cadáver, allí se reunirán las aves de presa.

23. »Pero mirad, yo os digo que antes de que esos días lleguen, el hijo del hombre será traicionado por uno de vosotros y entregado a las manos de los malvados, y él dará su vida por vosotros y por todo el mundo.

24. »Más aún: el Santo Aliento vendrá en poder y os llenará con la sabiduría de los justos.

25. »Y podréis contar esa historia maravillosa en Judea, en Samaria y en los más lejanos países de la tierra».

26. Y entonces, para enseñar que los hombres deben rezar y nunca desfallecer, les contó esta parábola:

27. «Había un juez que no temía a Dios, ni siquiera a los hombres.

28. »Y había una viuda que suplicaba al juez que restaurara las afrentas que había sufrido y la vengara de sus enemigos.

29. »Al principio el juez no la escuchaba, pero después de muchos días, dijo:

30. »"No temo a Dios y no hago caso a los hombres; sin embargo, para que esta viuda no me agote, suplicándome día tras día, la vengaré de sus enemigos"».

31. Cuando los discípulos preguntaron el significado de esta parábola, el Señor replicó: «Los sabios pueden comprender; los necios no tienen necesidad de conocer».

32. Y entonces, para dar una lección a algunos de sus seguidores que creían en ellos mismos y pensaban que eran más santos que otros hombres, contó esta parábola:

33. «Dos hombres fueron a la sinagoga a rezar; uno era fariseo y el otro publicano.

34. »El fariseo se acercó y rezó así consigo mismo: "Oh, Dios, te doy gracias porque no soy como los otros hombres, que son ladrones, injustos y adúlteros.

35. »No soy tampoco como los publicanos. Ayuno dos veces por semana y doy el diezmo de todo lo que gano".

36. »Y el publicano se acercó; no podía siquiera levantar los ojos al cielo. Golpeándose el pecho, decía:

37. »"Oh Señor, sé misericordioso conmigo; soy un pecador ante tus ojos; estoy perdido".

38. »Hombres, os digo que el publicano sabía rezar y fue perdonado.

39. »El fariseo sabía hablar, pero fue condenado.

40. »He aquí que quien se alabe será humillado, y quien no se ensalce será exaltado ante los ojos de Dios».

Capítulo 146

Último encuentro de Jesús con sus discípulos en Galilea. Miriam entona una canción de alabanza. La canción. Los cristianos comienzan su viaje a Jerusalén. Descansan en los arroyos de Enoch. La pregunta egoísta de la madre de Santiago y Juan. Los cristianos llegan a Jerusalén.

1. La misión de Jesús en la tierra de Galilea había concluido, y mandó un mensajero. Muchos acudieron de numerosas ciudades de Galilea para recibir la bendición de su mano.

2. Entre las multitudes que acudieron se encontraba Lucas, un sirio de Antioquía, un experto médico y hombre justo y recto.

3. Teófilo, senador griego ministro de César, estaba también allí, así como muchos otros hombres de honor y renombre.

4. Y Miriam cantó así: «¡Gloria a la Estrella del Día en lo alto!

5. »¡Gloria al Cristo que siempre fue, y por siempre será!

6. »¡Gloria a la oscuridad del país de las sombras! ¡Gloria al amanecer de la paz en la tierra; buena voluntad a los hombres!

7. »¡Gloria al rey triunfante, que lucha con la muerte tirana y gana la batalla sacando a la luz la vida inmortal para los hombres!

8. »¡Gloria a la cruz partida, la lanza mutilada!

9. »¡Gloria al triunfo del alma! ¡Gloria a la tumba vacía!

10. »¡Gloria al que ha sido despreciado por los hombres y rechazado por las multitudes, pues ahora se sienta en el trono de poder!

11. »¡Gloria, pues él ha llamado a los puros de todos los confines de la tierra para sentarse con él en el trono de poder!

12. »¡Gloria al lienzo rasgado! El camino hacia las más altas cortes de Dios está abierto para los hijos de los hombres.

13. »¡Alegraos, oh hombres de la tierra, alegraos y regocijaos!

14. »Traed el arpa y tocad sus más altas cuerdas; traed el laúd y tañid sus notas más dulces.

15. »Pues los que fueron humillados son ahora exaltados en lo alto, y aquellos que caminaban en la oscuridad y en el valle de la muerte son elevados, y Dios y el hombre son uno por siempre jamás.

16. »¡Aleluya, alabad al Señor por siempre! Amén».

17. Y Jesús levantó los ojos al cielo y dijo:

18. «Padre-Dios mío, que la bendición de tu amor, tu misericordia y tu verdad descansen sobre los hombres.

19. »La lámpara les es arrebatada, y si la luz interior no iluminara, tendrían que caminar por caminos de oscuridad y muerte».

20. Entonces Jesús se despidió de todos.

21. Él, su madre, los doce, Miriam, María la madre de los dos discípulos, Santiago y Juan...

22. Y muchas otras almas leales que amaban al Cristo partieron hacia Jerusalén, para celebrar la fiesta judía.

23. Y yendo de camino llegaron a las fuentes de Enoch, cerca de Salem, donde una vez predicó el Precursor.

24. Y cuando estaban cerca de la fuente, María, esposa de Zebedeo y madre de los dos discípulos Santiago y Juan, llegó hasta él y dijo:

25. «Mi Señor, sé que el reino está cercano y quisiera pedirte este deseo: ordena que mis hijos se sienten contigo en el trono, uno a la izquierda y otro a la derecha».

26. Y Jesús le dijo: «No sabes lo que pides».

27. Y entonces, volviéndose hacia Santiago y Juan, dijo: «¿Estáis preparados y sois lo bastante fuertes para beber de la copa que yo beberé?».

28. Ellos contestaron: «Sí, Maestro, somos lo bastante fuertes para seguirte adonde vayas».

29. Entonces Jesús dijo: «Ciertamente beberéis de mi copa; pero yo no soy el que juzgará quién se sentará a mi derecha y quién a mi izquierda.

30. »Los hombres que viven la vida y guardan la fe se sentarán en el trono del poder».

31. Cuando los apóstoles oyeron las súplicas de la madre por sus hijos y se enteraron de que Santiago y Juan estaban buscando favores especiales del Señor, se indignaron y dijeron:

32. «Creíamos con certeza que Santiago y Juan habían dejado el ser egoísta. ¿En quién podemos confiar entre los hijos de los hombres?».

33. Y Jesús llamó a los diez y les dijo: «¡Qué difícil es para los hombres comprender la naturaleza del reino del alma!

34. »Estos dos discípulos no parecen conocer que el gobierno del cielo no es semejante al gobierno de la tierra.

35. »En todos los reinados del mundo los hombres poderosos se exaltan a sí mismos, demuestran su autoridad y gobiernan con leyes de hierro.

36. »Pero vosotros debéis saber que aquellos que gobiernan a los hijos de la luz son los que no buscan poder terreno, sino que dan sus vidas voluntariamente en sacrificio por los hombres.

37. »Quien desee ser grande debe ser el servidor de todos. El asiento más alto en el cielo se halla a los pies del hombre más humilde de la tierra.

38. »Compartí la gloria con nuestro Padre-Dios antes de que los mundos fuesen hechos, y sin embargo vengo a servir a la raza de los hombres y a dar mi vida por ellos».

39. Los cristianos prosiguieron el viaje y llegaron a Jerusalén.

Capítulo 147

Jesús habla a la gente en el templo sobre su función mesiánica. Censura a los judíos por su falsedad. Los judíos intentan apedrearle, pero José los detiene. Los cristianos van a Jericó y más tarde a Bethabara.

1. Muchos judíos de Galilea, Judea y Samaria se hallaban en la fiesta de Jerusalén.

2. El pórtico de Salomón estaba lleno de escribas, fariseos y doctores de la ley, y Jesús caminaba con ellos.

3. Un escriba se acercó a Jesús y dijo: «Raboni, ¿por qué mantienes a la gente esperando en suspense? Si tú eres el Mesías que todos los profetas anunciaron que iba a venir, ¿por qué no nos lo dices abiertamente?».

4. Y Jesús respondió: «Mirad, ya os lo he dicho muchas veces, pero vosotros no me habéis creído.

5. »Ningún hombre que no venga de Dios puede hacer las obras que yo he realizado ni traer la verdad a los hombres como yo lo he hecho.

6. »Lo que he hecho y dicho testifica por mí.

7. »Dios llama a aquellos cuyos oídos han sido afinados para oír la voz celestial; han oído la llamada y han creído en mí, porque Dios da testimonio por mí.

8. »Vosotros no podéis oír la voz de Dios porque vuestros oídos están cerrados. No podéis comprender las obras de Dios, pues vuestros corazones están llenos de egoísmo.

9. »Entrometidos e hipócritas, lleváis a esos hombres que Dios me ha dado a vuestras guaridas y tratáis de envenenarlos con sofismas y mentiras, creyendo que podréis arrebatarlos del redil de Dios.

10. »Os digo que estos hombres son fuertes y no podréis arrebatar ni a uno de ellos.

11. »Y el que me los ha dado, mi Padre, es más grande que todos vosotros, y Él y yo somos uno».

12. Entonces los judíos tomaron piedras para arrojárselas y gritaron: «¡Ya hemos escuchado bastante; echadle de aquí y apedreadle!».

13. Pero José, miembro del gran Sanedrín de los judíos, estaba en el pórtico y se levantó y dijo:

14. «Hombres de Israel, no os precipitéis; dejad esas piedras. La razón es mejor guía que la pasión en momentos como éste.

15. »No sabéis si vuestras acusaciones son ciertas, y si este hombre probase ser el Cristo y vosotros le quitarais la vida, la ira de Dios caería sobre vosotros para siempre».

16. Y Jesús le dijo: «He curado a vuestros enfermos, he hecho que vuestros ciegos vieran, que vuestros sordos oyeran y vuestros lisiados caminaran, y he arrojado espíritus impuros de vuestros amigos.

17. »¿Por cuál de estas grandes acciones queréis tomar mi vida?».

18. Los judíos replicaron: «No te apedreamos por tus obras de gracia, sino por tus viles y blasfemas palabras. No eres más que un hombre y sin embargo dices ser Dios».

19. Y Jesús afirmó: «Un profeta de los vuestros dijo a los hijos de los hombres: "¡Sois dioses!".

20. »Ahora, escuchad: si él puede decir eso a hombres que simplemente escuchan la palabra de Dios, ¿por qué creéis que blasfemo cuando digo que soy el hijo de Dios?

21. »Si no creéis lo que digo, deberíais tener fe en lo que hago, deberíais ver al Padre en estas obras, y saber que yo vivo en Dios-Padre y que el Padre vive en mí».

22. De nuevo los judíos cogieron piedras y le habrían apedreado en el patio del templo; pero él desapareció, abandonó el pórtico y el patio y se fue.

23. Y con los doce marchó hacia Jericó, y después de varios días cruzaron el Jordán y permaneció muchas jornadas en Bethabara.

CAPÍTULO 148

Lázaro muere y Jesús y los doce vuelven a Betania. La resurrección de Lázaro causa gran asombro a los gobernantes de Jerusalén. Los cristianos van a las colinas de Efraín y residen allí.

1. Un día, cuando Jesús y los doce permanecían en silencio en una casa de Araba, un mensajero llegó y dijo:

2. «¡Señor, Jesús, escucha!, tu amigo de Betania está enfermo, se halla en las puertas de la muerte; sus hermanas te apremian a que vayas enseguida».

3. Entonces, volviéndose hacia los doce, el Maestro dijo: «Lázaro ha ido a dormir, debo ir y despertarle».

4. Y los discípulos dijeron: «¿Para qué tenemos que ir si se ha ido a dormir? Se despertará más tarde».

5. Y Jesús afirmó: «Es el sueño de la muerte, pues Lázaro está muerto».

6. Pero Jesús no se apresuró a marchar; permaneció dos días en Araba y entonces dijo: «La hora ha llegado, debemos ir a Betania».

7. Pero sus discípulos le instaron a que no fuera. Dijeron: «Los judíos están esperando tu regreso para matarte».

8. Y Jesús aseguró: «Los hombres no pueden matarme hasta que yo les haya entregado mi vida.

9. »Y cuando llegue la hora yo mismo daré mi vida; ese momento está cerca y Dios sabe lo que es mejor; debo partir».

10. Y Tomás dijo: «Entonces nosotros también iremos; sí, ofreceremos nuestras vidas y moriremos con él». Y se levantaron y partieron.

11. María, Marta, Ruth y muchos estaban llorando en su casa cuando alguien se acercó y dijo: «El Señor ha venido»; pero María no escuchó sus palabras.

12. Ruth y Marta sí le oyeron y salieron a recibir al Señor, que esperaba en la puerta de la ciudad.

13. Y cuando se encontraron con él, Marta dijo: «Has venido demasiado tarde, pues Lázaro ha muerto; si hubieras estado aquí, estoy segura de que no habría muerto.

14. »Pero ahora sé que tienes poder incluso sobre la muerte, y que por la sagrada Palabra puedes hacer resurgir la vida de la muerte».

15. Y Jesús afirmó: «Alegraos, pues Lázaro vivirá de nuevo».

16. Y Marta dijo: «Sé que vivirá otra vez cuando todos los muertos resuciten».

17. Y Jesús aseveró: «Yo soy la resurrección y la vida; el que tiene fe en mí, aunque esté muerto, vivirá.

18. »Y el que esté vivo y tenga una fe viviente en mí nunca morirá. ¿Creéis lo que he dicho?».

19. Y Marta respondió: «Señor, creo que has venido para manifestar el Cristo de Dios».

20. Entonces Jesús dijo: «Vuelve y llama a tu hermana, a mi madre y a las profetisas y diles

que he llegado; aguardaré aquí en la puerta hasta que vengan».

21. Ruth y Marta hicieron como Jesús les había ordenado, y un poco más tarde María y las profetisas se reunieron con el Señor.

22. Y María dijo: «¿Por qué tardaste tanto? Si hubieras estado con nosotros, nuestro querido hermano no habría muerto».

23. Entonces Jesús partió hacia la casa y cuando vio la pena tan grande de todos, se sintió muy apenado y preguntó: «¿Dónde está la tumba en la que yace?».

24. Ellos respondieron: «Señor, ven a verla». Y Jesús lloró.

25. La gente exclamó: «¡Mirad cómo le amaba!».

26. Otros dijeron: «Este Señor que abrió los ojos a un ciego de nacimiento ¿no podría haberle salvado de la muerte?».

27. Pronto la afligida comitiva llegó a la tumba, que era un sepulcro tallado en roca viva con una gran piedra que tapaba la puerta.

28. Y Jesús pidió: «Quitad la piedra».

29. Pero Marta dijo: «Señor, ¿estará bien hacer esto? Nuestro hermano lleva muerto cuatro días; el cuerpo debe de estar corrompido. ¿Estará bien que lo veamos así ahora?».

30. El Señor replicó: «¡Has olvidado, Marta, lo que dije cuando estábamos en la puerta de la ciudad? ¿No dije que ibas a ver la gloria del Señor?».

31. Y entonces removieron la piedra; el cuerpo no estaba corrompido y Jesús, levantando los ojos al cielo, dijo:

32. «Mi Padre-Dios, tú que siempre has escuchado mis oraciones, te doy las gracias, y para que esas multitudes puedan conocer que tú me has enviado, que soy tuyo y que tú eres mío, fortalece la Palabra de poder».

33. Y entonces él pronunció la Palabra, y una voz que las almas podrían comprender dijo: «¡Lázaro, levántate!».

34. Y Lázaro se levantó y salió fuera de la tumba. El sudario estaba sujeto a su cuerpo. Y Jesús dijo:

35. «Desatadle y soltadle».

36. La gente estaba sorprendida y las multitudes confesaron su fe en él.

37. Algunos fueron a Jerusalén y contaron a los fariseos la resurrección del muerto.

38. Los sumos sacerdotes estaban confundidos y dijeron: «¿Qué vamos a hacer? Este hombre hace grandes acciones y si no le impedimos que obre así, todos los hombres le mirarán como a un rey. De esta forma, a través de los romanos, puede tomar el trono, y nosotros perderemos nuestro lugar y nuestro poder».

39. Y entonces los sumos sacerdotes y fariseos se reunieron en consejo y buscaron un plan para matarle.

40. Caifás era el supremo sacerdote y, levantándose, preguntó: «Hombres de Israel, ¿no conocéis la ley?

41. »¿No sabéis que en tiempos como éstos podemos tomar una vida para salvar nuestra nación y nuestras leyes?».

42. Caifás no sabía que Jesús era un profeta que hablaba palabras de verdad.

43. No sabía que había llegado la hora en que Jesús se ofrecería en sacrificio por todos y cada uno de los hombres, por los judíos, los griegos y todo el mundo.

44. Desde ese día en adelante los judíos se reunieron a diario, tramando planes para matar al Señor.

45. Jesús y los doce no se quedaron en Betania, sino que en las colinas de Efraín, cerca de la frontera de Samaria, encontraron una casa donde permanecieron muchos días.

Capítulo 149

Los judíos se reúnen en Jerusalén para celebrar la fiesta. Los cristianos van a Jericó. Jesús cena con Zaqueo. Cuenta la parábola de los diez talentos.

1. La gran pascua de los judíos, la fiesta de primavera, atraía a todo judío fiel a Jerusalén.

2. Diez días antes de la fiesta, el Señor y sus discípulos abandonaron las colinas de Efraín y, por la orilla del Jordán, bajaron a Jericó.

3. Cuando entraban en Jericó, un rico publicano acudió a ver al Señor; pero era muy bajo

de estatura y debido a la gran multitud no podía verle.

4. Había por allí un sicómoro; el publicano subió al árbol y se sentó entre sus ramas.

5. Cuando Jesús pasó, vio al hombre y dijo: «Zaqueo, baja aprisa; hoy me alojaré en tu casa».

6. Zaqueo bajó y recibió al Señor lleno de alegría; pero muchos de la secta más estricta dijeron:

7. «¡Qué vergüenza! Se aloja con Zaqueo, el pecador y el publicano».

8. Sin embargo, Jesús no prestó atención a lo que decían; siguió su camino con Zaqueo, que era un hombre de fe y, mientras caminaban juntos, Zaqueo dijo:

9. «Señor, he tratado siempre de hacer el bien; doy a los pobres la mitad de mis bienes, y si ofendo a alguien, reparo el mal, pagándole cuatro veces más».

10. Y Jesús le dijo: «Tu vida y fe son conocidas por Dios, y las bendiciones del Señor de los ejércitos están contigo y con toda tu casa».

11. Entonces Jesús contó a todos una parábola. Dijo: «Un vasallo de un emperador fue hecho rey, y se marchó a un país extranjero para reclamar sus derechos y tomar el reino.

12. »Antes de partir llamó a diez sirvientes de confianza. A cada uno le dio una libra y dijo:

13. »"Id y emplead estas libras como tengáis oportunidad para que podáis hacer más riqueza para mí". Y después de eso se fue.

14. »Y al cabo de muchos días volvió de nuevo, llamó a los diez y les exigió las cuentas.

15. »El primero se presentó y dijo: "Señor, he ganado para ti nueve libras; tú me diste una y aquí están las diez".

16. »El rey replicó: "Bien hecho, hombre fiel; por haber sido fiel en algo pequeño, puedo juzgar que serás un sirviente fiel en algo más grande.

17. »Te haré gobernador de nueve ciudades importantes de mi reino".

18. »El segundo acudió y dijo: "Señor, he ganado para ti cuatro libras; me diste una y aquí te devuelvo cinco".

19. »El rey replicó: "Tú también me has probado tu lealtad. Te nombro gobernador de cuatro

ciudades importantes de mi reino".

20. »Otro llegó y dijo: "Señor, yo he doblado lo que me diste. Me entregaste una libra y aquí te devuelvo dos".

21. »El rey afirmó: "Has probado tu lealtad; te nombro gobernador de una ciudad importante de mi reino".

22. »Llegó el último y dijo: "Señor, aquí está lo que me diste. Sabía que eras un hombre muy austero, que muchas veces intentabas recoger donde no habías sembrado y estaba muy preocupado, así pues escondí la libra que me diste en un lugar secreto; aquí está".

23. »El rey exclamó: "¡Perezoso! Sabías lo que exigía, que cada hombre hiciese lo mejor que pudiera.

24. »Si eras tímido y temeroso para confiar mi dinero en el mercado, ¿por qué no lo invertiste para que pudiera conseguir mis propios intereses?".

25. »Entonces el rey, volviéndose hacia el administrador de su fortuna, dijo: "Toma esta libra y dásela a aquel que diligentemente ha ganado nueve".

26. »Pues mirad: os digo que quien usa lo que tiene y lo aprovecha tendrá en abundancia; pero quien esconde su talento en la tierra perderá lo que tiene».

Capítulo 150

Jesús cura al ciego bartimeo. Va a Betania con los doce. Las multitudes acuden a recibirle y a hablar con Lázaro.

1. Los cristianos emprendieron su camino hacia Betania y, mientras iban aún por Jericó, se cruzaron con un mendigo sentado a la orilla del camino; era el ciego de Bartimea.

2. Cuando el mendigo oyó pasar a la multitud, preguntó: «¿Qué es lo que oigo?».

3. La gente respondió: «Está pasando Jesús de Nazaret».

4. Y al instante el hombre empezó a gritar: «¡Señor Jesús, hijo de David, quédate! ¡Ten misericordia del pobre ciego bartimeo!».

5. La gente dijo: «Cállate, estáte quieto».

6. Pero el ciego bartimeo le llamó de nuevo: «¡Escúchame, oh hijo de David! ¡Ten misericordia del ciego bartimeo!».

7. Y Jesús se detuvo y pidió: «Traédmelo».

8. Y entonces la gente llevó al hombre ciego al Señor, y mientras lo llevaban le dijeron: «Alégrate, bartimeo, el Señor te está llamando».

9. Y él arrojó su capa a un lado y corrió hasta donde Jesús esperaba.

10. Y Jesús le preguntó: «¿Qué te ocurre, bartimeo?».

11. El hombre ciego contestó: «Raboni, abre mis ojos para que pueda ver».

12. Y Jesús dijo: «Bartimeo, alza la vista; recibe la visión; tu fe te ha curado».

13. Y el hombre al instante recobró la vista, y desde lo más profundo de su corazón exclamó: «¡Gloria a Dios!».

14. Y toda la gente repitió: «¡Gloria a Dios!».

15. Entonces Jesús y los doce siguieron hacia Betania. Faltaban seis días para la fiesta.

16. Y cuando la gente supo que Jesús estaba en Betania acudieron de todos los lugares para verle y oír su voz.

17. Estaban ansiosos de hablar con Lázaro, a quien Jesús había despertado de la muerte.

18. En Jerusalén los sacerdotes y fariseos estaban alerta. Dijeron: «Jesús estará en la fiesta, no debemos permitir que se nos escape de nuevo».

19. Y ordenaron a los suyos que permanecieran alerta para prender a Jesús y matarle.

Capítulo 151

Jesús enseña en la sinagoga. Hace su entrada triunfal en Jerusalén. Las multitudes con los niños cantan sus alabanzas, diciendo: «¡Hosanna al rey!». Los cristianos retornan a Betania.

1. Era el día anterior al sábado, el octavo día del mes Nasán judío, cuando Jesús llegó a Betania.

2. Y en sábado fue a la sinagoga y predicó.

3. Y por la mañana del primer día de la semana, el domingo,

llamó a los doce apóstoles y les dijo:

4. «Hoy iremos a Jerusalén; no tengáis miedo, mi hora aún no ha llegado.

5. »Dos de vosotros iréis al pueblo de Betpage y hallaréis una burra atada a un árbol y un pollino cerca.

6. »Desatad la burra y traédmela aquí. Si alguien os pregunta por qué os la lleváis, simplemente responded: "El Maestro la necesita"; y el propietario vendrá con vosotros».

7. Los discípulos hicieron como Jesús les había ordenado; encontraron la burra y el pollino cerca de una puerta abierta; y cuando desataban la burra, el propietario preguntó: «¿Por qué os lleváis la burra?».

8. Y los discípulos respondieron: «El Maestro la necesita». Entonces el propietario asintió: «Está bien».

9. Llevaron el animal y pusieron sobre él sus capas. Jesús, sentándose sobre la burra, partió hacia Jerusalén.

10. Y multitudes de gente acudieron, llenando el camino, y sus discípulos alabaron al Señor y exclamaron:

11. «¡Tres veces bendito es el rey que viene en el nombre de Dios! ¡Gloria a Dios, paz en la tierra y buena voluntad a los hombres!».

12. Y muchos extendieron sus vestiduras por el camino, mientras otros partían ramas de los árboles y las echaban en el camino.

13. Y muchos niños iban con guirnaldas de hermosas flores y las colocaban a los pies del Señor o las esparcían por el camino, diciendo: «¡Gloria al rey! ¡Viva el rey!

14. »El trono de David se levantará de nuevo. ¡Hosanna al Señor de los ejércitos!».

15. Entre la multitud había fariseos que decían a Jesús mientras pasaba: «Reprende a esta ruidosa muchedumbre; es una vergüenza gritar en la calle de esa manera».

16. El Señor replicó: «Os digo que si ellos callaran, las mismas piedras gritarían».

17. Entonces los fariseos se reunieron y reconocieron: «Nuestras amenazas son vanas, pues todo el mundo le sigue».

18. Cuando Jesús llegó cerca de Jerusalén, haciendo una

pausa, lloró y dijo: «¡Jerusalén, Jerusalén, la ciudad santa de los judíos! Tuya era la gloria del Señor; pero has arrojado al Señor de tus muros.

19. »Tus ojos están cerrados, no puedes ver al Rey; el reino del Señor del cielo y la tierra ha llegado; pero tú no lo comprendes.

20. »Llegará el día en que ejércitos extraños se arrojarán sobre ti, cercándote por todos los lados.

21. »Te destruirán por completo y matarán a tus hijos en las calles.

22. »Y no quedará piedra sobre piedra de tu templo santo, ni palacios y murallas, pues hoy rechazas el ofrecimiento del Dios del cielo».

23. Cuando Jesús y la multitud llegaron a Jerusalén, reinaba una gran agitación y la gente preguntó: «¿Quién es este hombre?».

24. La multitud replicó: «Éste es el rey, el profeta, el sacerdote de Dios, éste es el hombre de Galilea».

25. Pero Jesús no se quedó allí; entró directamente en el pórtico del templo, lleno de gente que se apretujaba para ver al rey.

26. Los enfermos, inválidos, lisiados y ciegos estaban allí, y Jesús se detuvo y posó las manos sobre ellos, curándolos mediante la sagrada Palabra.

27. El templo y sus alrededores estaban llenos de niños que alababan a Dios. Exclamaban: «¡Hosanna al rey! ¡El hijo de David es el rey! ¡Gloria al rey! ¡Loado sea Dios!».

28. Los fariseos se llenaron de furia al oír a los niños cantar así y preguntaron a Jesús: «¿No oyes lo que los niños dicen?».

29. Y Jesús contestó: «Ya lo oigo, pero no habéis leído nunca las palabras de nuestro propio bardo que decían:

30. »"¡De la boca de los niños y lactantes recibes perfecta alabanza!"».

31. Y cuando llegó la tarde, el Señor y sus discípulos partieron a Betania.

CAPÍTULO 152

Jesús reprende a una higuera estéril. Arroja a los mercaderes del templo. Enseña a la gente. Regresa a Betania.

1. Al día siguiente, el lunes, el Maestro y los doce partieron hacia Jerusalén.

2. Y mientras iban caminando, vieron una higuera llena de hijos pero sin fruto alguno.

3. Y Jesús le habló al árbol. Dijo: «Estorbo inútil de la tierra; eres hermosa a la vista, pero eres pura ilusión.

4. »Tomas del suelo y del aire el alimento que los frutales necesitan.

5. »Vuelve a la tierra y sé tú misma el alimento de otros árboles».

6. Cuando Jesús hubo hablado así al árbol, se fue y siguió su camino.

7. Y llegó al templo, que estaba lleno de pequeños mercaderes vendiendo palomas, animales y otras cosas para el sacrificio; el templo era un mercado.

8. Y Jesús, indignado ante esta visión, clamó: «¡Avergonzaos, hombres de Israel! Esto debía ser un templo de oración, pero vosotros lo habéis convertido en una cueva de ladrones. Sacad este pillaje de este lugar santo».

9. Los mercaderes dijeron riendo: «Estamos protegidos en nuestro comercio por los que dictan la ley; no nos vamos a marchar».

10. Entonces Jesús hizo un látigo de cuerdas, como ya lo había hecho una vez, y se lanzó sobre los mercaderes, arrojando todo su dinero por el suelo.

11. Tiró las cajas de las palomas y cortó las ataduras de los corderos, dejándolos libres.

12. Y arrojó a los mercaderes del lugar, y con una escoba limpia y nueva barrió los suelos.

13. Los escribas y sumos sacerdotes estaban llenos de ira, pero temían tocar o tan siquiera reprender al Señor, pues toda la gente le defendía.

14. Y Jesús predicó a la gente durante todo el día y curó a una multitud de enfermos.

15. Y cuando cayó la tarde salió de nuevo para Betania.

CAPÍTULO 153

Los cristianos van a Jerusalén. Ven la higuera seca; su significado simbólico. Jesús enseña en el templo. Es censurado por los sacerdotes. Relata la parábola de la fiesta del hombre rico.

1. El martes a primera hora del día, el Maestro y los doce partieron hacia Jerusalén.

2. Por el camino los apóstoles vieron el árbol al que el Señor había hablado el día anterior, y he aquí que las hojas estaban marchitas, como si hubieran sido quemadas.

3. Y Pedro dijo: «¡Señor, mira el árbol! Sus hojas están quemadas y parece seco».

4. Y Jesús dijo: «Así pasará con aquellos que no den fruto. Cuando Dios los llame para rendir cuentas, soplará sobre ellos y sus hojas, sus palabras vacías, se marchitarán y caerán.

5. »Dios no permitirá que los árboles sin fruto de la vida estorben la tierra, y los arrancará y los arrojará lejos.

6. »Ahora podéis demostrar el poder de Dios. Tened fe en él y podréis mover montañas y hacer que se desmoronen a vuestros pies.

7. »Podréis hablar al viento y a las olas, y os escucharán y obedecerán vuestras órdenes.

8. »Dios escucha la oración que se hace con fe y cuando pidáis con fe recibiréis todo.

9. »No debéis pedir impropiamente; Dios no oirá la oración de ningún hombre que acuda a él con las manos manchadas con la sangre de otros hombres.

10. »Y el que abriga pensamientos envidiosos, y no ama a sus semejantes, puede rezar a Dios siempre que quiera, que él no le escuchará.

11. »Dios no puede hacer por los hombres nada más que lo que ellos hacen por sus semejantes».

12. Y Jesús caminó de nuevo por los patios del templo.

13. Los escribas y sacerdotes estaban muy animados por el consejo de Caifás y los poderosos; así pues llegaron a Jesús y le preguntaron:

14. «¿Quién te dio autoridad para hacer lo que has hecho? ¿Por qué ayer arrojaste a los mercaderes del templo?».

15. Y Jesús les respondió: «Si contestáis a mi pregunta, entonces os responderé: ¿fue Juan el Precursor un hombre de Dios o un hombre sedicioso?».

16. Los escribas y fariseos dudaban en contestarle; entre ellos hablaban así:

17. «Si decimos que Juan era un profeta enviado por Dios, entonces nos dirá:

18. »"Juan dio testimonio de mí, diciendo que yo era el hijo de Dios, ¿por qué no creéis sus palabras?".

19. »Si decimos que Juan era un orgulloso y sedicioso, la gente se enojará, pues creen que era un profeta del Dios viviente».

20. Así pues, le contestaron a Jesús: «No lo sabemos, no te lo podemos decir».

21. Entonces Jesús afirmó: «Si no me lo decís, yo no os diré quién me dio el poder para echar a los ladrones de la casa de Dios».

22. Y les contó una parábola: «Una vez un hombre hizo una fiesta e invitó a todos los hombres ricos y honorables del país.

23. »Pero cuando llegaron, encontraron que la puerta de entrada a la sala del banquete era demasiado baja, y no podían entrar a no ser que agachasen la cabeza y entrasen de rodillas.

24. »Aquella gente no estaba dispuesta a bajar su cabeza o a ponerse de rodillas y se marcharon sin entrar a la fiesta.

25. »Entonces el hombre envió a sus mensajeros para invitar a la gente del pueblo y a los de baja condición a ir a festejar con él.

26. »Éstos acudieron alegremente; agacharon la cabeza, se pusieron de rodillas y entraron en la sala del banquete; estaba lleno y todos se regocijaron».

27. Entonces el Maestro dijo: «¡Mirad, sacerdotes, escribas y fariseos! El Señor del cielo y la tierra ha preparado una suntuosa fiesta, y vosotros habéis sido invitados los primeros.

28. »Pero habéis encontrado la puerta del banquete tan baja que tenéis que poneros de rodillas para poder entrar. Os habéis negado y burlado del rey que hizo la fiesta y os habéis ido.

29. »Pero Dios llama de nuevo; la gente sencilla y de baja condición ha venido en multitudes, ha entrado en la fiesta y todos se regocijan.

30. »Os digo que los publicanos y prostitutas pasan por las puertas del reino del Dios del cielo, y vosotros os quedáis sin poder entrar.

31. »Juan vino a vosotros con rectitud; trajo la verdad, pero no le creísteis.

32. »Mas los publicanos y prostitutas creyeron, fueron bautizados, y ahora han entrado a la fiesta.

33. »Os lo digo, como os lo he dicho incontables veces: muchos son los llamados, pero pocos los escogidos».

Capítulo 154

Jesús enseña en el atrio del templo. La parábola del amo y los malvados labradores. Parábola del banquete de bodas y el invitado sin vestido de bodas.

1. Las multitudes querían oír a Jesús, así pues construyeron una plataforma en el atrio del templo, y Jesús de pie sobre ella enseñó. Habló en parábolas. Dijo:

2. «Un hombre poseía un vasto estado; plantó un viñedo, colocó un cercado a su alrededor, construyó una torre e instaló el lagar para hacer vino.

3. »Dejó el viñedo a sus labradores y se marchó de viaje a un país lejano.

4. »Cuando llegó el tiempo de la vendimia, el hombre envió a un sirviente para recolectar su parte del producto de las vides.

5. »Pero los labradores golpearon al sirviente y, tras darle cuarenta latigazos en la espalda, le arrojaron fuera de la viña.

6. »Entonces el propietario envió a otro hombre para recoger lo suyo. Los ladrones le agarraron y le hirieron fuertemente y, arrojándolo del campo, lo dejaron medio muerto al borde del camino.

7. »De nuevo el dueño envió a un tercer emisario. Pero los labradores lo cogieron, le atravesaron el corazón con una lanza y lo enterraron al otro lado del cercado.

8. »El dueño se sintió ultrajado. Pensó: "¿Qué voy a hacer?". Entonces se dijo: "Esto

haré. Mi único hijo está aquí, lo mandaré a los labradores.

9. »Seguramente le respetarán y me darán lo que es mío".

10. »Envió a su hijo; los labradores reunidos en consejo deliberaron: "Éste es el único heredero de toda esta riqueza; matémosle y toda esta vasta herencia será nuestra".

11. »Lo mataron y lo arrojaron al otro lado del cercado de la viña.

12. »Llegará ese día: el dueño volverá para ajustar las cuentas con los labradores; los cogerá uno por uno y los arrojará al fuego ardiente donde permanecerán hasta que paguen las deudas que deben.

13. »Y pondrá su viñedo al cuidado de hombres honestos».

14. Entonces, volviéndose a los escribas y sacerdotes, dijo: «¿Acaso no dijeron vuestros profetas?:

15. »La piedra que los constructores rechazaron se convirtió en piedra angular del arco.

16. »Vosotros, hombres que aparentáis ser de Dios, al igual que labradores, habéis apedreado y matado a los mensajeros de Dios, a sus profetas videntes, y ahora queréis matar a su hijo.

17. »Os digo que el reino os será arrebatado y se dará a un pueblo que no es pueblo y a una nación que ahora no es nación.

18. »Y hombres cuyo idioma no podéis entender se erguirán entre los vivos y los muertos, mostrando el camino hacia la vida».

19. Los fariseos y sumos sacerdotes montaron en cólera al oír esta parábola y habrían prendido al Señor si no hubiesen tenido miedo de la multitud.

20. Jesús relató otra parábola. Dijo: «El reino es parecido a cierto rey que hizo una fiesta para celebrar el matrimonio de su hijo.

21. »Éste envió a sus sirvientes para avisar a la gente que había sido invitada a la fiesta.

22. »Los sirvientes los avisaron; mas la gente no quería acudir.

23. »Entonces el rey envió otros mensajeros para decirles: "Mirad, mi mesa está ya preparada y mis bueyes y terneros están a punto.

24. »Los manjares más escogidos y los vinos más costosos

están en mi mesa; venid al banquete".

25. »La gente rió, desdeñó su llamada y siguió su camino, unos a su granja, otros a sus negocios.

26. »Y otros agarraron a los sirvientes del rey; los maltrataron ignominiosamente, matando a algunos de ellos.

27. »Entonces el rey envió a sus soldados, que mataron a los asesinos e incendiaron sus casas.

28. »De nuevo el rey mandó otros mensajeros, y les dijo: "Id a todos los rincones de la tierra, a las encrucijadas de los caminos y a las plazas de los mercados y decid:

29. »'Todo el que lo desee puede venir a la fiesta'".

30. »Los sirvientes continuaron llamando a la gente y he aquí que la sala del banquete quedó repleta de invitados.

31. »Pero el rey fue a ver a los invitados y, al ver a un hombre que no llevaba el traje de bodas, le llamó y le preguntó:

32. » "Amigo, ¿por qué estás aquí sin el traje de bodas? ¿Quieres deshonrar así a mi hijo?".

33. »El hombre enmudeció; no respondió nada.

34. »Entonces el rey dijo a los guardianes: "Coged a este hombre, maniatadle los pies y las manos y arrojadle a las tinieblas de la noche".

35. »Muchos han sido llamados, pero quien no se haya puesto el traje de bodas no será considerado invitado».

CAPÍTULO 155

Jesús reconoce la justicia del pago del tributo. Da una lección sobre las relaciones familiares en la vida del más allá. El mayor de los mandamientos es resumido en el amor. Avisa a sus discípulos que estén alerta contra la hipocresía de los escribas y fariseos.

1. Mientras Jesús hablaba, los fariseos se acercaron a preguntarle; pensaban incriminarle con lo que respondiera.

2. Un estricto seguidor de Herodes habló y dijo: «Mi Señor, eres un hombre de verdad; enseñas el camino a Dios e ignoras la personalidad de los hombres.

3. »Dinos, ¿qué piensas que deberíamos hacer nosotros, que somos la semilla de Abraham, pagar tributo al César o no?».

4. Y Jesús, conociendo la maldad de su corazón, dijo: «¿Por qué venís a tentarme de este modo? Enseñadme el dinero del tributo del que habláis».

5. El hombre sacó una moneda con la imagen del César grabada.

6. Y Jesús preguntó: «¿De quién es el nombre y la imagen que están en esta moneda?».

7. El hombre replicó: «Éste es el nombre y la imagen del César».

8. Y Jesús pronunció: «Dad al César lo que es del César y a Dios lo que es de Dios».

9. Y aquellos que le oyeron dijeron: «Ha respondido bien».

10. Entonces un saduceo, que creía que no existía la resurrección de los muertos, se levantó y dijo: «Raboni, Moisés escribió que si un hombre casado muere sin tener hijos, su viuda puede ser la esposa de su hermano.

11. »Ahora bien, en este caso eran siete hermanos y el mayor tenía una esposa que murió sin tener hijos; un hermano suyo se desposó con ella, pero también murió.

12. »Y entonces cada hermano poseyó a la mujer como esposa hasta que al cabo de un tiempo la mujer falleció.

13. »Entonces, ¿cuál de ellos tendrá a esta mujer por esposa el día de la resurrección?».

14. Y Jesús dijo: «Aquí, en este plano de la vida, los hombres se casan sólo para satisfacer sus deseos más egoístas o para perpetuar la estirpe; pero en el mundo venidero, en el día de la resurrección, los hombres no tomarán votos matrimoniales.

15. »Sino que, como los ángeles y los otros hijos de Dios, no se unirán por su propio placer o para perpetuar la estirpe.

16. »La muerte no significa el fin de la vida. El ataúd no es la meta de los hombres, igual que la tierra no es la meta de las semillas.

17. »La vida es la consecuencia de la muerte. La semilla puede parecer que muere, pero de sus restos un árbol despunta a la vida.

18. »Así pues, aunque parezca que el hombre muere, sigue

viviendo, y desde el ataúd despierta a la vida.

19. »Si pudieseis comprender la palabra que Moisés habló sobre la zarza que ardía sin consumirse, sabríais que la muerte no puede destruir la vida.

20. »Y Moisés dijo que Dios es el Dios de Abraham, de Isaac y de Israel.

21. »Dios no es el Dios de los huesos muertos de los hombres, sino del hombre vivo.

22. »Y os digo a todos que aunque el hombre desciende al ataúd, se levantará de nuevo y manifestará la vida.

23. »Pues toda vida está encerrada con Cristo en Dios, y el hombre vivirá mientras Dios viva».

24. Los escribas y fariseos que escucharon al Señor exclamaron: «Dice la verdad»; y se alegraron de que el saduceo hubiera quedado desconcertado.

25. Entonces un honesto escriba se acercó a Jesús y dijo: «Señor, hablas como un enviado de Dios, y quisiera preguntarte:

26. »¿Cuál es el mayor y el primero de los Mandamientos de la Ley?».

27. Y Jesús dijo: «Escucha, oh Israel, el primero es el Señor nuestro es uno, y amarás al Señor con todo tu corazón, con toda tu mente, con toda tu fuerza y con toda tu alma.

28. »Y amarás al prójimo como a ti mismo.

29. »Éstos son los más grandes de los diez, y sobre ellos descansan la ley, los profetas y los salmos».

30. El escriba replicó: «Mi alma es testigo de que dices la verdad, pues el amor cumple la ley y trasciende con mucho a los sacrificios y holocaustos».

31. Y Jesús le dijo: «He aquí que has desvelado un misterio; tú estás dentro del reino y el reino está dentro de ti».

32. Habló entonces a sus discípulos y toda la gente escuchó. Dijo: «Guardaos de los escribas y fariseos que se enorgullecen luciendo vestiduras largas y ricamente adornadas.

33. »Que gustan de ser saludados en las plazas y eligen los puestos de honor en las fiestas, gastan el salario duramente ganado por el pobre para satisfacer sus seres carnales y rezan en

público largas oraciones en voz alta.

34. »Ésos son los lobos que se disfrazan con piel de oveja».

35. Entonces dijo a todos: «Los escribas y los fariseos están sentados por la ley en el asiento de Moisés, y por la ley interpretan la ley.

36. »Así pues, lo que te ordenen hacer hazlo; pero no imites sus obras.

37. »Ellos dicen las cosas que Moisés enseñó; pero hacen igual que Belcebú.

38. »Hablan de misericordia y sin embargo cargan sobre los hombros humanos pesos difíciles de llevar.

39. »Hablan de ayuda, mas no ponen el más ligero esfuerzo por ayudar a sus hermanos.

40. »Llevan a cabo un espectáculo de todo lo que hacen, y sin embargo no hacen sino lucir sus ostentosas vestiduras y amplias filacterias, y sonríen cuando la gente los llama honorables maestros de la ley.

41. »Se contonean y muestran su orgullo cuando la gente los llama padres.

42. »Hombres, escuchad: no llaméis padre a nadie. Solamente el Dios del cielo y de la tierra es el Padre de la raza humana.

43. »Cristo es el jerarca del Supremo, el más alto maestro de los hijos de los hombres.

44. »Si queréis ser exaltados, sentaos a los pies del Maestro y servid. El hombre más grande es el que sirve mejor».

CAPÍTULO 156

Los escribas y fariseos encolerizados. Jesús los reprende por su hipocresía. Se lamenta a causa de Jerusalén. El óbolo de la viuda. Jesús da su mensaje de despedida a las gentes en el templo.

1. Los escribas y fariseos estaban muy enfurecidos; y Jesús dijo:

2. «¡Ay de vosotros, escribas y fariseos hipócritas! Os metéis en el camino y bloqueáis la puerta; no entráis en el reino y desviáis a los puros de corazón que están a punto de entrar.

3. »¡Ay de vosotros, hipócritas escribas y fariseos! Sitiáis el cielo y la tierra para conseguir un prosélito, y cuando lo

habéis conseguido, no es más que un hijo del infierno, como vosotros.

4. »¡Ay de vosotros que os llamáis guías de los hombres!, y no sois más que ciegos, guías de ciegos.

5. »Pues pagáis diezmos del comino, menta y eneldo, y dejáis inacabados los asuntos más pesados de la ley, de la justicia y de la fe.

6. »Filtráis los mosquitos antes de beber; sin embargo, tragáis camellos y animales semejantes.

7. »¡Ay de vosotros, hipócritas escribas y fariseos! Limpiáis y restregáis el exterior de la taza, pero por dentro está llena de excesos, extorsión y suciedad.

8. »Id y limpiad el interior de la taza y entonces los vahos venenosos no mancharán el exterior.

9. »¡Ay de vosotros, hipócritas escribas y fariseos! Sois como sepulcros blanqueados; vuestros vestidos son bellos, pero estáis llenos de los huesos de los muertos.

10. »Ante los hombres parecéis divinos; pero en vuestros corazones alimentáis lujuria, hipocresía y vil iniquidad.

11. »¡Ay de vosotros, hipócritas escribas y fariseos! Construís y adornáis las tumbas de los santos pasados y decís:

12. »"Si hubiéramos vivido cuando estos hombres vivían, los habríamos protegido, no habíamos actuado como nuestros padres hicieron cuando los maltrataron y atravesaron con espada".

13. »Pero vosotros sois los hijos de aquellos que asesinaron a los santos, y no sois un ápice mejor que ellos.

14. »Id y rebasad la medida de vuestros padres, que estaban enfangados en el crimen.

15. »Sois las crías de las víboras. ¿Acaso podríais ser otra cosa que las serpientes del polvo?

16. »Dios ha enviado de nuevo a sus profetas y videntes, a sus sabios y santos, y vosotros los azotáis en el templo, los apedreáis en las calles y los claváis en la cruz.

17. »¡Ay de vosotros!, pues sobre vuestras cabezas caerá la sangre de todos los santos que han sido matados en esta tierra.

18. »Desde el recto Abel hasta Zacarías, hijo de Baquías, que fue asesinado dentro del lugar Santo en el altar del Señor.

19. »Escuchad bien, pues os digo que todo eso recaerá sobre esta nación y la gente de Jerusalén».

20. Y Jesús, mirando alrededor, dijo: «¡Jerusalén, Jerusalén, cruel ciudad de Jerusalén que matas a los profetas en las calles y asesinas a los santos que Dios te ha enviado!

21. »Yo os habría conducido como a niños al redil de Dios; pero no quisisteis.

22. »Rechazasteis a Dios, y ahora vuestra casa está desolada, y no me podréis ver de nuevo hasta que podáis decir:

23. »"Tres veces bendito es el hijo del hombre que viene como hijo de Dios"».

24. Entonces Jesús salió, se sentó detrás del recolector de tributos y observó a la gente mientras pagaban sus diezmos.

25. Un hombre rico llegó y pagó en abundancia; y entonces vio a una pobre viuda que había depositado un cuarto de penique en la caja del dinero.

26. Y dijo a sus discípulos que estaban próximos: «Mirad, esta pobre viuda que ha puesto un ochavo en la caja ha dado más que todos juntos.

27. »Pues ella ha dado todo lo que tenía; los ricos no han dado más que un poco de todo lo que poseen».

28. Un grupo de judíos griegos estaban en la fiesta, y se encontraron con Felipe, que pudo hablar con ellos. Y le dijeron: «Señor, queremos ver al Señor, un tal Jesús, que es llamado el Cristo».

29. Y Felipe los condujo ante Cristo.

30. Y Jesús dijo: «La hora ha llegado; el hijo del hombre está preparado para ser glorificado, y no puede suceder de otra forma.

31. »A no ser que un grano de trigo caiga en la tierra y muera, no puede ser más que un grano de trigo; pero si muere revive de nuevo, y de ahí nacerán un centenar de granos más.

32. »Mi alma está turbada; ¿qué puedo decir?». Y entonces volvió los ojos al cielo y dijo:

33. «Mi Padre-Dios: no quiero pedirte que me alivies de

todas las cargas que debo soportar; sólo te pido la gracia y fuerza para soportarlas, cualesquiera que sean.

34. »Ésta es la hora por la que vine a la tierra. ¡Oh Padre, glorificado sea tu nombre!».

35. Entonces el lugar fue iluminado por una luz más brillante que el sol del mediodía, y la gente retrocedió asustada.

36. Y una voz que parecía venir del cielo dijo:

37. «He glorificado ambos nombres, el mío y el tuyo, y los honraré de nuevo».

38. La gente oyó la voz y algunos exclamaron: «¡Ha sido un trueno lejano!». Otros dijeron: «¡Le ha hablado un ángel!».

39. Pero Jesús replicó: «Esta voz no era para mí, era para vosotros, para que supieseis que vengo de Dios.

40. »El juicio del mundo está próximo; el príncipe de las tinieblas se manifestará y hará lo que tiene que hacer.

41. »El hijo del hombre será levantado de la tierra y arrastrará a todos los hombres hacia él».

42. La gente dijo: «La ley establece que Cristo vive siempre. ¿Cómo puedes decir: "El hijo del hombre será elevado"? ¿Quién es el hijo del hombre?».

43. Y Jesús respondió: «La luz alumbra ahora; caminad en la luz mientras la tengáis.

44. »La oscuridad se acerca; y aquel que camina en la oscuridad no puede encontrar el camino.

45. »De nuevo os digo: caminad en la luz mientras la tengáis, para que los hombres puedan saber que sois los hijos de la luz».

46. Y Jesús, erguido en el pórtico del templo, hizo su última llamada a las multitudes, y dijo:

47. «El que cree en mí cree en Dios que me ha enviado a cumplir su voluntad, y el que ahora me ve contempla a mi Padre-Dios.

48. »Yo soy la luz de este mundo; el que cree en mí caminará en la luz, la luz de la vida.

49. »Hombres que me oís ahora: no os juzgo porque no me creáis.

50. »No he venido a juzgar al mundo, sino a salvarlo.

51. »Dios es el único juez de los hombres; pero lo que yo diga se volverá en contra de vosotros el día que Dios juzgue al mundo.

52. »Pues no hablo por mí mismo, sino las palabras que Dios me ha mandado hablar».

53. Y entonces dijo: «Adiós, Jerusalén; te dejo tus crímenes y tu gloria».

Capítulo 157

Los cristianos en el monte de los Olivos. Jesús profetiza la destrucción de Jerusalén y los terribles desastres que marcarán el final de la era. Exhorta a sus discípulos a la fe.

1. Entonces Jesús, junto con los doce, fue al monte de los Olivos, a las afueras de la ciudad.

2. Y sus discípulos exclamaron: «¡Mirad la maravillosa ciudad de Jerusalén! ¡Sus casas son todas tan hermosas...! ¡Sus templos y altares están revestidos de tanta magnificencia...!».

3. Y Jesús dijo: «La ciudad es la gloria de mi gente, Israel, pero vendrá el tiempo en que piedra tras piedra será demolida, y será la mofa y escarnio de todas las naciones de la tierra».

4. Los discípulos preguntaron entonces: «¿Cuándo ocurrirá esta desolación?».

5. Y Jesús respondió: «El ciclo de la vida humana no estará completo hasta que los ejércitos del conquistador atronen ante sus puertas, entren y hagan correr la sangre a ríos por sus calles.

6. »Y todos los accesorios preciosos del templo, patio y palacios serán destruidos o llevados para decorar los palacios de los reyes.

7. »Estos días no están próximos. Antes de que vengan, seréis maltratados por los escribas y fariseos, los sumos sacerdotes y los doctores de la ley.

8. »Sin causa alguna seréis apedreados en las sinagogas, condenados ante los gobernantes del mundo, y los reyes y gobernantes os sentenciarán a muerte.

9. »Pero no vaciléis y dad testimonio de la verdad y la rectitud.

10. »Y durante esas horas no estéis ansiosos por lo que habréis de decir; no necesitaréis pensar nada.

11. »Pues el Santo Aliento os cubrirá y os dará las palabras que tenéis que decir.

12. »Pero la matanza no cesará, pues los hombres pensarán que matándoos agradan a Dios, y las naciones de toda la tierra os odiarán por amor a Cristo.

13. »Y los hombres incitarán pensamientos malignos entre los vuestros, y ellos también os odiarán y os entregarán a la muerte.

14. »Y los hermanos engañarán a sus hermanos; los padres darán testimonio contra sus hijos y los hijos llevarán a sus padres a la pira funeraria.

15. »Cuando oigáis el águila romana chillando en el cielo y veáis las legiones arrollando las llanuras, sabréis que la desolación de Jerusalén está próxima.

16. »Entonces los sabios no esperarán, sino que huirán. Y aquel que esté junto a su casa no esperará a entrar en ella y recoger su riqueza, sino que escapará.

17. »Y aquel que trabaje en el campo no volverá, sino que dejará a su esposa para salvar su vida.

18. »¡Ay de las madres con hijos pequeños en ese día! ¡Ninguna escapará a la espada!

19. »La tribulación de esos días no puede ser descrita con palabras, pues algo así no ha ocurrido desde que Dios creó al hombre sobre la tierra.

20. »El conquistador se llevará muchos hijos de Abraham como cautivos a países lejanos, y aquellos que no conocen al Dios de Israel hallarán los caminos de Jerusalén hasta que los tiempos antijudíos hayan pasado.

21. »Cuando la gente haya sido castigada por sus crímenes, los días de la tribulación cesarán; pero llegará el día en que el mundo se levantará a luchar como gladiadores en la arena, y lucharán sólo por derramar sangre.

22. »Y los hombres no razonarán; no verán ni se preocuparán por ver el motivo de la matanza, desolación y robos, pues lucharán tanto con amigos como con enemigos.

23. »El mismo aire parecerá cargado de humo y muerte y la pestilencia seguirá a la espada.

24. »Y signos que los hombres nunca vieron aparecerán

en el cielo y en la tierra, en el sol, la luna y las estrellas.

25. »Los mares rugirán, y vendrán sonidos del cielo que los hombres no podrán comprender, y todo esto traerá gran desgracia a las naciones, que quedarán perplejas.

26. »Los corazones de los hombres más fuertes se desmayarán de miedo ante la expectativa de la venida de acontecimientos aún más horribles sobre la tierra.

27. »Pero cuando los conflictos hagan estragos en la tierra y el mar, el Príncipe de la Paz se erguirá sobre las nubes del cielo y dirá de nuevo:

28. »"Paz, paz en la tierra; buena voluntad a los hombres". Y los hombres arrojarán su espadas y las naciones aprenderán a no luchar nunca más.

29. »Y entonces el hombre que lleva el cántaro caminará cruzando un arco del cielo; el signo y la señal del hijo del hombre se levantarán en el cielo de Oriente.

30. »Los sabios levantarán sus cabezas y sabrán que la redención de la tierra está cerca.

31. »Antes de que estos días lleguen, estad alerta, pues falsos Cristos y pobres y engañados profetas surgirán en muchos países.

32. »Y enseñarán signos, harán gran número de portentosas obras y arrastrarán a los que no son sabios; e incluso muchos de éstos serán engañados.

33. »Y de nuevo os digo que cuando los hombres digan: "El Cristo está en el desierto", no acudáis.

34. »Y si dicen: "El Cristo está en un lugar secreto", no lo creáis; pues cuando él venga, el mundo sabrá que ha venido.

35. »Porque como la luz de la mañana viene del este al oeste, así será la venida de la era del hijo del hombre.

36. »Los malvados de la tierra llorarán cuando vean al hijo del hombre bajar poderoso sobre las nubes del cielo.

37. »Estad alerta, estad alerta, os digo, pues no sabéis el día ni la hora en que vendrá el hijo del hombre.

38. »No dejéis que vuestros corazones se sobrecarguen con cosas sensuales ni con las obligaciones de la vida, no sea que el día llegue y no os encuentre preparados.

39. »Vigilad cada estación del año, y rezad para que podáis encontraros con el Señor con alegría y no con pena.

40. »Antes de que estos días lleguen nuestro Padre-Dios mandará a sus mensajeros por todos los confines de la tierra, y ellos dirán:

41. »"Preparaos, preparaos; el Príncipe de la Paz va a venir, y esta vez vendrá sobre las nubes del cielo"».

42. Cuando Jesús hubo hablado así, volvió con sus discípulos a Betania.

CAPÍTULO 158

Jesús y los doce rezan en el monte de los Olivos. Jesús revela a sus discípulos el significado más profundo de las doctrinas secretas. Les dice lo que han de enseñar a la gente. Relata varias parábolas. Vuelve a Betania.

1. La mañana del miércoles había llegado y Jesús, junto con los doce, salieron hacia el monte de los Olivos para rezar; y se entregaron a la oración durante siete horas.

2. Entonces Jesús llamó a los doce a su lado y les dijo: «En este día las cortinas se abrirán y podremos penetrar más allá del velo en los secretos lugares de Dios».

3. Y les reveló el significado del camino oculto, del Santo Aliento y de la luz eterna.

4. Les explicó todo lo referente al Libro de la Vida, los Pergaminos de Grafael y el Libro de los Recuerdos de Dios donde son anotados todos los pensamientos y obras de los hombres.

5. Jesús les hablaba, no en voz alta, sino en un tono bajo, y les contó los secretos de los maestros. Cuando pronunció el nombre de Dios, hubo un gran silencio en las cortes del cielo durante media hora, pues los ángeles hablaron conteniendo la respiración.

6. Y Jesús dijo: «Estas cosas no se pueden decir en voz alta, ni pueden ser escritas: son los mensajes del país del silencio, son las Respiraciones del corazón íntimo de Dios».

7. Y entonces el Maestro enseñó a los doce las lecciones que deberían enseñar a los otros hombres. Y después lo hizo mediante parábolas, y dijo:

8. «Recordad las palabras de ayer acerca de la venida del hijo del hombre; enseñaréis a los demás hombres lo que he hablado y lo que ahora os diré.

9. »Enseñadles a rezar y a no desanimarse; a estar preparados en cada momento del día, pues cuando menos lo esperen, el Señor vendrá.

10. »Un hombre partió a una tierra lejana y dejó su casa con toda su fortuna al cuidado de sus sirvientes; cinco al cargo de la casa y cinco cuidando sus graneros y rebaños.

11. »Los sirvientes esperaron su vuelta durante mucho tiempo, pero él no regresaba y entonces se volvieron descuidados con su trabajo; unos pasaron el rato en juergas y borracheras, y otros se dormían en sus puestos.

12. »Y noche tras noche los ladrones se llevaban la riqueza de la casa y del granero, así como lo más escogido de los rebaños.

13. »Y cuando los sirvientes vieron que una gran parte de la riqueza que debían guardar había sido hurtada, dijeron:

14. »"No podemos ser culpados; si hubiésemos conocido el día y la hora que iba a regresar nuestro señor, podríamos haber guardado bien su riqueza, y no habríamos padecido los robos de los ladrones; ciertamente ha hecho mal en no decírnoslo".

15. »Pero al cabo de muchos días, el señor volvió, y cuando se enteró de que los ladrones le habían robado su riqueza, llamó a sus siervos y les dijo:

16. »"Por haber sido negligentes con lo que se os había dado para hacer y porque habéis pasado el tiempo en juergas y durmiendo, os habéis convertido en mis deudores.

17. »Lo que he perdido a causa de vuestra negligencia me lo debéis". Y acto seguido les dio pesadas tareas para hacer, y los encadenó a sus puestos, donde estuvieron hasta que pagaron todos los bienes que su señor había perdido por su negligencia.

18. »Otro hombre guardó su tesoro y se fue a dormir. Por la noche llegaron los ladrones, abrieron las puertas y, al no ver

guardián alguno, entraron y se llevaron su fortuna.

19. »Y cuando el hombre despertó y encontró las puertas abiertas y que todos sus tesoros habían desaparecido, dijo: "Si hubiera sabido la hora en que iban a venir los ladrones, habría estado en guardia".

20. »¡Alerta, amigos, alerta! Estad preparados a todas las horas, y si vuestro Señor viene a medianoche o al amanecer, no importa, pues estaréis preparados para recibirle.

21. »Mirad, un matrimonio fue anunciado, y diez vírgenes se prepararon para recibir al esposo cuando llegara.

22. »Las vírgenes se vistieron adecuadamente, tomaron sus lámparas y se sentaron esperando a que el vigía dijera: "¡Atención, llega el esposo!".

23. »Cinco de ellas eran sabias y llenaron sus lámparas con aceite; las otras eran necias, pues llevaban las lámparas vacías.

24. »El novio no llegó a la hora prevista y las vírgenes, cansadas de la guardia, se durmieron.

25. »A medianoche se oyó el grito de alerta: "¡Atención, llega el esposo!".

26. »Las vírgenes se levantaron; las sabias rápidamente prepararon las lámparas y salieron a recibir al esposo.

27. »Las vírgenes necias dijeron: "No tenemos aceite, nuestras lámparas no arden".

28. »Intentaron tomarlo prestado de las prudentes, que dijeron: "No tenemos aceite de sobra; id a los mercaderes, y con las lámparas llenas salid a recibir al esposo".

29. »Pero cuando salieron a comprar aceite, el esposo llegó, y las vírgenes que estaban preparadas con sus lámparas encendidas fueron con él al banquete de bodas.

30. »Y cuando las vírgenes necias volvieron, la puerta estaba cerrada y, aunque llamaron y gritaron en voz alta, nadie abrió.

31. »El anfitrión de la fiesta exclamó: "¡No os conozco!". Y las vírgenes se fueron apenadas.

32. »De nuevo os digo, y vosotros a vuestra vez se lo repetiréis a los que os sigan:

33. »Estad preparados cada momento del día y de la noche, pues cuando menos lo esperéis vendrá el Señor.

SECCIÓN XVIII

TZADDI

Traición y arresto de Jesús

CAPÍTULO 159

Los cristianos asisten a una fiesta en la casa de Jesús. María unge al Maestro con un costoso bálsamo y Judas y los demás la reprenden por libertina. Jesús la defiende. Los gobernantes de los judíos emplean a Ananías para arrestar a Jesús. Ananías soborna a Judas para que le ayude.

1. Bar-Simon, leproso curado por Jesús mediante la sagrada Palabra, vivía en Betania.

2. Dio una fiesta en honor del Señor de los cristianos; Lázaro se hallaba entre los invitados y Ruth y Marta servían la mesa.

3. Cuando los invitados se reclinaron en sus asientos, María derramó un frasco de rico perfume sobre la cabeza y pies de Jesús.

4. Y arrodillándose, secó sus pies con su cabello; el olor del exquisito perfume llenó la habitación.

5. Mas Judas, que siempre veía el lado egoísta de la vida, exclamó: «¡Qué vergüenza! ¿Por qué derrochaste ese costoso perfume de esa manera?

6. »Podríamos haberlo vendido por trescientos peniques, y así tener dinero para suplir nuestras necesidades y alimentar a los pobres».

7. (Judas era el tesorero y guardaba todo el dinero de los apóstoles.)

8. Y otros dijeron: «¡Qué derrochadora eres, María! No deberías tirar así el dinero».

9. Pero Jesús dijo: «¡Callaos, hombres, dejadla en paz! No sabéis lo que decís.

10. »Los pobres están siempre con vosotros; en cualquier momento los podéis ayudar; pero yo no estaré mucho tiempo.

11. »Y María, conociendo la amargura de los días venideros, me ha ungido anticipadamente para mi entierro.

12. »El evangelio de Cristo será predicado en todas partes, y el que cuente la historia de Cristo hablará de este día; lo que María hizo en esta hora será un dulce recuerdo para ella dondequiera que los hombres vivan».

13. Y cuando la fiesta hubo acabado, Jesús salió con Lázaro hacia su casa.

14. En Jerusalén los sacerdotes y fariseos estaban ocupados con sus planes para atrapar al Señor y acabar con su vida.

15. El sumo sacerdote llamó a consejo a todos los hombres más sabios y dijo: «Este hecho debe ser realizado en secreto.

16. »Debe ser prendido cuando las multitudes no estén cerca, pues podríamos causar una guerra; las gentes pueden salir en su defensa y manchar este lugar sagrado con sangre humana.

17. »Todo lo que tenemos que hacer debe hacerse antes del gran día de la fiesta».

18. Y Ananías dijo: «Tengo un plan que tendrá resultado. Los doce van con Jesús a rezar solos todos los días.

19. »Encontraremos el lugar de la cita y podremos prender al hombre y traerlo aquí sin conocimiento de las multitudes.

20. »Yo conozco a uno de los doce, un hombre que adora la riqueza, y por una cierta suma creo que nos llevará al lugar donde el hombre acostumbra a rezar».

21. Entonces Caifás dijo: «Si nos llevas hasta él y sobornas al hombre de que hablas para que ayude a prender a Jesús en un lugar secreto, te daremos cien denarios de plata por tus servicios».

22. Y Ananías añadió: «Muy bien».

23. Partió para Betania y encontró a los doce en la casa de Simón. Llamando aparte a Judas, le dijo:

24. «Si te interesa hacerte con una suma de dinero, escúchame:

25. »El sumo sacerdote y los gobernantes de Jerusalén desearían conversar a solas con Jesús, para saber lo que pretende.

26. »Y si les muestra que es el Cristo, se pondrán de su lado.

27. »Si quieres guiarnos hasta donde estará el Maestro mañana por la noche para que envíen a un sacerdote que hable a solas con él, los demás sacerdotes te recompensarán con una suma de treinta monedas de plata».

28. Judas reflexionó para sí y se dijo: «Seguramente estará bien dar al Señor la oportunidad de hablar a solas con los sacerdotes sobre lo que pretende.

29. »Y si los sacerdotes quisieran hacerle daño, tiene el poder de desaparecer y marcharse como ya lo ha hecho antes; además, treinta monedas es una buena suma».

30. Así pues le dijo a Ananías: «Te enseñaré el camino y con un beso te haré saber quién es el Señor».

Capítulo 160

Jesús y los doce comen solos el día de pascua en la casa de Nicodemo. Jesús lava los pies de los discípulos. Judas abandona la mesa y se dispone a traicionar al Señor. Jesús enseña a los once. Establece la Cena del Señor.

1. El jueves por la mañana Jesús llamó a los doce discípulos y les dijo: «Éste es un día para recordar a Dios; tomaremos la cena pascual a solas».

2. Entonces dijo a Pedro, Santiago y Juan: «Id a Jerusalén y preparad la pascua».

3. Y los discípulos preguntaron: «¿Adónde nos dirigiremos para encontrar un lugar donde podamos preparar la fiesta?».

4. Jesús les contestó: «Id a la puerta de la fuente y veréis a un hombre con un cántaro en la mano. Habladle de este modo: "Éste es el primer día del pan ácimo.

5. »El Señor querría que reservaras tu sala del banquete para que él pueda comer su última pascua junto a los doce".

6. »No temáis hablar, pues el hombre que veréis es Nicodemo,

gobernante de los judíos y hombre de Dios».

7. Los discípulos salieron y encontraron al hombre, tal como Jesús había dicho, y Nicodemo corrió hacia su casa; la sala del banquete, una habitación superior, fue reservada y la cena preparada.

8. Al atardecer el Señor y sus discípulos partieron hacia Jerusalén y encontraron el banquete preparado.

9. Y cuando llegó la hora de comer, los doce comenzaron a disputar entre ellos, cada uno ansioso de conseguir los puestos de honor.

10. Y Jesús dijo: «Amigos míos, ¿vais a disputar por motivos egoístas cuando se están acercando las sombras de esta noche de tinieblas?

11. »No hay asiento de honor en el banquete celestial más que para aquel que humildemente toma el asiento más bajo».

12. Entonces el Señor se levantó, cogió una jofaina llena de agua y un paño e, inclinándose, lavó los pies de los doce y los secó con el paño.

13. Insufló sobre ellos y dijo: «Que estos pies caminen rectamente para siempre».

14. Cuando le tocó el turno a Pedro, éste preguntó: «¿Señor, vas a lavar mis pies?».

15. Y Jesús le respondió: «No comprendes el significado de lo que hago, pero ya lo entenderás».

16. Y Pedro dijo: «Maestro mío, no te rebajarás a lavarme los pies».

17. Y Jesús respondió: «Amigo mío, si no te lavo los pies, no tendrás parte conmigo».

18. Y Pedro replicó: «Entonces, Señor, lava mis pies, manos y cabeza».

19. Jesús le contestó: «El que se ha bañado, ya está limpio y no necesita lavarse, excepto los pies.

20. »Los pies son verdaderos símbolos del entendimiento del hombre, y el que quiera estar limpio debe lavar bien su entendimiento todos los días en el arroyo viviente de la vida».

21. Entonces Jesús se sentó con sus discípulos a la mesa del banquete y dijo: «He aquí la lección del momento:

22. »Me llamáis Maestro, eso soy. Si vuestro Señor y Maestro se arrodilla y lava vuestros pies, ¿no deberíais a vuestra vez lavaros los pies los unos a los otros y así demostrar vuestra voluntad de servir?

23. »Ahora sabéis estas cosas, y si las hacéis, seréis tres veces benditos».

24. Entonces dijo: «Éste es un momento en el que verdaderamente puedo alabar el nombre de Dios, pues he deseado ardientemente comer con vosotros en esta fiesta antes de cruzar el umbral.

25. »Pues no comeré más hasta que coma de nuevo con vosotros en el reino de nuestro Padre-Dios».

26. Después todos entonaron la canción hebrea de alabanza que los judíos solían cantar antes de la fiesta.

27. Seguidamente, mientras estaban celebrando la cena pascual, el Maestro dijo: «Hay uno entre vosotros que marchará esta noche para entregarme a manos malvadas».

28. Y los discípulos quedaron sorprendidos por lo que había dicho y se miraron los unos a los otros asombrados. Todos exclamaron: «Señor, ¿acaso soy yo?».

29. Y Pedro preguntó a Juan, que estaba sentado al lado del Señor: «¿A quién se refiere?».

30. Y Juan con su mano tocó la del Señor y le dijo: «¿Quién de nosotros sería tan depravado para traicionar a su Señor?».

31. Y Judas preguntó: «Señor, ¿soy yo?».

32. Y Jesús respondió: «Es el que acaba de poner su mano junto a la mía dentro de la fuente». Todos miraron y la mano de Judas estaba con la de Jesús dentro de la fuente.

33. Jesús habló de nuevo: «Los profetas no pueden errar; el hijo del hombre debe ser traicionado, pero ay de aquel que traicione a mi Señor».

34. Judas se levantó al momento de la mesa; su hora había llegado.

35. Y Jesús le dijo: «Haz pronto lo que tengas que hacer». Y Judas partió.

36. Y cuando hubieron terminado la cena pascual, el Señor se sentó un rato en silencio con los once.

37. Entonces tomó una hogaza de pan entera y dijo: «Esta hogaza es el símbolo de mi cuerpo, y el pan es el símbolo del pan de la vida.

38. »Y así como yo parto esta hogaza, de este modo será desgarrada mi carne como ejemplo para los hijos de los hombres; para que den sus cuerpos en voluntario sacrificio por otros hombres.

39. »Y cuando comáis de este pan, comeréis el pan de la vida y nunca moriréis». Acto seguido dio a cada uno un pedazo de pan para comer.

40. Y entonces tomó una copa de vino y dijo: «La sangre es la vida, es la sangre de la vida de la uva, es el símbolo de aquel que da su vida por los hombres.

41. »Y cuando bebáis de este vino, si lo hacéis con fe, beberéis la vida de Cristo».

42. Entonces bebió y pasó la copa, y los discípulos también bebieron. Jesús dijo: «Ésta es la fiesta de la vida, la gran pascua del hijo del hombre, la Cena del Señor, y vosotros comeréis con frecuencia el pan y beberéis el vino.

43. »De aquí en adelante este pan será llamado el pan del Recuerdo, y este vino será el vino del Recuerdo; y cuando comáis de este pan y bebáis de este vino, recordadme».

Capítulo 161

Jesús enseña a los once. Les dice que todos ellos se apartarán de él y que Pedro le negará tres veces antes de que cante el gallo. Pronuncia palabras finales de aliento. Promete la venida del Consolador.

1. Después de que Judas se hubo marchado para encontrarse con los emisarios de los sacerdotes y para traicionar a su Señor...

2. El Maestro dijo: «La hora ha llegado, el hijo del hombre va a ser glorificado.

3. »Mis pequeñuelos, voy a estar con vosotros muy poco tiempo; pronto me buscaréis y no me encontraréis, pues donde yo voy no podéis venir.

4. »Un nuevo mandamiento os doy: igual que yo os amo

y doy mi vida por vosotros, así tenéis que amar a este mundo y dar vuestra vida por salvarlo.

5. »Amaos los unos a los otros como os amáis a vosotros mismos, y entonces el mundo sabrá que sois los hijos de Dios, discípulos del hijo del hombre a quien Dios ha glorificado».

6. Y Pedro dijo: «Señor, adonde tú vayas iré yo, pues daré mi vida por mi Señor».

7. Y Jesús afirmó: «No presumas de valentía, amigo mío, pues esta noche no eres lo suficientemente fuerte para seguirme.

8. »¡Escucha, Pedro! Me negarás tres veces antes de que cante el gallo mañana por la mañana».

9. Y entonces, mirando a los once, dijo: «Esta noche todos vosotros os apartaréis de mí.

10. »El profeta dijo: "Golpearán al pastor del rebaño y las ovejas huirán, y se esconderán".

11. »Pero después de que haya resucitado de la muerte, vendré de nuevo e iré antes que vosotros a Galilea».

12. Y Pedro afirmó: «Mi Señor, aunque otros hombres te abandonen, yo no te abandonaré».

13. Y Jesús dijo: «¡Simón Pedro, tu anhelo es más grande que tu fortaleza! Alerta, pues Satanás vendrá a tentarte al igual que el trigo se pone al fuego, pero he rezado para que no decaigas en tu fe, para que después de la prueba te erijas como torre inexpugnable».

14. Y todos los discípulos exclamaron: «No hay poder en la tierra que pueda apartarnos de nuestro Señor o hacer que lo neguemos».

15. Y Jesús dijo: «No dejéis que vuestros corazones se entristezcan, pues todos creéis en Dios; así pues creed en mí.

16. »Hay muchos aposentos en la Casa de mi Padre. Si no fuera así, no os lo habría dicho.

17. »Iré a la Casa de mi Padre y os prepararé un lugar para que estéis donde yo estoy. Pero ahora no sabéis el camino».

18. Y Tomás dijo: «No sabemos adónde piensas ir; ¿cómo podemos saber el camino?».

19. Y Jesús respondió: «Yo soy el camino, la verdad y la vida; yo soy la manifestación del Cristo de Dios. Nadie puede llegar a la Casa de mi Padre si no viene conmigo a través de Cristo.

20. »Si me hubierais conocido y comprendido, conoceríais a mi Padre-Dios».

21. Y Felipe pidió: «Muéstranos al Padre y estaremos satisfechos».

22. Pero Jesús respondió: «¿He estado con vosotros todos estos años y todavía no me conocéis?

23. »Quien ha visto al hijo ha visto al Padre, pues en el hijo el Padre se ha revelado.

24. »Os he dicho muchas veces que lo que digo y hago no son las palabras y obras de los hombres.

25. »Son las palabras y obras de Dios, que vive en mí y yo en Él.

26. »Escuchadme, hombres de fe: quien cree en mí y en mi Padre-Dios dirá y hará lo que yo he dicho y hecho.

27. »Es más, realizará obras más grandes de las que yo jamás he hecho, porque yo voy hacia aquel cuyas obras hacemos, y puedo extender mi mano en ayuda.

28. »Y en mi nombre, a través de Cristo, podéis pedir a Dios y Él os concederá lo que le pidáis.

29. »¿Creéis lo que os he dicho? Si, en verdad creéis, y si amáis al Cristo y me seguís, guardaréis mis palabras.

30. »Yo soy la vid y vosotros los sarmientos; y mi Padre es el labrador.

31. »Los sarmientos que no dan fruto y no producen más que hojas serán cortados por el labrador y arrojados al fuego.

32. »Podaré los sarmientos que no lleven fruto para que produzcan en abundancia.

33. »Los sarmientos no pueden dar frutos si son separados de la vid; y vosotros no podéis dar fruto si os separáis de mí.

34. »Permaneced conmigo y haced las obras que Dios a través de mí os ha enseñado; así daréis fruto y Dios os honrará como me ha honrado a mí.

35. »Y ahora debo partir, pero rezaré a mi Padre-Dios y os enviaré otro Consolador que permanecerá con vosotros.

36. »Este Consolador de Dios, el Santo Aliento, es uno con Dios, pero el mundo no puede recibirlo porque no lo ve, no lo conoce.

37. »Pero vosotros lo conoceréis, pues morará en vuestra alma.

38. »No os dejo sin compañía, pues en el Cristo, que es el amor de Dios manifestado a los hombres, estaré con vosotros constantemente».

CAPÍTULO 162

Jesús revela más plenamente la misión del Santo Aliento. Les dice a sus discípulos que se halla cerca de la muerte y éstos se entristecen. Ruega por ellos y por todo el mundo creyente. Abandonan la sala del banquete.

1. Juan estaba profundamente apenado porque el Maestro había dicho: «Me voy y adonde voy no podréis venir».

2. Lloró y afirmó: «Señor, quiero pasar contigo todas las pruebas hasta la muerte».

3. Y Jesús dijo: «Me seguirás por todas las pruebas y a través de la muerte; ahora no puedes ir adonde yo iré, pero cuando la hora llegue, vendrás».

4. Jesús habló de nuevo a los once y les dijo: «No os apenéis porque me vaya, pues es mejor que parta. Si no me voy, el Consolador no vendrá a vosotros.

5. »Os hablo de estas cosas mientras estoy con vosotros en carne, mas cuando el Santo Aliento venga con su poder, os enseñará mucho más y os traerá a la memoria todas las palabras que os he dicho.

6. »Todavía hay muchas cosas que decir; cosas que esta edad no puede recibir, pues no es capaz de comprender.

7. »Os digo, antes de que venga el gran día del Señor, el Santo Aliento desvelará todos los misterios.

8. »Los misterios del alma, de la vida, de la muerte, de la inmortalidad, y la unión de un hombre con todos los demás hombres y con su Dios.

9. »Entonces el mundo será conducido a la verdad y el hombre será la verdad.

10. »Cuando venga el Consolador, mostrará al mundo su pecado y la rectitud del juicio de los justos; y entonces el príncipe de la vida carnal será arrojado fuera.

11. »Y cuando el Consolador venga, no tendré que interceder por vosotros, pues habréis sido

aceptados, y Dios os conocerá como me conoce a mí.

12. »Llegará la hora en que lloraréis; el malvado se regocijará porque me voy, pero vendré de nuevo y todas vuestras penas se convertirán en alegría.

13. »En verdad os regocijaréis como el que recibe a un hermano que regresa de la muerte».

14. Y los discípulos dijeron: «Señor, no nos hables con parábolas; háblanos llanamente; sabemos que eres sabio y todo lo conoces.

15. »¿Cuál es el significado de tus palabras: "Me voy pero volveré de nuevo"?».

16. Y Jesús respondió: «Llega la hora en que seréis dispersados y todos tendrán miedo.

17. »Huirán para salvar la vida y me abandonarán; sin embargo, no estaré solo; mi Padre-Dios estará conmigo todo el tiempo.

18. »Los perversos me llevarán al lugar del juicio de los malvados, y en presencia de las multitudes abandonaré mi vida como ejemplo para los hijos de los hombres.

19. »Mas resucitaré de nuevo y vendré a vosotros.

20. »Os digo estas cosas para que os afirméis en la fe cuando lleguen.

21. »Sufriréis el escarnio de los hombres y seguiréis el espinoso camino que yo he pisado.

22. »No desfallezcáis; conservad el ánimo; mirad, yo he vencido al mundo y vosotros también lo venceréis».

23. Entonces Jesús alzó los ojos y dijo: «Padre-Dios, la hora ha llegado.

24. »El hijo del hombre debe ser levantado de la tierra; y te ruego que no desfallezca para que así todo el mundo conozca el poder del sacrificio.

25. »Pues así como doy mi vida por los hombres, así ellos deberán dar sus vidas por otros hombres.

26. »Vine a hacer tu voluntad, oh Dios, y en el sagrado nombre el Cristo es glorificado, para que así los hombres vean al Cristo como la vida, la luz, el amor y la verdad.

27. »Y para que a través del Cristo lleguen ellos a ser la Vida, la Luz, el Amor y la Verdad.

28. »Alabo tu nombre por éstos que tú me has dado, pues

ellos te han honrado y te honrarán.

29. »Y ninguno se perderá ni se irá, excepto el ciego hijo de la vida carnal, que ha ido a vender a su Señor.

30. »Oh Dios, perdona a este hombre porque no sabe lo que hace.

31. »Y ahora, oh Dios, vengo a ti pues ya no pertenezco a la vida mortal; guarda a éstos, a quienes he revelado tu sabiduría y tu amor.

32. »Así como ellos creen en mí y en todas las palabras que digo, así todos los mundos crean en ellos y en las palabras que ellos dicen.

33. »Tal como tú me has enviado al mundo, yo los envío a ellos. Te ruego que los honres como me has honrado a mí.

34. »No te ruego para que los saques del mundo, sino para que los guardes del mal del mundo y no caigan en tentaciones demasiado grandes de sobrellevar.

35. »Una vez pertenecieron al mundo, pero ahora ya no le pertenecen, del mismo modo que yo ya no le pertenezco.

36. »Tu palabra es la verdad, oh Dios, y por tu palabra santifícalos.

37. »No te pido tan sólo por éstos, oh Dios; te pido también por todos los que crean en mí y acepten al Cristo por lo que éstos hagan y digan, para que así todos sean uno.

38. »Del mismo modo que yo soy uno contigo y tú eres uno conmigo, así serán ellos uno con nosotros.

39. »Para que todo el mundo sepa que tú me has enviado a hacer tu voluntad, y que tú los amas como siempre me has amado a mí».

40. Cuando Jesús hubo dicho esto, entonaron la canción judía de alabanza, se levantaron y se fueron.

Capítulo 163

Jesús visita a Pilatos, que insiste en que huya del país para salvar su vida. Jesús rehúsa. Se reúne con sus discípulos en el huerto de Masalia. Los sucesos de Getsemaní.

1. Cuando Jesús y los once se iban, un soldado romano se les acercó y dijo: «¡Salve! ¿Quién de vosotros es el Galileo?».

2. Y Pedro respondió: «Todos somos de Galilea, ¿a quién buscas?».

3. El soldado replicó: «Busco a Jesús, el llamado Cristo».

4. Y Jesús respondió: «Aquí estoy».

5. El soldado dijo: «No vengo de modo oficial; te traigo un mensaje del gobernador.

6. »Jerusalén está llena de judíos vengativos que juran quitarte la vida, pero Pilatos está de tu parte y quisiera que te presentaras ante él sin demora».

7. Y Jesús dijo a Pedro y al resto: «Id al valle y esperadme junto al Cedrón; veré al gobernador a solas».

8. Jesús se fue con el soldado y cuando llegó al palacio, Pilatos le recibió en la puerta y le dijo:

9. «Tengo algo que decirte que puede serte de gran utilidad. He observado tus obras y palabra durante estos tres años.

10. »Y he salido en tu defensa cuando los de tu propia raza te habrían apedreado como a un criminal.

11. »Pero ahora los sacerdotes, escribas y fariseos han llevado a las gentes a un estado de desenfreno y crueldad, y quieren matarte.

12. »Porque dicen que has jurado derribar su templo, cambiar las leyes dadas por Moisés, exiliar a los fariseos y sacerdotes y sentarte en el trono.

13. »Y han afirmado que estás aliado con Roma.

14. »Las calles de toda Jerusalén están repletas de turbas de locos que intentan derramar tu sangre.

15. »La única salvación que tienes es la huida; no esperes hasta el amanecer. Ya sabes el camino para llegar a la frontera de esta tierra maldita.

16. »Tengo una pequeña guarnición de soldados a caballo,

bien armados. Te escoltarán y te pondrán fuera de peligro.

17. »No debes quedarte aquí, tienes que irte».

18. Y Jesús dijo: «César tiene un noble príncipe en este Poncio Pilatos y, considerándote un hombre mortal, tus palabras están sazonadas con la sal del sabio; mas, desde la perspectiva de Cristo, tus palabras carecen de sentido.

19. »El cobarde huye cuando llega el peligro; pero el que viene a buscar y salvar a los perdidos debe dar su vida en voluntario sacrificio por aquellos a los que viene a rescatar.

20. »Antes de que la pascua haya pasado, he aquí que esta nación será maldita por haber derramado sangre inocente; ahora mismo los asesinos están a las puertas».

21. Y Pilatos afirmó: «Esto no ocurrirá; la espada de Roma será desenvainada para salvar tu vida».

22. Sin embargo, Jesús respondió: «No será así Pilatos, no será así; no hay ejércitos suficientemente grandes en todo el mundo para salvar mi vida».

23. Jesús se despidió del gobernador y se fue; mas Pilatos envió una doble guardia con él, para que no cayera en manos de aquellos que estaban preparados para matarle.

24. Pero de repente Jesús desapareció; los soldados le perdieron de vista, y un poco más tarde llegó al arroyo Cedrón, donde estaban los once.

25. Un poco más allá del arroyo había un huerto y una casa en la que vivía un tal Masalia. En ese lugar Jesús había estado con frecuencia.

26. Masalia era su amigo y creía que Jesús era el Cristo que los profetas judíos de antaño habían anunciado.

27. En el huerto había una colina sagrada; Masalia llamaba a ese lugar Getsemaní.

28. La noche era oscura y aún más oscuro era el huerto. Jesús ordenó a los ocho discípulos que permanecieran junto al arroyo.

29. Mientras él, junto con Pedro, Santiago y Juan, iban a rezar a Getsemaní.

30. Se sentaron bajo un olivo, y Jesús desveló los misterios

de la vida a Pedro, Santiago y Juan. Dijo:

31. «El espíritu de la eternidad es el Uno inmanifestado; y éste es Dios-Padre, Dios-Madre y Dios-Hijo en Uno.

32. »En la vida manifestada el Uno se volvió Trino y Dios-Padre es el Dios del poder, Dios-Madre es el Dios omnisciente y Dios-Hijo es amor.

33. »Y Dios-Padre es el poder del cielo y de la tierra; y Dios-Madre es el Santo Aliento, el pensamiento del cielo y de la tierra, y Dios-Hijo, el único hijo, es Cristo, y Cristo es amor.

34. »Vine como hombre a manifestar este amor a los hombres.

35. »Como hombre he estado sujeto a todas las pruebas y tentaciones de la raza humana; pero he superado la carne, con todas sus pasiones y apetitos.

36. »Lo que yo he hecho todos los hombres pueden hacerlo.

37. »Y ahora estoy a punto de demostrar el poder del hombre para conquistar a la muerte; pues todo hombre es Dios hecho carne.

38. »Entregaré mi vida y la tomaré de nuevo para que podáis conocer los misterios de la vida, de la muerte y de la resurrección de los muertos.

39. »Me entrego en carne, pero resucitaré en espíritu, con poder para manifestarme ante los ojos mortales.

40. »Así pues, en tres días enseñaré todo sobre la vida, todo sobre la muerte y el significado de la resurrección de los muertos.

41. »Y lo que yo hago todos los hombres pueden hacerlo.

42. »Y vosotros, mis tres, que constituís el círculo interno de la Iglesia de Cristo, enseñaréis a los hombres los atributos de todos los dioses.

43. »Pedro hará conocer el Poder de Dios, Santiago enseñará el Pensamiento de Dios y Juan demostrará el Amor de Dios.

44. »No temáis a los hombres, pues habéis sido enviados para realizar las grandes obras de Dios-Padre, Dios-Madre y Dios-Hijo.

45. »Y todos los poderes de la vida carnal no pueden destruir vuestra vida hasta que vuestra obra sea llevada a cabo.

46. »Os dejo ahora, pues quiero salir afuera, para estar solo en la oscuridad y hablar con Dios.

47. »Estoy sobrecogido de dolor. Os dejo aquí para vigilar conmigo».

48. Entonces Jesús fue trescientos pasos hacia el este y, con el rostro caído, rezó así:

49. «¡Dios mío! ¡Dios mío! ¿No hay un camino por el que pueda escapar de los horrores de las horas venideras? Mi carne humana retrocede; mi alma está firme; pero no se haga mi voluntad sino la tuya, oh Dios».

50. Y rezó en agonía; la tensión que sufría su forma humana era grande; sus venas se partían y su frente se bañaba en sangre.

51. Y entonces volvió junto al árbol, los encontró a todos dormidos y dijo:

52. «¡Oh Simón, Simón, estás durmiendo! ¿No puedes velar conmigo una sola hora? Estate alerta, vigila y reza para que tus tentaciones no sean demasiado grandes.

53. »Sé que el espíritu está alerta y dispuesto; mas la carne es débil».

54. Entonces se fue de nuevo y rezó: «¡Oh Padre, Dios!, si debo beber de esta amarga copa, dame la fuerza del cuerpo así como tengo la fuerza del alma; pero no se haga mi voluntad sino la tuya».

55. Otra vez volvió adonde estaban sus discípulos, y los encontró todavía dormidos. Los despertó y reprendió a Santiago:

56. «¿Estabais durmiendo mientras vuestro maestro luchaba contra el enemigo más grande del hombre? ¿No habéis podido vigilar conmigo ni una sola hora?».

57. Entonces volvió de nuevo y rezó: «Oh Dios, me rindo a ti; hágase tu voluntad».

58. Otra vez regresó al árbol, y aún estaban durmiendo. Le dijo a Juan:

59. «Con todo el amor que tenéis por mí, ¿no habéis podido velar conmigo una sola hora?».

60. Y entonces dijo: «Ya es suficiente; la hora ha llegado y el que me ha de entregar está cerca; levantaos y partamos».

61. Y cuando llegaron de nuevo al Cedrón, he aquí que los ocho discípulos estaban dormidos, y

Jesús dijo: «Despertaos, hombres, alerta, pues el que ha de entregar al hijo del hombre ha llegado».

CAPÍTULO 164

Aparece la turba judía dirigida por Judas. Éste traiciona a su Señor con un beso. Jesús es arrebatado por la turba y los discípulos huyen para salvar sus vidas. Jesús es llevado a Jerusalén. Pedro y Juan siguen a la turba.

1. El Señor, junto con los once, estaban en el huerto de Masalia, y mientras hablaban vieron un grupo de hombres con antorchas, espadas y garrotes que se acercaba a ellos.

2. Y Jesús dijo: «¡Mirad, los emisarios del malvado! Y Judas los conduce».

3. Y los discípulos le instaron: «Señor, huyamos para salvar la vida».

4. Pero Jesús les preguntó: «¿Por qué deberíamos huir para salvar nuestras vidas cuando esto sucede en cumplimiento de las palabras de los profetas y videntes?».

5. Y se fue solo a encontrarse con los hombres; y mientras se aproximaban les dijo: «¿Por qué estáis aquí? ¿A quién buscáis?».

6. Y ellos replicaron: «Buscamos al Galileo. Buscamos a Jesús, el que se hace llamar el Cristo».

7. Y Jesús respondió: «Aquí estoy».

8. Y entonces levantó las manos y con un poderoso pensamiento llevó los éteres al estado de luz; y todo el huerto se iluminó.

9. Aquellos hombres lunáticos retrocedieron; muchos huyeron sin parar hasta llegar a Jerusalén, y otros cayeron de bruces en el suelo.

10. Los más valientes y los de corazón más duro permanecieron, y cuando la luz había palidecido, el Señor inquirió de nuevo: «¿A quién buscáis?».

11. Y Ananías dijo: «Buscamos al Galileo; buscamos a Jesús, el que se hace llamar el Cristo».

12. Y Jesús le contestó: «Ya te lo dije antes, y ahora te lo digo de nuevo: soy yo».

13. Al lado de Ananías estaba Judas; pero en un momento se retiró y apareció detrás del Señor diciendo: «Señor mío». Entonces le besó como signo de que era el Jesús a quien buscaban.

14. Y Jesús dijo: «Iscariote, ¿así vienes a traicionar a tu maestro, con un beso?

15. »Esto debe realizarse; pero ¡ay de aquel que traiciona a su Señor!

16. »Tu egoísmo carnal ha secado tu conciencia y no sabes lo que haces; pero dentro de poco tu conciencia se afirmará y a causa del remordimiento pondrás fin a tu existencia quitándote la vida».

17. Entonces llegaron los once, agarraron a Judas y le hubieran herido a no ser por Jesús, que dijo:

18. «No debéis matar a este hombre; no tenéis derecho a juzgarle; su conciencia es su juez, ella le sentenciará y él se ejecutará a sí mismo».

19. Y entonces la turba conducida por Malco, siervo de Caifás, prendió a Jesús y le ataron con cadenas.

20. Y Jesús preguntó: «¿Por qué venís de madrugada con espadas y garrotes para prenderme en este sagrado lugar?

21. »¿Acaso no he hablado en las plazas públicas de Jerusalén? ¿No he curado a vuestros enfermos y abierto los ojos de vuestros ciegos, no he hecho a vuestros lisiados caminar y a vuestros sordos oír? Me podríais haber encontrado cualquier otro día.

22. »Y ahora tratáis de atarme con cadenas; ¿qué son estas cadenas más que ataduras de cáñamo?». Y entonces levantó las manos y las cadenas cayeron rotas al suelo.

23. Malco pensó que el Señor huiría para salvar su vida, y con un garrote se dispuso a golpearle en la cara.

24. Pero Pedro tenía una espada, y con un rápido movimiento le dio un golpe y le hirió.

25. Mas Jesús dijo: «Atrás, Pedro, atrás; envaina tu espada; no se te ha llamado para luchar con espadas y garrotes. Quien empuña la espada por la espada perecerá.

26. »No necesito protección de los hijos de los hombres, pues podría llamar ahora mismo y no una, sino doce legiones de

mensajeros de Dios vendrían a defenderme; pero esto no estaría bien».

27. Y entonces le dijo a Malco: «Hombre, yo no quería herirte». Y posó su mano sobre la herida que Pedro le había hecho y quedó curado.

28. Entonces Jesús dijo: «No os preocupéis porque vaya a huir. No tengo intención de salvar mi vida; haced conmigo lo que queráis».

29. Entonces la turba se abalanzó hacia los once para prenderlos y hacerlos comparecer en el juicio como los cómplices de los crímenes de Jesús.

30. Pero todos y cada uno de los discípulos desertaron de Jesús y huyeron para salvar sus vidas.

31. Juan fue el último en huir; la turba le agarró y rasgó sus vestiduras reduciéndolas a jirones, pero él escapó desnudo.

32. Masalia vio al hombre, le llevó a su casa y le dio otras ropas. Luego siguió a los que llevaban al Señor.

33. Pedro estaba avergonzado por su cobardía, y cuando se recompuso de nuevo se unió a Juan y siguió de cerca a la turba hasta que llegaron a Jerusalén.

SECCIÓN XIX

KOPH

Juicio y ejecución de Jesús

CAPÍTULO 165

Jesús ante Caifás. Pedro niega al Señor tres veces. El sumario firmado por siete gobernantes judíos. Cien testigos perjuros dan testimonio de la verdad de las acusaciones.

1. Caifás era el sumo sacerdote de los judíos; la turba condujo a Jesús hasta la sala de un palacio.

2. El tribunal se había reunido y todas las galerías estaban repletas de escribas y fariseos que de antemano habían jurado como testigos contra el Señor.

3. La doncella que guardaba la puerta del palacio conocía a Juan, y éste le pidió que junto con Pedro les dejaran pasar a la sala.

4. La doncella les permitió entrar y Juan entró; mas Pedro tenía miedo y se quedó fuera en el patio.

5. La mujer le preguntó a Pedro, que esperaba al lado de la puerta: «¿Eres un seguidor de este hombre de Galilea?».

6. Y Pedro respondió: «No, no lo soy».

7. Los hombres que habían llevado a Jesús a la sala estaban sentados alrededor de una hoguera en el patio, pues la noche era fría, y Pedro se sentó con ellos.

8. Otra doncella que esperaba allí vio a Pedro y le dijo: «A buen seguro que tú eres de

Galilea; eres un seguidor de ese hombre».

9. Y Pedro contestó: «No sé lo que quieres decir; ni siquiera le conozco».

10. Y entonces un sirviente de Caifás, uno de los que había prendido al Señor y llevado al tribunal, vio a Pedro y le dijo:

11. «¿No te he visto en el huerto de Masalia con ese sedicioso nazareno? Estoy seguro de que sí, y que eres uno de sus seguidores».

12. Entonces Pedro se levantó, dio una patada en el suelo y juró por todo lo sagrado que no conocía al criminal.

13. Y Juan, que estaba cerca de él, cuando escuchó sus palabras y vio que Pedro había negado a su Señor, le miró atónito.

14. En aquel mismo momento un gallo cantó alto detrás del patio, y Pedro se acordó de las palabras que Jesús había dicho:

15. «Antes de que el gallo cante mañana por la mañana, me negarás tres veces».

16. Y la conciencia de Pedro le golpeó duramente; salió y se adentró en la noche para llorar.

17. Caifás estaba sentado majestuosamente; ante él se hallaba el Galileo.

18. Dijo: «Gente de Jerusalén, ¿quién es el hombre al que acusáis?».

19. Todos contestaron: «En el nombre de todo judío fiel acusamos a este hombre de Galilea, a este Jesús, que pretende ser nuestro Rey, de enemigo de Dios y del hombre».

20. Caifás dijo a Jesús: «Hombre, se te permite hablar y contarnos tus doctrinas y pretensiones».

21. Y Jesús dijo: «Tú, sacerdote del hombre carnal, ¿por qué me preguntas sobre mis palabras y mis obras?

22. »He enseñado en los lugares públicos, he curado a vuestros enfermos y abierto los ojos de vuestros ciegos, he hecho que vuestros sordos oyeran y vuestros lisiados andaran y he traído a la vida a vuestros muertos.

23. »Mis obras no han tenido lugar en lugares secretos, sino en vuestras salas y vías públicas.

24. »Id y preguntad a la gente, que no ha sido comprada con oro o con cegadoras promesas,

y que ellos os cuenten mis palabras y obras».

25. Cuando Jesús hubo hablado así, un soldado judío le abofeteó en la cara y le preguntó: «¿Cómo te atreves a hablarle así al sumo sacerdote de los judíos?».

26. Y Jesús respondió: «Si he hablado en falso, traed testigos contra lo que he dicho; pero si he dicho la verdad, ¿por qué me pegas?».

27. Y entonces Caifás dijo: «Todo lo que hagas hazlo legalmente, pues debemos responder al tribunal supremo de todo lo que hagamos o digamos.

28. »Que los acusadores de este hombre presenten sus cargos de modo legal».

29. Y entonces el escriba de Caifás se adelantó y dijo: «Tengo las acusaciones en forma legal; aquí están los cargos hechos y firmados por los escribas, sacerdotes y fariseos».

30. Caifás dijo: «Callaos, hombres, y oíd las acusaciones que serán leídas». El escriba tomó un pergamino y leyó:

31. «Al Sanedrín de los judíos y a Caifás, sumo sacerdote, y a los hombres más honorables.

32. »El deber más alto que el hombre puede hacer a su nación y a los suyos es protegerlos de sus enemigos.

33. »La gente de Jerusalén es consciente de que un poderoso enemigo se halla en medio de ellos.

34. »Un hombre llamado Jesús pretende ser el heredero del trono de David.

35. »Como impostor es un enemigo, y en nombre de todo judío leal presentamos estos cargos, los cuales podemos probar.

36. »En primer lugar, blasfemia de Dios: dice que es el hijo de Dios, que él y Dios son uno.

37. »Y profana nuestros días santos curando y haciendo otras obras en sábado.

38. »Y se proclama rey, sucesor de nuestro David y Salomón.

39. »Y declara que destruirá nuestro templo y lo reconstruirá en forma más gloriosa en tres días.

40. »Y declara que arrojará a la gente de Jerusalén, como arrojó a los mercaderes del atrio del templo; y traerá para ocupar nuestras sagradas colinas a una tribu de hombres que no conocen Dios alguno.

41. »Y asegura que todo doctor, escriba, fariseo y saduceo será exiliado, y no regresará jamás.

42. »Y para estos cargos ponemos nuestras firmas y sellos:

Anás
Abinadab
Joash
Simón
Ananías
Azaniah».

43. Cuando el escriba hubo leído los cargos, toda la gente pidió su sangre, exclamando: «¡Apedread a este malvado, crucificadle!».

44. Caifás dijo: «Vosotros, hombres de Israel, ¿mantenéis las acusaciones de esos hombres?».

45. Cien hombres que habían sido sobornados se adelantaron para dar testimonio.

46. Caifás preguntó a Jesús: «Hombre, ¿tienes algo que decir? ¿Eres el hijo de Dios?».

47. Y Jesús dijo: «Tú lo has dicho». Y no añadió nada más.

Capítulo 166

Jesús ante el Sanedrín. Nicodemo suplica justicia; demuestra la incompetencia de los testigos. El consejo no consigue declarar culpable a Jesús, pero Caifás, el juez supremo, sí lo hace. La turba maltrata a Jesús. Es llevado a la corte de Pilatos.

1. Como Jesús no quiso hablar, Caifás se acercó a la turba judía y dijo:

2. «Atad bien al prisionero, pues debe comparecer ante el gran Sanedrín de los judíos para responder por su vida.

3. »No podemos ejecutar a un criminal hasta que vuestras pruebas hayan sido verificadas por el más alto consejo de los judíos».

4. Tan pronto se hizo de día, el más alto consejo del pueblo se reunió; el Señor y sus acusadores comparecieron ante el tribunal.

5. Caifás era el jefe; se levantó y dijo: «Que los acusadores de este hombre de Galilea traigan sus acusaciones y prueben su evidencia».

6. El escriba de Caifás se levantó y leyó los cargos y los nombres de aquellos que habían acusado al Galileo.

7. Y todos los testigos comparecieron y testificaron ante el consejo de los judíos.

8. Los abogados sopesaron la evidencia, y Nicodemo estaba entre los hombres que suplicaban clemencia.

9. Levantó la mano y dijo: «Hágase justicia aunque todo escriba, fariseo, sacerdote, saduceo e incluso Jesús sean declarados unos mentirosos.

10. »Si podemos probar que este Jesús es un enemigo y un traidor a nuestras leyes y país, que sea juzgado como un criminal y sufra por sus crímenes.

11. »Si se prueba que los que son unos perjuros dan testimonio ante Dios y ante los hombres, que sean juzgados como criminales, y que sea dejado libre el Galileo».

12. Y entonces llevó los testimonios de los testigos ante los jueces de la ley; ni tan sólo dos de ellos coincidieron: los hombres habían testificado llevados por la pasión, o por sacar algún provecho.

13. El consejo habría declarado con gusto que Jesús era un criminal y que sería sentenciado a muerte, pero temía hacerlo ante toda la evidencia.

14. Entonces Caifás dijo: «Hombre de Galilea, te ordeno ante el Dios viviente que me contestes: ¿eres el Cristo, el hijo de Dios?».

15. Y Jesús respondió: «Si dijese que sí, no me escucharías ni me creerías.

16. »Si te dijese que no, sería como tus testigos, un mentiroso ante los ojos de Dios y de los hombres. Mas esto te digo:

17. »Llegará el tiempo en que verás al hijo del hombre en el trono del poder, viniendo sobre las nubes del cielo».

18. Entonces Caifás rasgó sus vestiduras y exclamó: «¿No habéis escuchado bastante? ¿No habéis oído sus viles y blasfemas palabras? ¿Qué necesidad tenemos de más testigos? ¿Qué haremos con él?».

19. La gente pidió: «Matadle». Y entonces la turba se abalanzó, le escupió en la cara y le golpearon con las manos.

20. Luego le vendaron los ojos, le golpearon en la cara y

le dijeron: «Eres un profeta; dinos quién te golpeó».

21. Jesús no respondió y, como un cordero ante el matarife, el hombre de Galilea no se resistió.

22. Caifás afirmó: «No podemos matar a un hombre hasta que el gobernador romano confirme la sentencia de este tribunal.

23. »Así pues, llevaos al criminal y Pilatos aprobará lo que hemos hecho».

24. Entonces Jesús fue arrastrado por todo el camino hasta el palacio del gobernador romano.

Capítulo 167

Jesús ante Pilatos. Es declarado inocente. Jesús es torturado ante Herodes y devuelto a Pilatos, quien de nuevo le declara inocente. Los judíos piden su muerte. La esposa de Pilatos le ruega a su esposo que no intervenga en el castigo de Jesús. Pilatos llora.

1. Los judíos no entraban nunca en el palacio del gobernador romano, pues si lo hacían se volvían impuros e indignos de asistir a la fiesta judía; pero condujeron a Jesús hasta el patio del palacio y Pilatos les habló allí.

2. Les dijo: «¿Por qué esta conmoción en una hora tan temprana? ¿Qué deseáis?».

3. Los judíos replicaron: «Te traemos a un perverso y sedicioso.

4. »Ha sido juzgado ante el consejo más alto de los judíos y se ha probado que es un traidor a nuestras leyes, a nuestro estado y al gobierno de Roma.

5. »Te pedimos que le sentencies a morir en la cruz».

6. Y Pilatos dijo: «¿Por qué me lo traéis a mí? Id y juzgadlo vosotros mismos.

7. »Vosotros tenéis una ley y, por sanción de la ley romana, tenéis el derecho de ejecutar».

8. Los judíos contestaron: «No tenemos el derecho de ejecutar a un hombre en la cruz y, ya que este hombre es un traidor a Tiberio, nuestros consejeros opinan que debería sufrir la muerte más humillante, la muerte en la cruz».

9. Pero Pilatos afirmó: «Ningún hombre puede ser considerado culpable por la ley romana

hasta que todo el testimonio sea presentado y al acusado le sea permitido defenderse.

10. »Así pues, tomaré la lista de vuestros cargos, con la evidencia que poseéis, y juzgaré de acuerdo a la ley romana».

11. Los judíos habían hecho una copia de las acusaciones en el lenguaje del tribunal romano, y habían añadido:

12. «Declaramos que Jesús es un enemigo de Roma; que afirma que los hombres no deberían pagar ningún tributo a Tiberio».

13. Pilatos tomó la lista; sus soldados llevaron a Jesús escaleras arriba a la sala del palacio.

14. Y Jesús compareció ante el gobernador romano; Pilatos le leyó los cargos de los judíos y le preguntó:

15. «¿Qué respondes ante esta lista? ¿Son verdaderas o falsas estas acusaciones?».

16. Y Jesús respondió: «¿Por qué debería pleitear ante un tribunal terreno? Los cargos han sido verificados por hombres perjuros; ¿qué quieres que te diga?

17. »Sí, soy rey; pero los hombres carnales no pueden contemplar al rey ni ver el reino de Dios que está dentro.

18. »Si hubiera sido un rey como un hombre carnal, mis servidores habrían salido en mi defensa y no me habría sometido voluntariamente a las sutilezas de la ley judía.

19. »No tengo testimonio por parte de los hijos de los hombres. Dios es mi testigo, y mis palabras y hechos testifican la verdad.

20. »Y todo hombre que comprende la verdad escuchará mis palabras, y su alma dará testimonio de mí».

21. Y Pilatos quiso saber: «¿Qué es la verdad?».

22. Y Jesús respondió: «La verdad es el Dios que sabe. Es el uno inmutable. El Santo Aliento es la verdad; nunca cambia ni puede perecer».

23. Y Pilatos fue de nuevo donde los judíos y dijo: «Este hombre es inocente de crimen alguno; no le puedo sentenciar a muerte».

24. Entonces los judíos se enfurecieron; gritaron fuertemente y dijeron: «Nuestro consejo sabe lo que hace. Los hombres más sabios de todo el país lo han encontrado culpable de multitud de crímenes.

25. »Quiere pervertir la nación de los judíos, derribar el gobierno romano y hacerse rey. Es un criminal de Galilea; debe ser crucificado».

26. Y Pilatos dijo: «Si Jesús es de Galilea, pertenece al gobernador de Galilea, que debe ser su juez».

27. Herodes había bajado de Galilea y se hallaba en Jerusalén con su corte.

28. Y Pilatos envió a Herodes al Señor encadenado; mandó también una copia de los cargos y de los testimonios de los judíos y le pidió que juzgara el caso.

29. Y Herodes dijo: «He oído mucho sobre este hombre y me complace verlo en mi corte».

30. Y entonces preguntó al Señor sobre lo que pretendía, sus doctrinas y objetivos.

31. Y Jesús no contestó palabra alguna. Herodes estaba furioso y dijo: «¿Acaso pretendes insultar al gobernador de los judíos no contestando mi palabra?».

32. Entonces llamó a sus soldados y dijo: «Tomad a este hombre y torturadle hasta que me responda».

33. Los soldados tomaron a Jesús y le golpearon, se burlaron de él, lo vistieron con un vestido real, hicieron una corona de pinchos y la pusieron sobre su cabeza; y colocaron una caña rota en sus manos.

34. Y dijeron, mofándose de él: «¡Salve al noble rey! ¿Dónde están tus súbditos y tus amigos?».

35. Mas Jesús no respondió palabra alguna. Entonces Herodes le envió de vuelta a Pilatos con esta nota de cortesía:

36. «Noble consejero de Roma: he examinado todos los cargos y testimonios que me enviaste sobre este hombre sedicioso de Galilea y aunque podría juzgarle culpable de los crímenes imputados...

37. »Te cedo mis derechos como juez, pues eres superior a mí en poder. Aprobaré cualquier juicio que decidas en este caso».

38. Pilatos y el tetrarca eran enemigos, pero esta experiencia destruyó su enemistad y de entonces en adelante fueron amigos.

39. Cuando Jesús fue llevado de nuevo a la corte de Pilatos, el gobernador romano se levantó

ante los acusadores del Señor y dijo:

40. «No puedo hallar culpable de cargo alguno a este nazareno; no existe evidencia suficiente para condenarle a muerte».

41. Los judíos gritaron enfurecidos: «No está bien que un hombre tan peligroso pueda vivir; debe ser crucificado».

42. Y Pilatos les pidió: «Esperad un poco». Entonces se fue a una habitación interior y se sentó a reflexionar.

43. Y cuando se hallaba así cavilando, su esposa, una piadosa mujer elegida de entre los galos, se acercó y dijo:

44. «Te ruego, Pilatos, que me escuches: ten cuidado con lo que haces en esta hora. No toques a ese Galileo; es un hombre santo.

45. »Si vas a azotar a este hombre, azotarás al hijo de Dios. Anoche lo vi en una visión demasiado real para ser considerada un mero sueño.

46. »Vi a ese hombre caminando en las aguas del mar, le oí hablar y calmar una furiosa tormenta, le vi volar con las alas de la luz.

47. »Vi a Jerusalén bañada en sangre, vi caer las estatuas de César, vi un velo que cubría el sol, y el día era oscuro como la noche.

48. »La tierra sobre la que estaba fue agitada como una caña movida por el viento. Te digo, Pilatos, si manchas tus manos con la sangre de este hombre puedes enojar al gran Tiberio y causar las maldiciones de los senadores de Roma».

49. Dicho esto se marchó, y Pilatos lloró.

Capítulo 168

Falla el último esfuerzo de Pilatos por liberar a Jesús. Lava sus manos en fingida inocencia. Entrega a Jesús a los judíos para su ejecución. Los soldados judíos lo llevan al Calvario.

1. Los judíos eran gente muy supersticiosa. Tenían una creencia que habían adquirido de los adoradores de ídolos de otros países, por la cual al final de cada año...

2. Cargaban todos sus pecados sobre la cabeza de un hombre elegido para que así los sobrellevara él.

3. El hombre se convertía así en chivo expiatorio para las multitudes, que creían que si lo arrojaban al desierto o a otro país, le cargaban con sus pecados.

4. Así pues, cada primavera antes de la fiesta elegían a un prisionero de las cárceles del país, para seguir con su costumbre.

5. Entre los judíos prisioneros de Jerusalén había tres que eran los jefes de un grupo de sediciosos que habían llevado a cabo numerosos robos, asesinatos y rapiñas, por los que habían sido sentenciados a ser crucificados.

6. Barrabás bar Jeiza se encontraba entre los hombres que iban a morir; pero era rico, había comprado a los sacerdotes el privilegio de ser el chivo expiatorio para las gentes en la próxima fiesta, y estaba esperando ansiosamente que llegara su hora.

7. Pilatos pensó emplear la superstición de los judíos para salvar al Señor; así pues fue de nuevo ante ellos y dijo:

8. «Hombres de Israel, de acuerdo con vuestra costumbre os liberaré hoy a un prisionero que cargará con vuestros pecados.

9. »El hombre que habéis pedido para arrojar al desierto o a otras tierras es Barrabás, que ha sido declarado culpable del asesinato de veinte personas.

10. »Escuchadme: dejad a Jesús libre y que Barrabás pague sus deudas en la cruz; así podríais arrojar a Jesús al desierto y no oír más de él».

11. La gente se encolerizó por lo que había dicho el gobernador y empezaron a tramar un complot para echar abajo el palacio romano y exiliar a Pilatos junto con su esposa y sus soldados.

12. Cuando Pilatos vio que iba a producirse una guerra civil si no cedía a las exigencias de la turba, tomó una jofaina de agua y ante la presencia de la multitud se lavó las manos y dijo:

13. «Este hombre que acusáis es el hijo de los dioses más sagrados, y yo proclamo mi inocencia.

14. »Si queréis derramar su sangre, que caiga sobre vuestras manos y no sobre las mías».

15. Entonces los judíos exclamaron: «¡Caiga su sangre sobre nuestras manos y sobre las manos de nuestros hijos!».

16. Pilatos tembló de miedo como una hoja al viento. Liberó a Barrabás y cuando el Señor compareció ante la turba, el gobernador dijo: «¡He aquí a vuestro rey! ¿Vais a matar a vuestro rey?».

17. Los judíos replicaron: «No es rey; no tenemos más rey que el gran Tiberio».

18. Como Pilatos no consintió que los soldados romanos mancharan sus manos con sangre inocente, los sacerdotes y fariseos se reunieron en consejo para ver lo que iban a hacer con Jesús, llamado el Cristo.

19. Caifás dijo: «No podemos crucificar a este hombre; debe ser apedreado hasta morir».

20. Y entonces la gentuza exclamó: «¡Hacedlo rápido! Apedreadle»; y le condujeron hacia una colina fuera de la ciudad donde eran ejecutados los criminales.

21. La turba no podía esperar hasta llegar al lugar de las calaveras. En cuanto salieron de la ciudad, se abalanzaron sobre él; le golpearon con las manos, le escupieron y le apedrearon. Jesús cayó al suelo.

22. Y un hombre de Dios se acercó y dijo: «Isaías ha dicho: "Él será magullado por nuestras ofensas y por sus heridas seremos curados"».

23. Y como Jesús yacía en el suelo, magullado y herido, un fariseo gritó: «¡Deteneos, deteneos, hombres! Los soldados de Herodes vienen y le crucificarán».

24. Y allí, junto a la puerta de la ciudad, hallaron la cruz de Barrabás; y la turba frenética gritó: «Crucificadle».

25. Caifás y los otros gobernantes llegaron y dieron su consentimiento.

26. Entonces levantaron a Jesús del suelo y a punta de espada le condujeron al lugar.

27. Un hombre llamado Simón, de Cirena, amigo de Jesús, se hallaba cerca de la escena y como éste, magullado y herido, no podía llevar su cruz, la cargaron sobre los hombros de aquel hombre y se la hicieron llevar hasta el Calvario.

CAPÍTULO 169

Judas se consume de remordimiento. Corre hacia el templo y arroja las treinta monedas de plata a los pies de los sacerdotes, quienes las recogen y compran un campo para cementerio de pobres. Judas se ahorca. Su cuerpo es enterrado en el campo del cementerio.

1. Judas, que había traicionado a su Señor, se hallaba con la turba; pero siempre pensó que Jesús emplearía su poder y demostraría la fuerza de Dios que poseía, arrojaría por tierra a las desalmadas multitudes y se liberaría a sí mismo.

2. Pero cuando vio a su maestro en el suelo sangrando por un montón de heridas, exclamó:

3. «¡Dios mío! ¿Qué he hecho? He traicionado al hijo de Dios; la maldición de Dios pesará sobre mi alma».

4. Entonces dio la vuelta y corrió apresuradamente hasta llegar a la puerta del templo; encontró a los sacerdotes que le habían dado las treinta monedas de plata por traicionar al Señor, y dijo:

5. «Tomad el precio de vuestro soborno; es el precio de mi alma. ¡He traicionado al hijo de Dios!».

6. Los sacerdotes replicaron: «Eso no nos importa».

7. Entonces Judas arrojó las monedas de plata al suelo, se postró con gran sufrimiento, se marchó y en un risco que había fuera de la ciudad se ahorcó y murió.

8. Con el tiempo cayeron las ataduras y su cuerpo cayó al valle de Hinón, donde al cabo de muchos días encontraron una masa informe.

9. Los gobernantes no podían poner el precio de la sangre en el tesoro, así pues tomaron las treinta monedas de plata y compraron un cementerio para pobres.

10. En ese lugar podrían enterrar a aquellos que no tenían derecho a yacer en tierra sagrada.

11. Y ahí enterraron el cuerpo del hombre que vendió a su Señor.

Capítulo 170

La crucifixión. Jesús ruega por sus asesinos. Pilatos coloca una inscripción sobre la cruz. Jesús pronuncia palabras de ánimo al ladrón penitente. Le encarga a Juan el cuidado de su madre y de Miriam. Los soldados se reparten sus vestiduras.

1. La turba judía se atropelló hasta el Calvario y mientras caminaban, las tres Marías, Miriam y otras muchas mujeres se hallaban al lado del Señor.

2. Lloraban desconsoladamente. Cuando Jesús las vio llorando y lamentándose, les dijo:

3. «No lloréis por mí, pues aunque me voy por la puerta de la cruz, el día siguiente del sol, levantad vuestros corazones, pues os encontraré en el sepulcro».

4. La gran procesión llegó al Calvario. Los soldados romanos habían atado ya a los otros dos prisioneros a la cruz.

5. (No estaban clavados, sino simplemente atados.)

6. Cuatro soldados de la guardia romana que Herodes había llevado de Galilea fueron llamados para ejecutar la sentencia del tribunal.

7. Éstos eran los hombres que habían sido elegidos para torturar a Jesús y obtener de él una confesión de su culpa.

8. Eran los hombres que le habían azotado, le habían puesto una corona de espinas sobre la cabeza, una caña rota en las manos y le habían envuelto con un vestido real, inclinándose ante él en son de burla.

9. Estos soldados tomaron al Señor y le desnudaron, le tumbaron en la cruz y le habrían atado con cuerdas; pero esto no era suficiente.

10. Los crueles judíos estaban cerca con un martillo y clavos y gritaron: «¡No con cuerdas, sino con clavos; hundid bien los clavos y clavadle a la cruz!».

11. Entonces los soldados tomaron los clavos y se los clavaron en pies y manos.

12. Le ofrecieron una bebida sedativa, una mezcla de vinagre y mirra; pero él rehusó beberla.

13. Los soldados habían preparado un lugar donde colocar la cruz de Barrabás entre los otros criminales, y allí levantaron la

cruz de Jesús, que era llamado el Cristo.

14. Y entonces los soldados y la turba se sentaron para contemplar su muerte.

15. Y Jesús dijo: «Padre Dios, perdona a esos hombres; no saben lo que hacen».

16. Pilatos había preparado un rótulo para que lo colocasen sobre la cruz, en el cual había escrito en la lengua de los hebreos, en latín y en griego estas palabras de verdad: JESÚS EL CRISTO, REY DE LOS JUDÍOS.

17. Y colocaron la inscripción sobre la cruz. Los sacerdotes estaban furiosos cuando leyeron estas palabras en el rótulo de la cruz.

18. Rogaron a Pilatos para que pusiera: «Él pretende ser el Cristo, rey de los judíos», en vez de: «Jesús el Cristo, rey de los judíos».

19. Pero Pilatos replicó: «Lo que he escrito escrito está; dejadlo así».

20. Las multitudes judías que vieron al Señor sobre la cruz rugían de alegría y decían: «¡Salve, falso rey!

21. »Tú que querías echar abajo el templo y en tres días lo querías construir de nuevo, ¿por qué no te salvas a ti mismo?

22. »Si eres Cristo, el hijo de Dios, baja de la cruz; entonces todos te creerán».

23. Los sacerdotes y escribas fariseos miraban la escena y se mofaban. Decían: «Rescató a otros de la tumba; ¿por qué no se salva a sí mismo?».

24. Los soldados judíos y la guardia romana llegada de Galilea se burlaban de él y le escarnecían.

25. Uno de los otros hombres que estaban en la cruz se unió a la burla, y dijo: «Si tú eres el Cristo, tienes el poder; sólo pronuncia la Palabra, y sálvate a ti mismo y a mí».

26. El otro hombre que estaba en la cruz le reprendió, diciéndole: «¡Malvado! ¿No temes a Dios?

27. »Este hombre es inocente de todo crimen, mientras que tú y yo somos culpables y estamos pagando las deudas que debemos».

28. Entonces le dijo a Jesús: «Señor, sé que llega tu reino, el reino que el mundo nunca podrá comprender.

29. »Y cuando venga sobre las nubes del cielo, acuérdate de mí».

30. Y Jesús dijo: «Mirad, yo os encontraré en el reino de las almas este día».

31. Cerca de la cruz había muchas mujeres de Judea y de Galilea. Entre ellas estaba la madre del Señor y Miriam.

32. También María, madre de los dos apóstoles Santiago y Juan, María Magdalena, Marta, Ruth, María y Salomé.

33. Cuando Jesús vio a su madre y a Miriam, la que los deleitaba con bellas canciones, cerca de la cruz acompañadas por Juan, le dijo a éste:

34. «A tu más delicado cuidado dejo a mi madre y a mi hermana Miriam».

35. Y Juan replicó: «Mientras vivan mi hogar será el hogar de tu madre tres veces bendita y de tu hermana Miriam».

36. De acuerdo con la costumbre de los judíos, aquellos que eran los ejecutores de la ley y quitaban la vida de los criminales se quedaban con sus vestidos.

37. Así pues, cuando el Señor fue crucificado, los soldados romanos se repartieron sus vestiduras.

38. Pero cuando vieron que su túnica era de una sola pieza y de gran valor...

39. Los soldados echaron suertes para determinar quién se quedaría con ella.

40. Y así se cumplió la escritura, que decía: «Y dividirán mis vestidos entre sí, y echarán mi túnica a suertes».

Capítulo 171

Escenas últimas de la crucifixión. José y Nicodemo, por consentimiento de Pilatos, bajan el cuerpo de Jesús de la cruz y lo entierran en la tumba de José. Dejan una guardia de cien soldados judíos en el sepulcro.

1. En la hora sexta del día, aunque el Sol estaba en su punto más alto, el día se volvió oscuro como la noche.

2. Y los hombres buscaban antorchas y hacían hogueras sobre las colinas para poder ver.

3. Y cuando el sol rehusó iluminar y la oscuridad llegó, el

Señor exclamó: «*¡Heloi! ¡Heloi! ¿Lama sabachtani?* (¡Oh sol! ¡Oh sol! ¿Por qué me has abandonado?)».

4. La gente no comprendió las palabras que había dicho; pensaban que había pronunciado el nombre de Elías y dijeron:

5. «Llama a Elías en esta hora de necesidad; ahora veremos si viene».

6. Y Jesús dijo: «Tengo sed». Un soldado romano mojó una esponja en vinagre y mirra y se la puso en los labios.

7. En la hora novena del día la tierra comenzó a temblar, y en la oscuridad de ese día sin sol, un haz de luz dorada apareció sobre la cruz.

8. Y de la luz se oyó una voz que dijo: «Todo está consumado».

9. Y Jesús dijo: «Padre-Dios, en tus manos encomiendo mi alma».

10. Un soldado romano dijo, movido por la compasión: «Esta agonía es demasiado grande; hay que aliviarle». Y con una lanza atravesó su corazón y todo fue consumado; el hijo del hombre había muerto.

11. Entonces la tierra se agitó de nuevo; la ciudad de Jerusalén tembló y las colinas y las tumbas se abrieron.

12. Y la gente parecía ver a los muertos levantarse y caminar por las calles.

13. El templo tembló y el velo que había entre el santuario y el Santo Lugar se rasgó en dos y reinó una gran consternación por todas partes.

14. El guardia romano que vigilaba el cuerpo en la cruz exclamó: «Ciertamente éste era el hijo de Dios».

15. Y la gente corrió colina abajo. Los sacerdotes, fariseos y escribas estaban llenos de temor.

16. Buscaban el cobijo de sus sinagogas y casas y exclamaban: «¡Ésta es la ira de Dios!».

17. El gran día de la pascua judía estaba cerca y los judíos, de acuerdo a la ley, no podían permitir que un criminal colgado estuviera en la cruz en el día del sábado.

18. Así pues rogaron a Pilatos que quitara los cuerpos de los hombres que habían sido crucificados.

19. Y Pilatos envió a sus guardias al Calvario para ver si todos los hombres estaban muertos.

20. Y cuando los guardias se habían ido, dos ancianos judíos llegaron a la puerta del palacio para ver al gobernador; eran miembros del consejo supremo de los judíos.

21. Sin embargo, creían que Jesús era un profeta enviado de Dios.

22. Uno era el rabino José, el consejero de Arimatea; era justo y amaba la ley de Dios.

23. Nicodemo era el otro.

24. Estos hombres se inclinaron a los pies de Pilatos y le rogaron que les permitiera tomar el cuerpo del Nazareno y depositarlo en una tumba.

25. Y Pilatos dio su consentimiento.

26. José había preparado una costosa mezcla para embalsamar el cuerpo del Señor, unas cien libras de óleos y mirra, y con esto se apresuraron camino del Calvario.

27. Cuando los guardias volvieron, dijeron: «El Nazareno está muerto; los malhechores viven».

28. Y Pilatos ordenó a los guardias que fueran y mataran a los dos hombres, y luego que echaran sus cuerpos a la hoguera, pero que entregaran el cuerpo del Nazareno a los rabinos que lo habían pedido.

29. Los soldados hicieron como Pilatos había dicho.

30. Los rabinos llegaron, se llevaron el cuerpo del Señor y cuando lo habían preparado con las especias que habían comprado...

31. Lo depositaron en una tumba nueva que había sido hecha en roca viva para José.

32. Y luego con una gran piedra taparon el sepulcro.

33. Los sacerdotes temían que los amigos de Jesús fuesen por la noche, se llevaran el cuerpo del Nazareno y luego anunciasen que había resucitado de la muerte, como él había predicho.

34. Y pidieron al gobernador que enviase soldados a la tumba para custodiar el cuerpo de Jesús.

35. Mas Pilatos respondió: «No enviaré ni un soldado romano; tenéis soldados judíos y podéis enviar cien hombres con un centurión para vigilar la tumba».

36. Y entonces ellos enviaron cien soldados a la tumba.

SECCIÓN XX

RESH

La resurrección de Jesús

CAPÍTULO 172

Pilatos coloca el sello romano sobre la piedra de la puerta del sepulcro. A medianoche un grupo de los hermanos silenciosos caminan alrededor de la tumba. Los soldados se alarman. Jesús predica a los espíritus prisioneros. En las primeras horas de la mañana del domingo se levanta de la tumba. Los soldados son sobornados por los sacerdotes para que digan que los discípulos han robado el cuerpo.

1. La tumba en la cual yacía el cuerpo del Señor se hallaba en un jardín, rico en flores, el jardín de Siloam, y la casa de José estaba cerca.

2. Antes de que la vigilancia comenzara, Caifás envió a un grupo de sacerdotes a los jardines de Siloam para asegurarse de que el cuerpo de Jesús estaba dentro de la tumba.

3. Removieron la piedra; vieron que el cuerpo se hallaba allí y volvieron a colocarla de nuevo.

4. Y Pilatos envió a un escriba, quien puso el sello de Roma sobre la piedra, de tal manera que si alguien la removía, el sello se rompería.

5. Romper el sello romano significaba la muerte para aquel que lo hiciera.

6. Los soldados judíos prestaron juramento de fidelidad; y entonces comenzó la guardia.

7. A medianoche todo iba bien, pero de repente la tumba se convirtió en una llamarada de luz, y en la parte inferior de los

jardines una tropa de soldados vestidos de blanco caminaban en línea.

8. Llegaron a la tumba y desfilaron arriba y abajo de la puerta.

9. Los soldados judíos estaban alerta; pensaron que sus amigos habían ido a robar el cuerpo del Nazareno. El capitán de la guardia ordenó atacar.

10. Atacaron; pero ni un solo soldado de vestiduras blancas cayó. Ni siquiera se detuvieron; siguieron desfilando arriba y abajo entre los hombres asustados.

11. Se pararon frente al sello romano; no hablaron ni desenvainaron las espadas; era la Hermandad del Silencio.

12. Los soldados judíos huyeron despavoridos y cayeron al suelo.

13. Se quedaron a un lado hasta que los soldados de blancas vestiduras se hubieron alejado; entonces la luz que había sobre la tumba fue palideciendo.

14. Y luego volvieron; la piedra estaba en su lugar, el sello no había sido roto y ellos acabaron su guardia.

15. Jesús no había dormido dentro de la tumba. El cuerpo es la manifestación del alma; pero el alma es el alma sin manifestación.

16. Y al reino de las almas inmanifestadas el Señor fue y enseñó.

17. Abrió las puertas de la prisión y dejó libres a los prisioneros.

18. Rompió las cadenas de las almas cautivas y guió a los cautivos hacia la luz.

19. Se sentó en consejo con los patriarcas y los profetas de tiempos pasados.

20. Se reunió con los maestros de todos los tiempos y latitudes y en la gran asamblea contó la historia de su vida en la tierra y de su muerte en sacrificio por los hombres.

21. Y de sus promesas de vestirse de nuevo con el vestido de la carne y caminar con sus discípulos, tan sólo para probar las posibilidades del hombre.

22. Para darles la llave de la vida, de la muerte y de la resurrección de los muertos.

23. Todos los maestros se sentaron en consejo y hablaron sobre las revelaciones de la próxima era.

24. Cuando la Santa Respiración llene la tierra y el aire con su aliento santo, y abra el camino del hombre a la perfección y a la vida eterna.

25. Los jardines de Siloam estaban silenciosos en el día del sábado; los soldados judíos vigilaban y nadie más se acercó a la tumba; mas a la noche siguiente la escena cambió.

26. Al filo de la medianoche todos los soldados judíos escucharon una voz que dijo: «*Adon Mashich Cumi*», que significa, «Señor Cristo, levántate».

27. Y supusieron de nuevo que los amigos de Jesús estaban alerta e iban a llevarse el cuerpo de su Señor.

28. Los soldados, con las espadas desenvainadas, estaban atentos, y de nuevo escucharon las palabras.

29. Parecía como si la voz estuviera por todas partes y sin embargo no veían a nadie.

30. Los soldados palidecieron de miedo, pero huir significaba la muerte por cobardía, así pues se quedaron vigilando.

31. De nuevo, poco antes de salir el sol, los cielos resplandecieron de luz y un trueno distante parecía ser el heraldo de una próxima tormenta.

32. Entonces la tierra comenzó a temblar y vieron una forma descendiendo del cielo en rayos de luz. Exclamaron: «Mirad, viene un ángel».

33. Y de nuevo oyeron: «*Adon Mashich Cumi*».

34. Entonces la forma vestida de blanco pisoteó el sello romano y lo rompió en pedazos; tomó la poderosa piedra en la mano como si fuese un guijarro del arroyo y la arrojó a un lado.

35. Y Jesús abrió los ojos y dijo: «¡Gloria al sol naciente, a la venida del día de la rectitud!».

36. Entonces se levantó la mortaja y las envolturas de la cabeza y las dejó a un lado.

37. Se levantó, y por un momento permaneció al lado de la blanca forma.

38. Los más débiles cayeron a tierra y se cubrieron la cara con las manos; los más fuertes se quedaron y observaron.

39. Vieron transmutarse el cuerpo del Nazareno; lo vieron cambiarse de mortal a inmortal, y entonces desapareció.

40. Los soldados escucharon una voz que salía de algún lugar;

en realidad salía de todas partes y decía:

41. «Paz, paz en la tierra; buena ventura a los hombres».

42. Miraron: la tumba estaba vacía y el Señor había resucitado como había dicho.

43. Los soldados corrieron hacia Jerusalén y dijeron a los sacerdotes:

44. «El Nazareno ha resucitado como había predicho; la tumba está vacía y el cuerpo del hombre ha desaparecido; no sabemos dónde está». Y les relataron los asombrosos acontecimientos de la noche.

45. Caifás llamó a consejo a los judíos y les dijo: «Las nuevas de que Jesús ha resucitado de los muertos no deben extenderse.

46. »Pues si se enteran, todos dirán que es el hijo de Dios, y verán que todos nuestros testimonios eran falsos».

47. Y entonces llamaron a los cien soldados y les dijeron:

48. «Como no sabemos dónde está el cuerpo del Nazareno, podéis decir que sus discípulos vinieron y lo robaron cuando dormíais.

49. »Cada uno de vosotros recibirá una moneda de plata, y arreglaremos con Pilatos lo de la ruptura del sello romano».

50. Los soldados hicieron lo que se les había pagado por hacer.

SECCIÓN XXI

SCHIN

Materialización del cuerpo espiritual de Jesús

CAPÍTULO 173

Jesús aparece plenamente materializado a su madre, a Miriam, a María Magdalena, a Pedro, a Santiago y a Juan.

1. Cuando los rabinos tomaron el cuerpo de Jesús y lo depositaron en la tumba, la madre del Señor, María Magdalena y Miriam se encontraban allí.

2. Y cuando el cuerpo fue sepultado se fueron a casa de José y permanecieron en ese lugar.

3. No sabían que habían sido enviados soldados judíos para guardar la tumba, ni que el sello romano había sido colocado sobre la piedra.

4. Así pues en la mañana del primer día de la semana corrieron hacia la tumba con especias para embalsamar al Señor.

5. Pero cuando llegaron allí encontraron a los soldados aterrorizados corriendo frenéticamente.

6. Las mujeres no sabían la causa; pero cuando hallaron la tumba vacía quedaron muy acongojadas.

7. Los soldados no sabían lo que había ocurrido; no podían decir quién se había llevado el cuerpo del Señor.

8. Y María Magdalena corrió apresuradamente hacia Jerusalén para contar las nuevas a Pedro y al resto.

9. Se encontró en la puerta misma de la ciudad a Pedro,

Santiago y Juan, y les dijo: «Alguien ha quitado la piedra y se ha llevado el cuerpo del Señor».

10. Entonces los tres discípulos corrieron hacia la tumba; pero Juan era más rápido y fue el primero en llegar; la encontró vacía; el cuerpo del Señor había desaparecido.

11. Cuando Pedro llegó, entró en la tumba y encontró la mortaja cuidadosamente doblada y colocada a un lado.

12. Los discípulos no comprendían la escena. No sabían el significado de lo que había dicho su Señor cuando los había informado poco antes de morir que se levantaría de la muerte en el primer día de la semana.

13. Los tres discípulos volvieron a Jerusalén y la madre del Señor y Miriam se quedaron.

14. Y María miró dentro de la tumba y vio a los maestros sentados allí. Le preguntaron: «¿Por qué lloras?».

15. Y María respondió: «Porque mi Señor se ha ido; alguien se ha llevado su cuerpo y no sé dónde está».

16. Entonces se levantó y miró a su alrededor; un hombre que estaba cerca de ella le preguntó: «¿Por qué lloras? ¿A quién buscas?».

17. Y María pensó que era el jardinero y le dijo: «Si te has llevado el cuerpo de mi Señor, dime dónde está para que pueda depositarlo en una tumba sagrada».

18. Entonces el hombre se le acercó y dijo: «¡Madre!». Y María exclamó: «¡Mi Señor!».

19. Los ojos de María se abrieron y contempló al Señor.

20. Y Jesús habló: «Ya te dije cuando caminábamos hacia la cruz que me encontraría contigo en el sepulcro el primer día de la semana».

21. María Magdalena estaba sentada no muy lejos de allí y Jesús fue hacia ella y le dijo:

22. «¿Por qué buscas a los vivos en medio de los muertos? Tu Señor ha resucitado como predijo. ¡Mira, María! ¡Contempla mi rostro!».

23. Entonces María supo que era el Señor, que había resucitado de la muerte.

24. Luego Salomé y María, madre de los dos discípulos Santiago y Juan, Juana y las otras mujeres que habían ido a la tumba vieron a Jesús y hablaron con él.

25. Y María Magdalena, llena de alegría, buscó de nuevo a Pedro, Santiago y Juan; los encontró y les dijo:

26. «He visto al Señor; y su madre, Miriam y muchos más también han contemplado su rostro, pues ha resucitado de entre los muertos».

27. Pero los discípulos pensaron que simplemente habría visto una visión del Señor. No pensaron que había resucitado de entre los muertos.

28. Entonces María encontró a los otros apóstoles y les contó todo sobre la resurrección del Señor; pero ninguno de ellos creyó lo que decía.

29. Pedro, Santiago y Juan se hallaban en el jardín de Siloam; estaban hablando con el jardinero sobre los sucesos de aquel día cuando Juan vio a un extraño que se acercaba por el camino.

30. El extraño levantó las manos y dijo: «Yo soy». Entonces los discípulos supieron que era el Señor.

31. Y Jesús dijo: «La carne mortal puede ser transmutada en una forma más elevada, y esa forma superior es maestra de las cosas manifiestas y puede a voluntad tomar cualquier forma.

32. »Así pues, yo vengo en una forma que os es familiar.

33. »Id y hablad con Tomás y los otros a los que he llamado para ser apóstoles de los hombres, y decidles:

34. »Que aquel que los judíos y romanos dieron por muerto camina en los jardines de Siloam.

35. »Y se presentará de nuevo ante los sacerdotes y fariseos en el templo de Jerusalén.

36. »Y aparecerá ante los sabios del mundo.

37. »Diles que iré antes que ellos a Galilea».

38. Entonces Pedro, Santiago y Juan se fueron, encontraron a los demás apóstoles y les dijeron: «El Señor ha resucitado de la muerte y le hemos visto cara a cara».

39. Los apóstoles quedaron sorprendidos por lo que decían los tres discípulos; pero aún así consideraron sus palabras habladurías sin sentido y no los creyeron.

Capítulo 174

Jesús aparece plenamente materializado ante Zaqueo y Cleofás mientras viajan a Emaús, pero no le reconocen. Les cuenta muchas cosas sobre el Cristo. Cena con ellos y se les revela. Van a Jerusalén y cuentan las noticias.

1. Hacia la tarde del día de la resurrección dos amigos de Jesús, Zaqueo y Cleofás, que eran de Emaús, iban hacia su casa, a siete leguas de distancia.

2. Y mientras hablaban de los sucesos que habían ocurrido, un extraño se unió a su compañía.

3. Les dijo: «Amigos míos, parecéis desanimados y tristes, ¿ha caído alguna desgracia sobre vosotros?».

4. Cleofás dijo: «Debes ser extranjero, pues no conoces los conmovedores sucesos que han tenido lugar en Judea».

5. El extraño preguntó: «¿Qué sucesos? ¿A qué te refieres?».

6. Cleofás respondió: «¿No has oído hablar del hombre de Galilea que era un gran profeta poderoso de palabra y obra?

7. »¿Un hombre que muchos creyeron que había venido a fundar de nuevo el reino de los judíos y arrojar a los romanos de la ciudad de Jerusalén y proclamarse rey a sí mismo?».

8. El extraño les pidió: «Habladme de este hombre».

9. Cleofás dijo: «Su nombre era Jesús; había nacido en Belén y su casa estaba en Galilea. Amaba a la gente como se amaba a sí mismo.

10. »Era en verdad un maestro enviado de Dios, pues poseía un poder invencible. Curaba a los enfermos, devolvía el poder de oír a los sordos, la vista a los ciegos, hacía caminar a los lisiados e incluso resucitaba a los muertos.

11. »Los judíos, escribas y fariseos estaban celosos de su fama y poder y le arrestaron; con testigos falsos dijeron que era culpable de un sinfín de crímenes.

12. »Y el pasado viernes fue llevado al lugar de las calaveras y crucificado.

13. »Murió y fue enterrado en la tumba de un hombre rico, en los jardines de Siloam.

14. »Esta misma mañana, cuando sus amigos fueron a la tumba, la encontraron vacía; el

cuerpo del Señor había desaparecido.

15. »Y ahora la noticia de que ha resucitado de la muerte se ha extendido por todo el país».

16. El extraño dijo: «Sí, he oído hablar de este hombre; pero parece extraño que después de todas las cosas que los profetas judíos habían anunciado desde tiempo atrás sobre él, cuando vino no le reconocieran.

17. »Este hombre había nacido para demostrar el Cristo a los hombres y es justo decir que Jesús es el Cristo.

18. »De acuerdo con la Palabra, este Jesús vino para sufrir en manos de los hombres y dar su vida como modelo por los hijos de los hombres.

19. »Para resucitar de la muerte a fin de que los hombres conozcan el modo de levantarse de ella».

20. Y luego el extraño les contó a los dos discípulos todo lo que se refería a la ley, los profetas y los salmos, y les leyó un sinfín de cosas que habían sido escritas sobre este hombre de Galilea.

21. Zaqueo y Cleofás habían llegado ya a casa y, como la noche se acercaba, rogaron al extraño que se quedara con ellos.

22. Entró con ellos, se sentaron a comer a la mesa y, tomando una hogaza de pan, la bendijo en el nombre de Cristo.

23. Al instante sus ojos se abrieron y advirtieron que él, el extraño, era el Señor, el hombre de Galilea que había resucitado de la muerte; entonces la forma de Jesús desapareció.

24. Cuando se hubo ido, los dos discípulos quedaron maravillados. Dijeron: «¿Acaso no ardieron nuestros corazones de gozo cuando nos hablaba por el camino y nos abría los testimonios de la ley, los profetas y los salmos?».

25. Luego Zaqueo y Cleofás retornaron a Jerusalén y en todas partes adonde fueron dijeron: «Hemos visto al Señor.

26. »Ha caminado con nosotros hasta Emaús; ha cenado con nosotros y ha partido el pan de la vida».

Capítulo 175

Jesús aparece completamente materializado a los diez apóstoles en la casa de Simón, y a Lázaro y a sus hermanas.

1. Era la tarde del día de la resurrección; los diez apóstoles estaban en la casa de Simón de Betania. Tomás, el escriba, no se encontraba allí.

2. Las puertas estaban cerradas y apuntaladas, pues los judíos habían dicho que iban a arrojar a los galileos del país.

3. Y cuando se hallaban hablando, he aquí que Jesús llegó, apareció en medio de ellos y les dijo: «¡Paz! ¡Paz!».

4. Los discípulos se estremecieron de miedo, pues creían que era un fantasma.

5. Y Jesús dijo: «¿Por qué os turbáis así? ¿Qué teméis? No soy un fantasma. Soy vuestro Señor, que ha resucitado de la muerte.

6. »Muchas veces dije que resucitaría, pero no me creísteis; ahora venid y ved. Un fantasma no tiene carne, huesos y músculos, como yo.

7. »Venid y tocad mis manos y mis pies, y posad vuestras manos en mi cabeza».

8. Y todos ellos se acercaron y tocaron sus manos y sus pies, y posaron una mano sobre su cabeza.

9. Y Jesús dijo: «¿Tenéis algo de comer?».

10. Y le llevaron un trozo de pescado; lo comió en presencia de todos ellos y entonces los diez creyeron.

11. Nataniel dijo: «Ahora sabemos que ha resucitado de la muerte; él es la prueba de la resurrección de los muertos». Y Jesús desapareció.

12. María, Marta, Ruth y Lázaro se hallaban en su casa, y habían oído el rumor de que el Señor había resucitado, mas Marta dijo:

13. «No puede ser, pues una cosa así nunca ha ocurrido desde que el mundo comenzó».

14. Pero María le respondió: «¿No rescató el Señor a tu hermano de la muerte? Él podría muy bien retornar a la vida de nuevo».

15. Se hallaban conversando así cuando el Señor apareció en medio de ellos y dijo:

16. «¡Salve!, pues he resucitado de entre los muertos, en la primera victoria sobre la muerte».

17. Marta corrió a alcanzar la silla favorita del Señor y Jesús se sentó en ella.

18. Y estuvieron mucho tiempo hablando del juicio y las escenas del Calvario y del jardín de Siloam.

19. Y Jesús dijo: «No temáis, pues yo seré vuestro compañero durante todo el camino; y dicho esto desapareció».

CAPÍTULO 176

Jesús se aparece, completamente materializado, a los sabios orientales en el palacio del príncipe Ravana, en la India. Se aparece también a los sacerdotes magos de Persia. Los tres sabios alaban la personalidad del Nazareno.

1. Ravana, príncipe de India, dio una fiesta. Su palacio de Orissa era el lugar donde los hombres de pensamiento de todo el lejano Oriente acostumbraban a reunirse.

2. Ravana era el príncipe con el que Jesús partió de niño a la India muchos años atrás.

3. La fiesta se celebraba en honor de los sabios de Oriente.

4. Entre los invitados se hallaban Meng-tse, Vidyapati y Lamas.

5. Los sabios se sentaron a la mesa y conversaron sobre las necesidades de la India y del mundo.

6. La puerta de la sala del banquete estaba orientada hacia el este; y en la mesa, también orientada hacia el este, había un lugar vacío.

7. Y mientras los sabios se hallaban hablando, un extraño hizo aparición sin haber sido anunciado y, levantando las manos en bendición, exclamó: «¡Salve!».

8. Un halo descansaba sobre su cabeza, y una luz, distinta a la luz del sol, llenó la estancia.

9. Los sabios se levantaron, doblaron las cabezas en reverencia y respondieron a su vez: «¡Salve!».

10. Jesús se sentó en el lugar vacante; y entonces los sabios supieron que el que había llegado era el profeta hebreo.

11. Y Jesús dijo: «Mirad, pues he resucitado de la muerte. Mirad mis manos, mis pies y mi costado.

12. »Los soldados romanos atravesaron mis pies y manos con clavos, y uno de ellos traspasó mi corazón.

13. »Me pusieron en una tumba, y allí luché con la conquistadora de los hombres, la muerte. La vencí y, pisoteándola, resucité.

14. »Traje la inmortalidad a la luz y pinté en los muros del tiempo un arco iris para los hijos de los hombres; lo que hice todos los hombres lo harán.

15. »Este evangelio de la resurrección de los muertos no es exclusivo para los judíos y los griegos; es la herencia de todos los hombres de todos los tiempos y latitudes».

16. Dicho esto se levantó y estrechó la mano de todos y del anfitrión real, y dijo:

17. «No soy un mito hecho de vientos efímeros, pues soy carne, huesos y músculos; pero puedo cruzar la frontera a voluntad».

18. Entonces conversaron juntos durante mucho, mucho tiempo. Y Jesús anunció:

19. «Me voy, pero vosotros iréis al mundo entero y predicaréis el evangelio de la omnipotencia del hombre, del poder de la verdad y la resurrección de los muertos.

20. »El que crea en este evangelio del hijo del hombre nunca morirá; y los muertos morirán de nuevo».

21. Jesús desapareció, pero ya había dejado plantada la semilla. Las palabras de la vida fueron pronunciadas en Orissa, y toda la India escuchó.

22. Los sacerdotes magos se hallaban meditando en Persépolis, y Gaspar y los magos maestros que fueron los primeros en recibir al niño prometido en la casa del pastor de Belén estaban allí.

23. Jesús llegó y se sentó con ellos; en la cabeza llevaba una corona de luz.

24. Cuando la meditación terminó, Gaspar dijo: «Un maestro del real consejo de la Hermandad del Silencio se halla aquí; alabémosle».

25. Y todos los sacerdotes y maestros se irguieron y exclamaron: «¡Salve! ¿Qué mensaje nos traes del real consejo?».

26. Y Jesús respondió: «¡Hermanos de la Hermandad del Silencio, paz, paz en la tierra; buena voluntad a los hombres!

27. »El problema de las edades ha sido resuelto; el hijo del hombre ha resucitado de la muerte, ha mostrado que la carne humana puede ser transmutada en carne divina.

28. »Esta carne en la que vengo a vosotros fue cambiada ante los ojos de los hombres con la velocidad de la luz y mi cuerpo mortal se ha transformado en éste. Así pues yo soy el mensaje que os traigo.

29. »Vengo a vosotros, los primeros de toda la raza humana en ser transmutados a la imagen del SER.

30. »Lo que yo he hecho, todos los hombres lo harán; y lo que yo soy todos los hombres lo serán».

31. Pero Jesús no dijo nada más. En un breve aliento contó la historia de su misión a los hijos de los hombres, y luego desapareció.

32. Los magos dijeron: «Hace algún tiempo leímos esta promesa, que ahora se ha cumplido, sobre el disco del cielo.

33. »Vimos a este hombre, que nos ha demostrado el poder del hombre para resucitar del cuerpo y la sangre carnales al cuerpo de Dios, como un niño en Jerusalén.

34. »Y después de muchos años vino y se sentó con nosotros en estas mismas cuevas.

35. »Nos contó la historia de su vida humana, de sus pruebas, amargas tentaciones, golpes y enemigos.

36. »Luchó por el espinoso sendero de la vida hasta que hubo resucitado y arrojado a los más fuertes enemigos de Dios y de los hombres; y ahora es el único maestro de la raza humana cuya carne ha sido transmutada en carne divina.

37. »Él es el Dios-Hombre de hoy; pero todos los hombres de la tierra pasarán por esto y serán como él, hijos de Dios».

CAPÍTULO 177

Jesús aparece, completamente materializado, en el templo de Jerusalén. Reprende a los gobernantes de los judíos por su hipocresía. Se revela ante ellos, que retroceden atemorizados. Se aparece a los apóstoles en la casa de Simón. Tomás queda convencido.

1. Era el sábado y muchos sacerdotes y escribas se hallaban en el templo de Jerusalén; Caifás, Anás y algunos otros jefes judíos estaban allí.

2. Un extraño llegó vestido de pescador y preguntó: «¿Qué ha sido de Jesús llamado el Cristo? ¿No está enseñando en el templo ya?».

3. Los judíos replicaron: «Ese hombre de Galilea fue crucificado hace una semana, pues era muy peligroso, vil y codicioso».

4. El extraño preguntó: «¿Dónde pusisteis el cuerpo de ese hombre de Galilea? ¿Dónde está su tumba?».

5. Los judíos contestaron: «No lo sabemos. Sus seguidores vinieron por la noche, robaron el cuerpo de la tumba donde yacía y luego anunciaron que había resucitado de la muerte».

6. El extraño preguntó de nuevo: «¿Cómo sabéis que sus discípulos robaron el cuerpo de la tumba? ¿Hubo algún testigo del robo?».

7. Los judíos dijeron: «Teníamos cien soldados en el lugar, y todos declaran que sus discípulos robaron el cuerpo de la tumba».

8. El extraño preguntó una vez más: «¿Alguno de vuestros cien hombres podría dar un paso y decir: "Yo vi robar el cuerpo de la tumba"?».

9. Los judíos dijeron: «No lo sabemos; esos soldados son hombres honestos; no podemos dudar de su palabra».

10. El extraño replicó: «Escuchadme, escribas, fariseos y sacerdotes: yo fui testigo de todos los hechos, ya que estaba en el jardín de Siloam, entre vuestros cien hombres.

11. »Y sé bien que ninguno de los cien dirá que ha visto el cuerpo robado de la tumba.

12. »Y testificará ante el Dios del cielo y de la tierra: "El cuerpo no fue robado; el hombre de

Galilea ha resucitado de la muerte"».

13. Entonces los sacerdotes, escribas y fariseos se abalanzaron para agarrarle y arrojarle fuera.

14. Pero al instante el pescador se volvió una radiante forma de luz, y los sacerdotes, escribas y fariseos retrocedieron despavoridos; vieron al hombre de Galilea.

15. Y Jesús, viendo a los hombres asustados, dijo: «Éste es el cuerpo que vosotros apedreasteis en las afueras de la ciudad y crucificasteis en el Calvario.

16. »He aquí mis manos, mis pies y mi costado, ved las heridas que los soldados me hicieron.

17. »Si creéis que soy un fantasma hecho de aire, venid y tocadme; los espíritus no llevan carne y huesos.

18. »Vine a la tierra para demostrar la resurrección de los muertos y la transmutación de la carne mortal en carne divina».

19. Y Jesús levantó las manos y dijo: «La paz sea con todos vosotros; buena voluntad a toda la humanidad». Y dicho esto desapareció.

20. Tomás no había visto al Señor desde que había resucitado, y cuando los diez afirmaron que le habían visto y habían hablado con él, dijo:

21. «Hasta que vea las marcas de los clavos en sus manos y pies, la herida de su costado y hable con él como lo hacía antes, no creeré que ha resucitado de la muerte».

22. En la casa de Simón, en Betania, se habían reunido los hombres de Galilea. Era el atardecer del primer día de la semana, y a la mañana siguiente todos volverían a sus hogares.

23. Los once apóstoles se hallaban allí. Las puertas estaban cerradas y apuntaladas, y Jesús llegó y dijo: «¡La paz sea con todos!».

24. Y luego dijo a Tomás: «Amigo, no sabías que había resucitado de la muerte; ha llegado la hora de que lo sepas.

25. »Acércate y mira las marcas de los clavos en mis manos, la herida de mi costado y habla conmigo como frecuentemente solías hacerlo».

26. Y Tomás se acercó y vio, y entonces exclamó: «¡Señor y maestro mío! Ahora ya creo,

pues ahora sé que has resucitado de entre los muertos».

27. Y Jesús dijo: «Porque me has visto has creído, y benditos son tus ojos.

28. »Pero tres veces benditos son aquellos que no me ven y sin embargo creen».

29. Luego Jesús desapareció ante sus ojos, pero los discípulos quedaron reafirmados en su fe.

Capítulo 178

Jesús aparece, completamente materializado, ante Apolo y la Hermandad del Silencio en Grecia. Se aparece a Claudas y a Julia en el Tíber, cerca de Roma. Se aparece a los sacerdotes del templo egipcio de Heliópolis.

1. Apolo estaba sentado en una cueva de Delfos con la Hermandad del Silencio de Grecia. El Oráculo había hablado durante largo tiempo.

2. Los sacerdotes estaban en el santuario cuando de repente miraron al Oráculo y éste se convirtió en resplandor de luz; parecía que estaba ardiendo y quedó completamente destruido.

3. Los sacerdotes dijeron atemorizados: «Un gran desastre va a acaecer; nuestros dioses han enloquecido, han destruido a nuestro Oráculo».

4. Mas cuando las llamas se extinguieron, un hombre apareció en el pedestal del Oráculo y dijo:

5. «Dios habla al hombre, no a través de un oráculo de madera y oro, sino por la voz del hombre.

6. »Los dioses han hablado a los griegos y a sus lenguas hermanas a través de imágenes hechas por los hombres, pero Dios, el Uno, ahora habla a los hombres a través de Cristo, su único hijo, que fue, es y siempre será.

7. »Este Oráculo algún día cesará de existir; mas el oráculo viviente de Dios siempre existirá».

8. Apolo conocía al hombre que así habló; sabía que era el nazareno que una vez había enseñado a los sabios en la Acrópolis y que había reprendido a los adoradores de ídolos en la playa de Atenas.

9. En un instante Jesús apareció ante Apolo y la Hermandad del Silencio y dijo:

10. «Mirad, he resucitado de la muerte y traigo presentes a los hombres. Te traigo el título de tu vasto estado.

11. »Todo el poder del cielo y de la tierra es mío, y a ti te lo doy.

12. »Ve y enseña a las naciones de la tierra el evangelio de la resurrección de los muertos y de la vida eterna a través de Cristo, el amor de dios manifestado a los hombres».

13. Acto seguido estrechó la mano de Apolo y dijo: «Mi carne humana fue cambiada a una forma más alta por el amor divino y puedo manifestarme a voluntad en carne o en los más altos planos de la vida.

14. »Lo que yo puedo hacer todos los hombres pueden hacerlo. Ve y predica el evangelio de la omnipotencia del hombre».

15. Y Jesús desapareció; pero Grecia, Creta y todas las naciones escucharon lo que había dicho.

16. Claudas y Julia, su esposa, que eran sirvientes de Tiberio y vivían en el Palatino de Roma, habían estado en Galilea.

17. Habían caminado con Jesús junto al mar, oído sus palabras y visto su poder, y creían que era el Cristo manifestado.

18. Sucedió que Claudas y su esposa se hallaban en el Tíber en una pequeña barca; de repente una tormenta llegó del mar y la barca volcó. Claudas y su esposa se hallaban en trance de perecer ahogados.

19. Y Jesús apareció, los tomó de las manos y les dijo: «Claudas y Julia, levantaos y caminad conmigo sobre las aguas».

20. Y se levantaron e hicieron lo que les pidió.

21. Miles de personas vieron a los tres caminar sobre las aguas y alcanzar tierra firme, y todos quedaron atónitos.

22. Y Jesús dijo: «Hombres de Roma, yo soy la resurrección y la vida. Aquellos que están muertos vivirán y los que están vivos perecerán.

23. »Desde hace mucho tiempo Dios habló a vuestros padres por boca de vuestros dioses y semidioses; pero ahora os habla a través del hombre perfecto.

24. »Él ha enviado a su hijo, el Cristo, en carne humana para salvar al mundo, y así como rescaté a estos sirvientes de Tiberio del ataúd de las aguas...

25. »Así Cristo rescatará a los hijos de la raza humana y llevará a cada uno de ellos de la oscuridad y de los ataúdes de las cosas carnales a la luz de la vida imperecedera.

26. »Yo soy el amor manifiesto, resucitado de la muerte; he aquí mis manos, mis pies y mi costado que fueron atravesados por los hombres carnales.

27. »Claudas y Julia, a quienes he salvado de la muerte, son mis embajadores para Roma.

28. »Y ellos señalarán el camino y predicarán el evangelio del Santo Aliento y de la resurrección de los muertos».

29. Esto fue todo lo que dijo. Y Roma y toda Italia escuchó.

30. Los sacerdotes de Heliópolis se habían reunido en su templo para celebrar la resurrección de su hermano nazareno; sabían que había resucitado de la muerte.

31. El nazareno apareció sobre un sagrado pedestal en el cual nunca ningún hombre había subido.

32. Éste era un honor que había sido reservado para aquel que primero demostrara la resurrección de la muerte.

33. Y Jesús fue el primero de toda la raza humana en demostrarlo.

34. Cuando Jesús se alzó sobre el sagrado pedestal, los maestros exclamaron: «¡Gloria!». Las grandes campanas del templo tañeron al unísono y todo se llenó de luz.

35. Y Jesús dijo: «Honor sea dado a los maestros de este templo del Sol.

36. »En la carne del hombre está la esencia de la resurrección de los muertos. Esta esencia, vivificada por el Santo Aliento, elevará la sustancia del cuerpo a un plano superior,

37. »Y lo hará como la sustancia de los cuerpos de los planos superiores, que los ojos humanos no pueden ver.

38. »La muerte tiene una función sagrada. La esencia del cuerpo no puede ser vivificada por el Santo Aliento hasta que la forma fija queda disuelta; el

cuerpo debe desintegrarse y esto es la muerte.

39. »Y sobre estas sustancias manejables respira Dios, como respiró sobre el caos del abismo cuando los mundos fueron formados.

40. »La vida brota de la muerte y la forma carnal es cambiada en forma divina.

41. »La voluntad del hombre hace posible la acción del Santo Aliento. Cuando la voluntad del hombre y la voluntad de Dios son una, la resurrección es un hecho.

42. »Ésta es la alquimia de la vida mortal, la misión de la muerte y el misterio de la vida deífica.

43. »Mi vida humana fue dedicada totalmente a sintonizar mi voluntad con la voluntad de Dios; cuando esto se hizo, mis tareas terrenas llegaron a su fin.

44. »Vosotros, hermanos, sabéis muy bien los enemigos con que me tuve que enfrentar; conocéis mis victorias en Getsemaní, mis juicios ante los tribunales de los hombres y mi muerte en la cruz.

45. »Sabéis que toda mi vida fue un gran drama para los hijos de los hombres, un ejemplo para ellos. Viví para mostrar las posibilidades del hombre.

46. »Lo que yo he hecho todo hombre puede hacerlo, y lo que yo soy todo hombre lo será».

47. De repente ante los ojos de los maestros la forma desapareció y todos los sacerdotes del templo y todas las criaturas vivientes exclamaron: «¡Alabado sea Dios!».

CAPÍTULO 179

Jesús aparece plenamente materializado a los apóstoles en el mar de Galilea. Se aparece también a una multitud de gente. Manda a sus apóstoles que regresen a Jerusalén, donde se reunirá con ellos.

1. Los apóstoles estaban en su casa, en Galilea; las mujeres se habían quedado en Judea hasta Pentecostés.

2. Y Pedro, Santiago y Juan, con Andrés, Felipe y Natanael estaban en Cafarnaún. Se reunieron con Jonás y Zebedeo, y partieron a pescar en sus barcos.

3. Trabajaron toda la noche y cuando llegó la mañana aún no habían pescado nada.

4. Y cuando volvían a la orilla, un hombre les preguntó desde la costa: «¿Cuántos peces tenéis?».

5. Y Pedro respondió: «Ninguno».

6. De nuevo el hombre habló y dijo: «Un banco de peces está pasando ahora mismo por el lado derecho de vuestra barca; echad la red».

7. Echaron la red y se llenó. Juan exclamó: «El que está en la orilla es el Señor».

8. Al instante Pedro se tiró al mar y nadó hacia la orilla. Los demás alzaron la red, que contenía ciento cincuenta y tres peces y sin embargo no se rompía.

9. Y Jesús dijo: «Hijos míos, comamos juntos aquí».

10. Encontraron en la playa algunas brasas encendidas y Pedro llevó el pescado y lo preparó; tenían también algo de pan.

11. Y cuando la comida hubo sido preparada, comieron, y Jesús comió también pan y pescado.

12. Después de la comida, todos se sentaron en la playa, y Jesús preguntó a Pedro: «¿Amas al Señor tu Dios con todo tu corazón y amas a tu prójimo como a ti mismo?».

13. Y Pedro respondió: «Sí, Señor, amo al Señor mi Dios con todo mi corazón y amo a mi prójimo como a mí mismo».

14. Y Jesús dijo: «Entonces alimenta mis ovejas».

15. Luego se dirigió a Santiago y dijo: «¿Amas al Santo Aliento con todo tu corazón y amas a tu prójimo como a ti mismo?».

16. Y Santiago replicó: «Sí, Señor, amo al Santo Aliento con todo mi corazón y amo a mi prójimo como a mí mismo».

17. Entonces Jesús dijo: «Cuida mi rebaño».

18. Esta vez le habló a Juan: «¿Amas a Cristo, el amor divino manifestado, con todo tu corazón y amas a tu prójimo como a ti mismo?».

19. Y Juan le respondió: «Sí, Señor, amo a Cristo con todo mi corazón y amo a mi prójimo como a mí mismo».

20. Y Jesús dijo: «Alimenta mis corderos».

21. Luego se levantó y pidió a Pedro: «Sígueme». Y Pedro le siguió.

22. Cuando Pedro vio que Juan también le seguía, dijo a Jesús: «¡Señor, Juan también te sigue! ¿Qué tiene que hacer?».

23. Pero Pedro no había oído al maestro cuando le dijo a Juan: «Alimenta mis corderos».

24. Y Jesús le habló a Pedro y le dijo: «No es de tu incumbencia lo que haga Juan; ni siquiera si mi voluntad es que se quede hasta que yo vuelva de nuevo.

25. »Tan sólo cumple con tu deber; sígueme».

26. Y Jesús desapareció, y nadie supo adónde fue.

27. Las nuevas de que Jesús había resucitado de la muerte y había caminado junto a sus discípulos por el mar y comido con ellos la comida de la mañana pronto se extendieron por toda Cafarnaún. Y las multitudes acudieron para ver.

28. Pedro, Santiago y Juan, junto con los otros apóstoles del Señor, partieron hacia las montañas cercanas a Cafarnaún para orar.

29. Y mientras oraban, vino el Maestro; le vieron y hablaron con él.

30. Les dijo: «Pentecostés está cerca; id a Jerusalén y allí me reuniré con vosotros».

31. Y mientras hablaban, llegó una multitud de gente para ver al Señor y dijeron:

32. «Ahora sabemos que el Nazareno ha resucitado de entre los muertos, pues le hemos visto cara a cara».

CAPÍTULO 180

Jesús se aparece completamente materializado a los apóstoles en Jerusalén. Les da sus instrucciones. Les promete un don especial por su labor en Pentecostés. Va al monte de los Olivos y a la vista de todos sus discípulos asciende al cielo. Los discípulos regresan a Jerusalén.

1. Los once apóstoles del Señor estaban en Jerusalén en una espaciosa estancia que habían escogido por orden del Señor.

2. Y mientras oraban, el Señor se les apareció y dijo:

3. «La paz sea con todos; buena voluntad a todas las criaturas vivientes». Y después habló con ellos durante mucho, mucho tiempo.

4. Y los discípulos le preguntaron: «¿Restaurarás el reino de Israel ahora?».

5. Y Jesús respondió: «No os preocupéis de los gobiernos de los hombres; los maestros los dirigirán.

6. »Haced lo que os ha sido encomendado, esperad y no murmuréis.

7. »Todo el poder del cielo y de la tierra me ha sido otorgado, y ahora os pido que vayáis a todo el mundo a predicar el evangelio de Cristo, de la unidad de Dios y el hombre, la resurrección de los muertos y la vida eterna.

8. »Y cuando prediquéis, bautizad a la gente en el nombre de Cristo.

9. »Los que creen y sean bautizados resucitarán en la nueva vida de Cristo, y los que no crean no resucitarán a la nueva vida de Cristo.

10. »Y daréis a los hombres el poder que yo os doy.

11. »Los que crean y sean bautizados curarán a los enfermos, harán ver a los ciegos, oír a los sordos y caminar a los lisiados.

12. »Arrojarán los espíritus impuros de los poseídos, caminarán sobre serpientes venenosas y no serán dañados, atravesarán las llamas sin ser quemados y si beben pócimas venenosas, no les causarán la muerte.

13. »Pues conocéis la sagrada Palabra, que es la palabra del poder.

14. »Estas cosas secretas que os he contado no pueden ser reveladas a todo el mundo; sólo se las haréis saber a hombres de fe, quienes a su vez las revelarán a otros hombres de fe.

15. »Hasta que llegue la hora en que el mundo pueda oír y comprender las palabras de verdad y de poder.

16. »Y ascenderé hacia Dios, como lo haréis vosotros y todo el mundo.

17. »Y en el día de Pentecostés todos seréis enriquecidos con el poder de lo alto.

18. »Pero hasta entonces permaneceréis aquí en oración y santa meditación».

19. Luego Jesús fue hacia el monte de los Olivos y sus discípulos le siguieron. En un lugar no lejos de Betania se encontró con las Marías y Salomé.

20. Y también con Marta, Ruth y Miriam, Lázaro y un grupo de gente llegada de Galilea.

21. Y Jesús, separándose de ellos, levantó las manos y dijo:

22. «Las bendiciones de los santos, del Dios Todopoderoso, del Santo Aliento y de Cristo, el amor de Dios manifestado...

23. »Estarán con vosotros todo el tiempo hasta que resucitéis y os sentéis conmigo en el trono del poder».

24. Entonces le vieron elevarse sobre las alas de la luz; un halo le rodeaba, y al poco tiempo dejaron de ver su forma.

25. Pero mientras oteaban el cielo, aparecieron dos hombres vestidos de blanco y dijeron:

26. «Hombres de Galilea, ¿por qué observáis tan ansiosamente la ascensión del Señor? Tal como le habéis visto subir a los cielos, así regresará de nuevo».

27. Luego los once, con Lázaro, los otros hombres de Galilea y muchas mujeres piadosas, regresaron a Jerusalén y allí permanecieron.

SECCIÓN XXII

TAU

Establecimiento de la Iglesia cristiana

Capítulo 181

Los once apóstoles eligen a Matías para ocupar el puesto vacante por la deserción de Judas. Los cristianos se regocijan. Miriam entona un canto de alabanza. Lista de los apóstoles.

1. El hecho de que Jesús había resucitado de entre los muertos no fue negado por muchos gobernantes de los judíos.

2. Y Pilatos dio orden de que los seguidores del Nazareno no fuesen molestados en sus prácticas en cualquier lugar de su dominio.

3. Se acercaba el día de Pentecostés y todos esperaban alguna manifestación del poder.

4. En Jerusalén los once se habían reunido para elegir a un hombre que ocupara el lugar de Judas, el que había traicionado a su Señor.

5. Y Pedro dijo: «El Señor eligió para esta misión a doce hombres como las doce piedras capitales sobre las que se construirá el templo cristiano.

6. »Este Judas que traicionó a su Señor fue al lugar de su destino, más allá del cielo.

7. »Según escribió el profeta: "Su estancia será desolada y ningún hombre morará en ella; que su puesto sea ocupado por otro hombre".

8. »De aquellos que nos han acompañado desde Gilgal, donde bautizaba el Precursor, hasta este día, será elegido uno para

completar el número doce y así ocupar el lugar del cual nuestro hermano cayó por su transgresión».

9. Entonces los once estuvieron mucho, mucho tiempo en oración, y cuando echaron suertes, Matías, del valle del Nilo, fue elegido para el puesto.

10. Matías era israelita, pero había sido iniciado en la sabiduría de las escuelas de Egipto y había enseñado los misterios de Mizraím en Jericó.

11. Fue uno de los primeros en recibir al Precursor; y también fue de los primeros en reconocer al Nazareno como a Cristo, el Hijo de Dios.

12. Había estado con el grupo de los cristianos en todos sus viajes por tierras de Galilea, Judea y Samaria.

13. Un mensajero fue enviado en su busca, y Matías llegó y se unió a los once, y permaneció con ellos un tiempo en silenciosa oración.

14. Los cristianos que habían llegado de Galilea y otros lugares de Judea, unos ciento veinte, se hallaban allí, y Pedro les anunció que Matías había sido elegido por el azar como apóstol del Señor.

15. Todos los cristianos se alegraron y glorificaron el nombre de Dios, y Miriam entonó una canción de alabanza.

16. Éstos son los hombres de los apóstoles del Señor: Pedro, Santiago y Juan; Felipe, Andrés y Nataniel.

17. Tomás, Santiago hijo de Alfeo y Simón el Zelote; Mateo, Judas, hijo de Alfeo y Matías.

Capítulo 182

Los sucesos del día de Pentecostés. Enriquecimiento de los apóstoles. La Iglesia cristiana es establecida. Pedro predica el sermón introductorio. El sermón. Tres mil personas son bautizadas y se hacen miembros de la Iglesia.

1. Cuando llegó el día de Pentecostés, Jerusalén estaba repleta de piadosos judíos, prosélitos de muchos países.

2. Los cristianos se hallaban reunidos en perfecta armonía.

3. Estaban sentados en silenciosa oración cuando oyeron un

sonido semejante al lejano murmullo de una cercana tormenta.

4. El sonido creció en intensidad, cada vez más fuerte, hasta que como un trueno llenó la estancia donde estaban los apóstoles.

5. Y apareció una luz muy brillante, y muchos pensaron que la casa estaba en llamas.

6. Doce bolas, que parecían de fuego, cayeron del cielo, una por cada signo del círculo de los cielos, y sobre la cabeza de cada apóstol surgió una llameante bola de fuego.

7. Y cada bola arrojó siete lenguas de fuego hacia el cielo, y cada apóstol habló siete dialectos de la tierra.

8. La turba ignorante tomó a la ligera lo que vieron. Decían: «Estos hombres están borrachos, y no saben lo que dicen».

9. Pero los sabios quedaron estupefactos y dijeron: «¿No son ésos todos judíos? ¿Cómo es que hablan tantos lenguajes diferentes?».

10. Y Pedro dijo: «Pueblo de Jerusalén y los que moráis más allá de las puertas de la ciudad; la paz sea con vosotros y con toda la humanidad.

11. »Éste es el tiempo que los santos varones de antaño anhelaban contemplar; mediante la fe vieron esta hora, y ahora están con nosotros extasiados.

12. »El profeta Joal en tiempos lejanos anunció las cosas que ahora veis y oís. El Santo Aliento habló con su lengua y dijo:

13. »Y ocurrirá en días futuros que insuflaré sobre los hijos de los hombres y los colmaré con las bendiciones de la santidad.

14. »Vuestros hijos e hijas profetizarán, vuestros jóvenes serán videntes y vuestros ancianos tendrán sueños.

15. »Y yo mostraré maravillas en los cielos, y portentosas señales en la tierra.

16. »Se oirán sonidos procedentes del cielo y se escucharán voces que los hombres no podrán comprender.

17. »El sol rehusará dar su luz; la luna se bañará en sangre antes de la venida del gran día del Señor.

18. »Y sucederá que aquellos que digan el nombre de Dios con fe serán redimidos.

19. »Éste es el día del poder cristiano; el día en que él, el

hombre de Galilea, será glorificado.

20. »Vino como un niño a Belén y desde el día de su nacimiento los reyes de la tierra intentaron matarle.

21. »Mas Dios le guardó en la palma de su mano.

22. »Los hombres le llamaron Jesús, y le llamaron bien, pues él fue enviado para buscar y salvar a los extraviados.

23. »Y Jesús creció, se hizo hombre y tuvo que atravesar todas las pruebas y tentaciones de los hijos de los hombres, para que pudiese conocer las cargas que éstos deben soportar y saber el modo de socorrerlos.

24. »Vivió en tierras lejanas y mediante la sagrada Palabra sanó a los enfermos, derribó las puertas de las cárceles y dejó libres a los prisioneros, y en todas partes fue proclamado Enmanuel.

25. »Pero gentes perversas le menospreciaron y rechazaron, y con hombres comprados le condenaron culpable de un sinfín de delitos.

26. »Y ante la presencia de muchos que ahora me escucháis, le clavaron en la cruz.

27. »Le sellaron con el sello de la muerte; pero la muerte era demasiado débil para mantenerlo en la tumba y cuando los maestros inmortales pronunciaron: *ADON MASHICH CUMI*, destrozó los vendajes mortuorios y resucitó de nuevo a la vida.

28. »Y se apareció vivo no sólo ante los gobernantes de Jerusalén, sino a muchos más en remotas regiones de la tierra.

29. »Y cuando, ante los maravillados ojos de muchos que ahora me escucháis, ascendió al trono de Dios atendido por un séquito de cortesanos del mundo angélico...

30. »Y tras haber sido exaltado a las alturas, y tras haber respirado en toda su plenitud la Santa Respiración, la insufla de nuevo sobre nosotros, y así manifiesta lo que ahora veis y oís.

31. »Pueblo de Israel, sabed que Dios ha hecho a este hombre de Galilea, a quien maltratasteis y crucificasteis, Señor y Cristo al mismo tiempo».

32. Entonces las gentes preguntaron: «¿Qué vamos a hacer?».

33. Y Pedro respondió: «El Señor de los cristianos nos ha

enviado para abrir las puertas de la aurora. Por medio de Cristo todos los hombres pueden entrar en la luz de la vida.

34. »La Iglesia cristiana se levanta sobre los principios de que Jesús es la manifestación del amor de Dios, de que el amor es el salvador de los hijos de los hombres.

35. »Esta Iglesia cristiana no es sino el reino del Uno Santo dentro del alma, en forma manifestada.

36. »Hoy se funda la Iglesia cristiana, y todo el que lo desee puede entrar y ser salvado por la gracia ilimitada de Cristo».

37. De nuevo la gente preguntó: «¿De qué modo entraremos para que podamos participar de la gracia infinita de Cristo?».

38. Y Pedro respondió: «Convertíos, sed bautizados, alejaos del pecado y vivid una vida en secreta comunión con Cristo en Dios; de esa forma entraréis en su reino y seréis redimidos».

39. Tres mil personas se alejaron del pecado, fueron bautizadas y buscaron vivir una vida oculta con Cristo en Dios.

40. Y en un solo día la Iglesia cristiana alcanzó un ímpetu extraordinario; y Cristo llegó a ser una poderosa palabra que conmovía a las multitudes de muchas tierras.

ÍNDICE